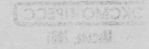

Марина
СЕРОВА

Взрывное лето

ЭКСМО-ПРЕСС
Москва, 2001

УДК 882
ББК 84(2Рос-Рус)6-4
С 32

Оформление художника *А. Старикова*

Серова М. С.

С 32 Взрывное лето. Прогулка с продолжением. Ошибка Купидона: Повести. — М.: Изд-во ЭКСМО-Пресс, 2001. — 448 с.

ISBN 5-04-007157-4

На глазах частного детектива Татьяны Ивановой у входа в казино автоматной очередью ранен ее друг капитан милиции Андрей Мельников. Что это — случайность или месть? А может, таким образом бандиты пытаются замести следы — недавно при взрыве автомобиля погиб коммерческий директор весьма подозрительной фирмы, деятельностью которой заинтересовалась милиция. Татьяна немедленно включается в расследование и вместе с друзьями-оперативниками идет за преступниками буквально по пятам. На этом тернистом пути ее не способны остановить даже новые взрывы и покушения...

УДК 882
ББК 84(2Рос-Рус)6-4

ISBN 5-04-007157-4

Взрывное лето

ПОВЕСТЬ

Глава 1

Я остановилась на маленьком черном платье. Давным-давно, еще в студенческие годы, мне попалась в руки бульварная газетка, в которой было напечатано интервью со знаменитой моделью, кажется, это была Линда Евангелиста. Так вот, кроме разговоров об уходе за кожей и о том, сколько часов сна надо девушке, чтобы хорошо выглядеть, эта супермодель заметила: «У каждой женщины в гардеробе должно быть маленькое черное платье». Не могу сказать, что я тогда свято верила печатному слову, но эта мысль произвела на меня впечатление. Я немедленно позаботилась о покупке столь необходимой для стильной женщины вещи, и с тех пор, невзирая на капризы моды, очередное маленькое черное платье неизменно занимало почетное место в моем шкафу.

Итак, с платьем решено. Я покрутилась перед зеркалом и похвалила себя. Два месяца назад пришлось добавить полчаса к ежедневному комплексу упражнений, и результат налицо: жирок, который начал было накапливаться в области талии, исчез, выглядела я практически идеально! На занятия общефизической подготовкой уходит довольно много времени, но для частного детектива — это суровая необходимость. Так что фигурка у меня сейчас, пожалуй, не хуже, чем у принцессы Дианы.

С туфлями проблем нет — замшевые черные «шпильки» всегда наготове. Теперь украшения. Пожалуй, золото. Тонкая цепочка, серьги-звездочки и перстенек. Все очень изящное, не слишком дорогое, не для демонстрации богатства, а просто чтобы отметить, что ничто человеческое мне не чуждо. Контрольная проверка перед зеркалом — да, очень неплохо. Простенько и мило.

Теперь самое сложное — лицо. Я села и раскрыла косметический набор. Задумалась. В качестве кого он меня приглашает и что мне нарисовать? Мельников, когда позвонил, ничего толком не объяснил. Он вообще как-то очень невнятно со мной разговаривал, явно на бегу: «Танька, ты свободна сегодня вечером? Мне надо в казино, кое на кого посмотреть, позарез нужна дамочка для создания антуража, а наши все в разгоне. Выручай!»

Ясное дело, выручу. У меня, конечно, своих дел хватает, но Мельникову, когда он о чем-то просит, я отказать не могу. А уж в казино я с ним пойду с превеликим удовольствием. Тем более что вечера у меня последнее время свободны.

Андрей велел приезжать к семи, сказал, что встретит у входа, и бросил трубку. Он, видите ли, торопится, а я теперь сиди, ломай голову, какую боевую раскраску выбрать, кого я там, рядом с ним, изображать должна!

С другой стороны, если бы ему нужно было нечто особенное, бросающееся в глаза, он бы предупредил. Раз он собирается за кем-то следить, значит, и мне надо не слишком светиться. Дамочка при серьезном мужчине, класс «экстра», среди посетителей казино не выделяется, но и не затеряется в толпе — вот мое лицо на сегодня. Приняв решение, я принялась за дело. Тональный крем, тени, немного туши на реснички, чуть-чуть подправить линию бровей, губки капризные карандашиком подчеркнуть, блеск, румяна — очень серьезная работа, между прочим. Серьезная, но привычная, так что без пятнадцати семь я была готова. Уже в туфлях, с сумочкой в руках еще раз придирчиво осмотрела себя в большом зеркале. По-моему, безупречно, Мельников должен быть доволен.

Машина у меня, по роду деятельности, всегда под рукой, так что осталось только спуститься во двор. Устроилась я на сиденье своих «Жигулей» аккуратненько, платье хотя и немнущееся, но лучше его расправить, сбросила туфли, ноги на педали, и вырулила на улицу.

Впереди показалось здание казино. Я взглянула на часы, без минуты семь. Терпеть не могу непунктуальности, и то, что сама я практически никогда не опаздываю, — предмет мой гордости.

Двухметрового Мельникова, маячившего на тротуаре, я заметила еще раньше, чем вывеску казино. Он вырядился в строгий темно-серый костюм и выглядел... Я только вздохнула, до чего же все-таки хорош, собака! Андрей тоже заметил меня и помахал рукой. Я кивнула ему и притормозила, собираясь завернуть на стояночку «для гостей нашего казино».

Неожиданно синий «Москвич», мирно ехавший за мной и тоже вроде бы собиравшийся на стоянку, рванул вперед, едва не задев мою машину, обошел меня, и... из окна в сторону казино — я не поверила своим глазам — высунулось дуло автомата. Ну, верить или не верить своим глазам — это личное дело каждого, а вот автоматную очередь тот, кто хоть раз ее слышал, ни с чем не спутает.

Все, что происходило дальше, я запомнила какими-то отдельными, не связанными друг с другом фрагментами. Падает Мельников... Но не так, как в кино, медленно опускаясь, а резко, словно его швырнуло на асфальт сильным ударом. Я еще в машине... А в следующий момент — уже около него на коленях... Вокруг люди — много, стоят, смотрят, лица у всех обалдевшие... Кажется, я заорала: «Скорую!» Два здоровенных мужика, на вид — вылитые гоблины, одновременно, не сводя глаз с Андрея, вытащили сотовые...

Андрей лежал без сознания, грудь залита кровью. У него две раны: из одной кровь просто льется, а там, где вторая, пенится при каждом вдохе. Легкое пробито? Господи, как давно были эти дурацкие занятия по санподготовке! Я метнулась обратно в машину за аптечкой.

...Снова на коленях, пытаюсь сделать перевязку, но у меня не хватает ни сил, ни рук. Не глядя, дергаю за штанину ближайшего ко мне человека: «Помоги!» Он приседает рядом со мной, совсем пацан еще, в глазах ужас, губы дрожат. Приподнимает Мельникова, я задираю пиджак и начинаю торопливо обматывать Андрея. К пенящейся ране приложила воздухонепроницаемую упаковку от стерильного бинта, теперь — потуже, потуже, чтобы кровь остановилась...

Андрей начинает сползать, у пацана не хватает силенок удержать его, тут на помощь приходит еще один мужчина, плотный, седой, уверенные движения. Я заканчиваю перевязку и оборачиваюсь к гоблинам:

— «Скорая»?

— Там все время занято... — неожиданно писклявым голосом говорит один. Второй, продолжая ожесточенно тыкать пальцем в кнопки, только пожимает плечами.

«А, черт!» Я беспомощно оглядываюсь по сторонам. Люди смотрят с сочувствием, со страхом, с интересом...

— Да больница же за углом, — негромко говорит пацан, он весь перепачкался в крови.

— Давайте его в машину, — командую я.

Действительно, больница в двух кварталах, быстрее самой доехать, чем «Скорую» ждать. Я прыгаю обратно в машину, гоблины помогают устроить Мельникова на переднем сиденье. Откидываю сиденье назад, пристегиваю Мельникова ремнем безопасности. Он стонет, но в сознание не приходит. Седой мужчина захлопывает дверцу, пацан замер рядом. Я кричу им «Спасибо!», и мой «жигуль» срывается с места. Машинальный взгляд на часы — девятнадцать ноль три. Прошло всего четыре минуты? Не может быть!

Я выжимаю из мотора все возможное, непрерывным гудением распугивая окружающих. Вот уже и больничные ворота видны, но тут я начинаю сознавать, что вокруг что-то происходит. Рядом воет сирена, меня пытается обогнать машина, из окна которой высовывается парень в милицейской форме, машет, чтобы я остановилась. Извини, друг, знаю, что нарушаю, но не до тебя сейчас, и я давлю на газ.

Парень что-то кричит, довольно злобно, в руке у него появляется пистолет. Прицеливается, хлопок... машину тряхнуло, в подножку, что ли, попал? Андрей снова застонал, я в отчаянии оглянулась на него. Милиционер снова поднял пистолет, по колесам бьет. Ни фига себе, предупредительный выстрел! И больница вот она, в двух шагах, а эти уроды доехать не дают!

...Я ударила по тормозам, снова оглянулась на Мельникова. От резкого торможения он немного сполз с сиденья, хорошо, что ремень тело удерживает. В бешенстве я распахнула дверцу и выскочила из машины. Милицейская машина тоже затормозила. Ко мне побежали трое. Впереди тот, который только что стрелял: маленький такой, хлипкий и пистолетом машет, а за ним двое в бронежилетах и масках.

— Вы что! — заорала я на них, но они словно не слышали.

В одну секунду двое, которые в масках, распластали меня по капоту, обыскали железными лапами и, встряхнув, как котенка, поставили перед коротышкой с пистолетом. Этим самым пистолетом он больно ткнул меня в ребро.

И тут на меня обрушилась такая лавина мата, что я, честно говоря, растерялась. Ну не привыкла я к такому обращению со стороны бывших коллег. Ладно, допустим, с этим конкретно я незнакома, и у него есть претензии ко мне по поводу моей манеры ездить... Но существуют же правила поведения во время задержания! Конечно, не такая уж я наивная, понимаю, что никто эти правила не соблюдает, только не до такой же степени! Да и мат у него какой-то бестолковый, абсолютно невыразительный. Выучил три слова, повторяет их с разными окончаниями и думает, что стал великим мастером по части матерщины. Никакой фантазии у человека. В школе точно двоечником был. Ему бы у Андрея пару уроков взять... О господи, Андрей! Я подняла руку, останавливая поток брани.

— Послушай, — я взглянула на погоны, — лейтенант. У меня в машине раненый оперативник, фамилия его Мельников. Его надо...

— Сам знаю, что у тебя! — перебил он. — Говори, зачем похитила работника милиции, куда хотела отвезти?

Вообще-то спросил он не совсем так. Это только суть вопроса, а говорил он гораздо длиннее и вульгарнее.Вообще не люблю, когда матерятся, да еще так бездарно. Я окончательно озверела — Андрей истекает кровью в моей машине, а этот идиот затеял какие-то дурацкие игры...

— В больницу, кретин! До ворот двести метров осталось, не видишь? — Я махнула рукой, и мальчики в бронежилетах, забеспокоившись, схватили меня за плечи. — Не сметь меня лапать! — рявкнула я так, что они сразу убрали руки. — Ты, суслик белобрысый, дашь его до врачей довезти или мне с боем прорываться?

— Сами довезем, — лейтенант буравил меня мрачным взглядом. — А ты прикуси язык, знаем мы таких шустрых. И за оскорбление тоже ответишь по всей строгости закона. В управление ее, — кивнул он бронежилетчикам. — Приеду, разберусь, кто такая.

Тренированные ребята подхватили меня с двух сторон, и не успела я взвизгнуть, как оказалась в милицейской машине. А этот белобрысый недомерок сел за руль моего «жигуленка» и поехал к больнице. Единственное, что меня утешило в этой ситуации, — это то, что ехал он быстро.

В управлении неразговорчивые ребята в масках сдали меня дежурному и исчезли. Дежурного я не знала. И, как назло, вообще никого знакомых.

Мне стало холодно. Я наконец заметила, что все еще босиком. Ну да, все так быстро происходило, когда мне было свои шпильки напяливать? А здесь пол, между прочим, ледяной, даром что лето на дворе. Пришлось забраться на лавку с ногами. Не сказать, что стало намного теплее. И дрожь не проходила: мое чудное «маленькое черное платье» — не самая лучшая одежда в этой ситуации, сейчас бы телогреечку...

Я посмотрела на пятна крови, заметные даже на черном. Как там Мельников? Узнать бы... Потом оглянулась по сторонам. Народу кругом полно шастает, так почему же никто из тех, кого я знаю, сюда не заглянет? Чаще надо было забегать к друзьям, укорила я себя. Теперь каждый день, как на дежурство, ходить сюда буду, пока со всеми не перезнакомлюсь!

Больше часа прошло, ни одного знакомого лица не увидела. А, наконец-то!

В дежурку забежал Витя Самойлов из мельниковской группы, из старых товарищей, с ним мы успели даже поработать вместе.

— Привет, Таня, — махнул он мне. — Слыхала, Андрея ранили! — и повернулся к дежурному. — Иван Александрович, у тебя здесь должна быть бабенка, шалава какая-то, Мельникова с места нападения увезла. Ярославцев ее еле догнал. Где она? — Дежурный внимательно посмотрел на Витю и кивнул в мою сторону. Я, поджимая под себя босые ноги, постаралась принять гордый вид французской королевы в изгнании.

— Та-ак, — Самойлов, с копной пшеничных волос, голубыми глазками и носиком-пуговкой, внешне никак не производил впечатления человека, обремененного интеллектом, однако это было далеко не так. Соображал он очень неплохо. — Вот теперь понятно. Значит, это была ты. А Ярославцев, вместо того чтобы догонять стрелявших, кинулся за тобой. Догнал, значит, успешно произвел захват преступницы. Далеко до больницы было?

— Метров двести не успела доехать, — честно ответила я. — Только меня не он захватил, слишком он хлипкий для этого. Меня спецназ скрутил. Два таких амбала, что я и пискнуть не успела. Вить, как Мельников, что-нибудь уже известно?

— В операционной, — думая о своем, машинально ответил Самойлов. Потом словно очнулся, взглянул на меня. — А чего ты босиком?

— Кто бы мне дал обуться! — довольно злобно фыркнула я. — Туфли в машине, а я здесь!

— Ты что, в машине разуваешься? Японские церемонии?

— Господи, ну при чем здесь Япония! — застонала я. — Ты пробовал в туфельках на шпильках машиной управлять? Ногу на педаль поставить хотя бы?

— Не-а, не пробовал, — ухмыльнулся Витя. — Ладно, пошли. Добежишь до нашей комнаты, босоножка?

— А у меня есть выбор? — осведомилась я. — Или ты согласен отнести меня на руках?

— Нет уж, Иванова, тебя только возьми на руки, потом не стряхнешь... — Он расписался в журнале, который подсунул ему с интересом наблюдавший за нами дежурный, и двинулся к дверям. Я уже спрыгнула с лавки и последовала за ним. Но тут вспомнила о своем решении заводить новые знакомства в милиции. Остановилась, выдала самую обаятельную из своих улыбок:

— Всего хорошего, Иван Александрович. Было очень приятно с вами познакомиться.

Иван Александрович, голоса которого я так и не услышала, невозмутимо кивнул, и я, наконец, с достоинством покинула дежурку.

В комнате, куда мы с Самойловым пришли, было ненамного теплее, но не успела я устроиться на стуле, снова поджав под себя ноги, как Витя достал из шкафа и кинул мне пушистый серый свитер. Пока я, урча от удовольствия, натягивала на себя это теплое чудо, он открыл нижний ящик своего стола и вынул шерстяные носки.

— На, надень и сядь, наконец, по-человечески, а то, как ворона на ветке... того и гляди свалишься!

— Витя, ты что, добрым волшебником подрабатываешь? Откуда у тебя здесь эта прелесть? — умилилась я его заботливости. Свитер был немного длиннее моего многократно хваленого платьица, а носки, когда я их подтянула как следует, достали почти до колен. Еще продолжая дрожать, я уже почувствовала обволакивающее меня тепло.

— Теща связала, — пояснил Самойлов, с довольной улыбкой глядя на меня. Этот парень любил, когда людям вокруг было хорошо. — У них в деревне козы, вот она пух чешет и вяжет. Из козьего-то пуха все вон какое теплое. У меня уже четыре свитера, две кофты и носков без счета. Я и сюда принес, на всякий случай. Видишь — пригодились.

— Ага, для сирых и угнетенных. Вить, это ж просто мое счастье, что ты такой предусмотрительный. А то умерла бы я здесь мерзкой смертью.

— Это в каком смысле? — опешил Самойлов.

— В смысле замерзнутой, — объяснила я.

— Сроду ты, Таня, как скажешь, так хоть стой, хоть падай, — покачал он головой. — Люди так не говорят.

— Кому лучше знать про замерзнутую смерть, как не тому, кому холодно? — для убедительности я поплотнее закуталась в свитер и лязгнула зубами. — Ты со мной лучше не спорь!

— С тобой? Спорить? — Витя ужаснулся довольно искренне. — Да ни за что! Лучше пусть все будет по-твоему, хочешь — мерзкой смертью помирай, хочешь — замерзнутой.

— Фигушки, теперь выживу! Твоими стараниями, между прочим.

Закипел чайник, а я даже не заметила, когда Витя успел его включить. Мой спаситель кинул по пакетику чая в две большие кружки, подвинул одну мне, подсунул сахар.

— А теперь рассказывай все с начала. С самого начала, и подробно.

— Сначала... — Я осторожно грела ладони о горячие стенки кружки, не решаясь отхлебнуть, кипяток все-таки. — Если сначала, то родилась я в одна тысяча девятьсот... Ладно, ладно, не смотри так. Это у меня шутки дурацкие на нервной почве. Значит, так. Мельников позвонил мне сегодня днем, спросил, могу ли вечером пойти с ним в казино. Дословно: «У меня тут есть наводка, надо кое за кем присмотреть сегодня». Наверное, я ему была нужна для создания видимости солидности. Может, и еще на какую помощь рассчитывал, но ничего не сказал. Вообще никаких подробностей, никаких обсуждений. Просто велел приезжать к семи, сказал, что встретит на улице, у входа.

Я замолчала и сделала осторожный глоток. Все-таки чай еще очень горячий. А Витя вон уже половину выхлебал. Луженый желудок у парня, хлещет кипяток и даже не морщится.

— Ладно, это предыстория, — поторопил он меня. — Это я все и так в общих чертах знаю. Дальше давай.

— Из дома я вышла без пятнадцати семь, — послушно продолжила я. — Добиралась нормально, ничего подозрительного. Андрея увидела метров за двести. В это время синий «Москвич» у меня за спиной уже маячил, но, когда он ко мне пристроился, сказать не могу. По крайней мере не раньше, чем я на Лермонтовскую свернула. До этого на светофоре долго стояла и от нечего делать машины разглядывала, которые за мной выстроились. Тогда его точно не было.

— Так, — Витя взял лист бумаги, быстро начертил небольшой план, сделал пометку. Эта его привычка мне была давно известна. Он всегда рисовал планы местности, схемы связей между людьми, графики времени. Так ему было легче работать. — Значит, здесь его не было. А где ты его заметила?

— Пожалуй, вот тут, — я показала пальцем, — у библиотеки. Здесь у меня в зеркалах что-то уже синело.

— Но точно ты не знаешь, может быть, и не он?

— Наверное, все-таки он. После библиотеки меня

никто не обгонял, правого поворота здесь тоже нигде нет. А у самого казино он уже у меня на хвосте висел. Вроде тоже собирался на стоянку, за мной — поворотник замигал.

— А потом? Они передумали? Почему?

— Я знаю? Я увидела Андрея, махнула ему и собралась парковаться. А тут этот «Москвич» рванул, как из пушки, совершенно неожиданно.

— Мельников тебя видел?

— Да, он тоже мне помахал. Смотри, вот здесь казино. Здесь он стоял, — я тоже взяла ручку и делала пометки на Витиной схеме. — Здесь стоянка, а я подъехала отсюда. И вот тут они мимо меня просвистели. Вот так... — и я провела кривую, обходящую слева то место, где находилась моя машина, и устремляющуюся прямо перед ней к казино.

— Номер запомнила?

— «Е 792 тв». Но в первой цифре не уверена.

— Да нет, правильно, — печально вздохнул Самойлов.

— А что, уже нашли? Где?

— Недалеко от набережной. Там куча мелких переулков, тупичков... Вот в одном из них. Естественно, уже три дня как в угоне. Ладно, давай дальше. Проехали они мимо тебя... Что ты увидела?

— Да ничего толком не увидела. Не знала же я, что они стрелять станут.

— Но что-то подумала?

— Ага, подумала. С чего бы, мелькнуло, эти малахольные так порскнули? Потом автоматное дуло увидела. Кстати, автомат они тоже бросили?

— Нет.

— А отпечатки в машине нашли? Хоть какие-нибудь?

— Нет. Они, Таня, эту машину не просто бросили,

они ее слегка подвзорвали. Поэтому мы ее и нашли быстро, пожарные сообщили.

— Ничего себе!

— Вот именно. Ничего себе, и нам тоже ничего... Кроме дула, что еще разглядела?

Я откинулась на спинку стула и прикрыла глаза.

— В машине было двое, оба на переднем сиденье. У водителя уши оттопырены. Сильно, я только в мультфильмах такие видела. Как у Чебурашки. А тот, что стрелял... Вить, я же видела их всего пару секунд. Но такое ощущение, что по возрасту они где-то между тридцатью и сорока. До старости еще далеко, но уже не сопляки. Все, наверное. Они уехали, а я к Андрею кинулась.

— А почему им на хвост не села? — как-то скучно поинтересовался Витя.

Я ничего не ответила, потому что на дурацкие вопросы не отвечаю. Но посмотрела на него достаточно выразительно, так что он сразу стал оправдываться.

— Ладно, ладно, я ведь к тому, что у нас там группа была, они бы Мельникову помогли.

— Ага, этот желторотик психованный со своим пистолетиком. Пусть бы, раз он такой герой, бандитам на хвост и садился. Они бы его как увидели, так сразу испугались бы и подняли лапки вверх. А то он с двумя амбалами слабую, беззащитную женщину захватил и обрадовался.

— Вот-вот, — проворчал Витя. — Все такие умные, все кинулись к Андрею. И пока вы его друг у друга отнимали, бандиты спокойно уехали.

А в отношении «слабой и беззащитной» он промолчал, потому что знал: с этим недомерком, даже при его пистолете, Таня Иванова в два счета бы управилась.

— Я, между прочим, вообще понятия не имела, что там кто-то еще есть! — обиделась я. — Нас с Мельниковым, между прочим, этот ваш инициативный идиот, который догонять взялся, чуть не угробил. Додумался, придурок, на такой скорости по колесам стрелять.

— По каким колесам? — не понял Витя.

— По моим! Нет бы по этому «Москвичу» пальнул. Глядишь, и остановил бы. Да нет, вряд ли, он и по моей машине промазал. Вы бы его хоть стрелять научили, что ли.

— Ты что, хочешь сказать, что Ярославцев по твоей машине стал стрелять? Венька?

— Он мне не представился. Лейтенант, белобрысый, конопатый, курносый коротышка. Он?

— Ну, обычно его другими словами описывают, но похоже, что он. Венька по твоим колесам стрелял? Зачем?

— Хотел, чтобы остановилась. А мне некогда было. Я, видишь ли, торопилась Андрея в больницу побыстрее доставить.

— Да, ребята, — совсем загрустил Самойлов. — Порезвились вы, я гляжу, от души...

— Ты сам-то где был? — огрызнулась я.

— В двух кварталах оттуда, — спокойно ответил Витя. — На случай, если бы Мельников приказал следить за объектом. А Венька совсем рядом сидел, в подворотне, со спецназом. Если бы возникла необходимость задержания, в дело вступили бы они.

— О господи! — вздохнула я. — А что за объект-то?

— Мы сами толком не знаем. Информатор Андрею стукнул, что интересующее его лицо будет сегодня вечером в казино расслабляться. Обещал пальчиком показать. Мельников решил посмотреть на него, а тогда уж решать, сразу брать или походить за ним. Вот мы и рассредоточились по окрестностям. Тань, а над чем ты сейчас работаешь? Может, все-таки, это ты их на хвосте притащила?

— Разводное дело, — я пожала плечами. — Детишки богатеньких родителей поженились сгоряча, а через полгода стали свадебные подарки делить. Не думаю... И потом, если они по мою душу ехали, чего они в Мельникова палить стали? Обознались?

— Н-да... Скорее, действительно, на него охотились. Ну-ка, очевидец, сосредоточься и скажи, действия этих парней в «Москвиче» были заранее спланированы или больше похоже на случайный порыв.

— Черт его знает, все очень быстро произошло, не разберешь. А ты что ж, думаешь, просто псих какой-то пострелять вышел, а Мельников случайно под пулю угодил?

— Не то чтобы думаю. Для психа все очень уж ловко получилось. И потом, автомат, взрывчатка... Нет, здесь серьезные люди работали.

Дверь заскрипела, и я обернулась. В комнату вошел белобрысый лейтенант, тот самый, что так героически меня поймал. Витя нервно вскочил.

— Ну что?

— Операция прошла успешно, — мрачно сказал белобрысый. — Состояние стабильное, средней тяжести. Сейчас он спит, действие наркоза. Если не случится осложнений... В общем, все должно быть в порядке.

— Ф-фу, — Витя снова сел. — Уже хорошо.

Мне тоже стало немного легче. Вот мы сидели с Самойловым, спокойно так, серьезно разговаривали, нормальная работа. А под этой деловитой оболочкой тщательно спрятанная, замаскированная истерика: «Как там Мельников? Выживет? Нет?» Заметно расслабившийся Витя подмигнул мне.

— Что ж, господа, пора вам познакомиться. Таня, это Ярославцев Вениамин Семенович, молодой, подающий надежды сотрудник, уже второй месяц в нашей группе, прошу любить и жаловать.

Я сдержанно кивнула. Ни любить, ни жаловать этого подающего надежды я не собиралась. Витя же продолжал церемонию.

— А это — Татьяна Александровна Иванова, в свое время краса и гордость прокуратуры, верный друг и товарищ всей нашей группы и Андрея Мельникова лично, ныне самый знаменитый в Тарасове частный детектив.

Ярославцев даже кивать мне не стал. Только зыркнул голубенькими своими глазенками и хмуро спросил:

— Показания гражданки Ивановой уже записал?

— Ты что, Венька? — слегка опешил Витя. — Я же тебе говорю, что...

— Да знаю я, — с досадой отмахнулся тот. — Я сначала в дежурку заглянул, Иван Александрович доложил. И вообще, по-моему, уже все управление в курсе.

— Естественно, — подтвердил Самойлов без всякого сочувствия, а мне так даже теплей стало от злорадного удовлетворения. У ребят в управлении память хорошая, курносому Венечке долго будут эту историю вспоминать. И погоню дурацкую, и стрельбу... Они еще не знают, что он мне в ребро пистолетом тыкал. Оповестить, что ли, народ, дать еще один повод для шуточек?

А этот Венечка с отвращением поглядел на меня и, явно нехотя, сообщил:

— В больнице сказали, что все могло быть гораздо хуже, если бы не вовремя и профессионально сделанная перевязка. Когда я привез его, кровотечение почти остановилось, так что, — он прокашлялся, — примите нашу благодарность.

Мужественный мальчик. Ему, наверное, такое сказать было все равно что лимон съесть, а ничего, справился. Так что я не стала обращать общее внимание на то, что, если бы не его показательные выступления с пистолетом, Мельников попал бы в больницу минут на пять раньше. И дай бог здоровья нашему институтскому инструктору по санподготовке, гонял он нас до посинения. Я думала, что уже забыла все, а руки, оказывается, помнят.

— Общая благодарность, от всех сразу и от каждого отдельно, — Витя, не вставая, дотянулся и хлопнул меня по плечу. — Ладно, хватит болтать, давайте работать. Веня, рассказывай, что ты успел увидеть. Сравним с Танькиным рассказом.

— Не считаю это целесообразным. — Ярославцев надулся и сразу стал похож на блондинистого индюка. — Гражданка Иванова не является нашим сотрудником, следовательно, обсуждать с ней служебные...

— Веня, — ласково перебил его Самойлов, — я же тебе объяснил, мы с Ивановой работали, когда ты только в школу милиции поступать собирался. Так что, хотя она и не наш сотрудник, человек она совсем не посторонний. Совершенно свой человек, понятно?

— Все равно я не вижу необходимости... — упрямством это молодое дарование могло поспорить с ишаком-рекордистом. Мне это надоело, и я дернула Самойлова за рукав.

— Витя, не надо. Все равно я так устала, что не соображаю почти. Лучше я сейчас домой, а уж завтра уж... Когда с Мельниковым поговорить можно будет?

— Время посещения с семнадцати до девятнадцати, — официальным голосом выдал информацию Ярославцев. Ну прямо часы с кукушкой.

— Ладно, — махнула я рукой, — разберемся. Машина моя, я надеюсь, здесь?

Ярославцев молча вынул из кармана ключи и положил на стол. Я только покачала головой. Стянула свитер, отдала Вите, взялась за носки.

— Носки-то оставь. Или снова босиком через управление пошлепаешь?

— Понимаешь, Самойлов, если я в этих носках уйду, то их потом возвращать надо. А перед тем, как вернуть, порядочные люди вещи стирают. Я, разумеется, женщина глубоко порядочная, но ты меня знаешь и можешь себе представить, как я обожаю такое занятие, как стирка. Так что не уговаривай меня, и в босом виде добегу до машины, а там у меня туфли. Надеюсь, что они там, — выразительно посмотрела я на Веню.

Он поморщился, демонстративно отвернулся и стал разглядывать красующийся на стене график раскрываемости преступлений.

— Да забирай ты их без отдачи, — Витя озабоченно смотрел на меня. — Простудишься ведь. Тебе сейчас делом надо заниматься, а не болеть.

— Ну, если ты так ставишь вопрос, — подмигнула я, с удовольствием снова натягивая мягкие теплые носки.

И чуть было не ушла без пропуска, хорошо Витя вспомнил, что сегодня меня без этой бумаги не выпустят. Пообещав Самойлову позвонить завтра, я попрощалась и, аккуратно обойдя продолжавшего изображать столб посреди комнаты Ярославцева, без приключений выбралась из управления.

Глава 2

Дома я первым делом хорошенько отмокла в горячей ванне. В отношении физического состояния это здорово помогло, а вот что касается духа... Я сидела в махровом халате, с головой, обмотанной полотенцем, курила, прихлебывая кофе, и задумчиво водила пальцем по мешочку с магическими костями.

Казалось бы — совсем простая вещь, игрушка. Задаешь вопрос, бросаешь три двенадцатигранных кубика и смотришь в книге толкований расшифровку выпавшей цифровой комбинации. Мало кто относится к этому серьезно. Ну и пожалуйста, это их личное дело. А я верю в магическую силу моих гадательных косточек и не раз имела возможность убедиться в мудрости их ответов. Основная сложность здесь в том, что, когда хочешь получить мудрый совет, необходима полная душевная сосредоточенность и абсолютно четкая, не допускающая двусмысленного толкования формулировка одного-единственного вопроса.

У меня же сейчас в голове такой сумбур, что ни задать толковый вопрос, ни понять ответ я просто не в состоянии. Пожалуй, и без костей ясно, что самым мудрым поступком сейчас будет тихо-мирно лечь спать.

Утром меня разбудил телефонный звонок. Молодая супруга, по поручению которой я неделю металась по городу за ее сопляком-мужем, повизгивая от радости, поведала, что вчера на основании моих данных закатила любимому грандиозный скандал с битьем сервиза, потом они всю ночь мирились и сейчас поедут покупать ей норковую шубу. Или песцовую, она еще не решила.

Поскольку семья была спасена и шуба обещана исключительно благодаря моим неустанным трудам, клиентка теперь жаждала заплатить по счету, добавить премиальные и рекомендовать меня всем своим подругам без исключения. Мы договорились о встрече, и я с облегчением положила трубку. Не люблю я эти разводные дела, но что поделаешь, в результате они оказываются самыми прибыльными. А, как говорят, «любовь приходит и уходит, а кушать хочется всегда».

Очень вовремя эта парочка помирилась. Меньше всего мне хотелось бы сейчас отвлекаться на всякую ерунду. Только интересно, зачем ей в августе шуба? Даже если она норковая или песцовая. Или боится, что к зиме муженек опять загуляет, проявляет предусмотрительность? Ладно, это их развлечения, а у меня другие проблемы.

Быстренько провернув все утренние процедуры, я позавтракала, привела себя в порядок и выскочила из дома. Надо будет сегодня еще полный отчет по законченному делу составить и счет оформить. Ну да ладно, это все потом, сначала в больницу, к Андрею. Что там этот мальчик-с-пальчик говорил, посещения с пяти до семи вечера? Ага, как же! Вот сейчас все брошу, сяду и буду ждать пяти часов. Знаю я наши больницы. Мало ли, что они там у себя на вывесках пишут, кому надо — тот прорвется.

То, что порядки в этих богоугодных заведениях изменились со времени моего последнего посещения, оказалось для меня полной неожиданностью. Нет, внутрь я попала без проблем. То, что парадная дверь и запасной выход были заперты, меня, естественно, не остановило. Немного наблюдательности и — вот она, обшарпанная дверца. Из нее только что выпорхнула санитарочка и побежала к административному корпусу, а дверь осталась приоткрытой. Я накинула на плечи белый халат, предусмотрительно захваченный из дома, и с деловым видом вошла в больничный коридорчик. А вот на лестнице начались новости: двое парней в камуфляже загородили мне дорогу и очень вежливо поинтересовались: куда это я в неприемные часы направляюсь? Надо же, до чего, оказывается, дисциплина в наших больницах дошла!

Меня это, конечно, тоже не остановило, это охранникам слабо. Но сам факт их присутствия произвел впечатление. Короче, под пристальными взглядами сих дюжих молодцов я слегка притормозила и не менее вежливо доложила, что у меня назначена встреча с лечащим врачом моего мужа, в хирургическом отделении. После чего, озабоченно нахмурившись, деловитым кивком позволила им продолжать нести службу, а сама удалилась в сторону хирургии.

После консультации с пожилой нянечкой, меланхолично возившей белоснежной тряпкой по идеально чистому подоконнику (старой закалки человек, ее часы посещения не волновали), я нашла Андрея в крохотной одноместной палате с табличкой «Изолятор». Оказывается, иногда Ярославцев способен и на разумные поступки, настоял на отдельном номере. Правильно, большая компания Мельникову сейчас ни к чему. Только вот не мешало бы охрану возле палаты выставить. Кто их знает, бандитов этих стрелявших или их нанимателей? Что еще им в голову взбредет, когда узнают, что капитан милиции Мельников жив и в больнице лежит, раны залечивает? Те двое в камуфляже, на лестнице, — не охрана, так, видимость одна, вон как я их легко обвела вокруг пальца. Омоновца бы у двери Андрея посадить для спокойствия. Да только кто ж его даст, стража круглосуточного. Людей и так не хватает. А все бедность наша...

Я на цыпочках вошла в палату и осторожно прикрыла за собой дверь. Выложила из сумки четыре коробочки сока папайи. Маленьких, двухсотграммовых, с дырочками, запаянными фольгой, и трубочками сбоку, чтобы можно было пить, не наливая в стакан. Что Андрею из еды можно, а что нельзя, по ходу дела выясним, но сок — это всегда полезно. Почему вот только он так любит сок именно этой чертовой папайи, которого нигде не найдешь? Полгорода исколесила, пока купила. Можно подумать, детство Мельникова прошло в тропиках Африки.

А Андрей спал. Не знаю, что это было — действие наркоза или тот самый сон, который лучшее лекарство. Будить его я в любом случае не собиралась. Просто сидела на стуле и смотрела с нежностью на этого двухметрового верзилу, с которым столько лет вместе проработали, столько раз смертельно ругались, столько раз выручали друг друга, что упаси бог мне теперь его потерять... Лицо очень бледное, все-таки крови много потерял, но с простыней, как пишут в душещипательных романах, не сливается, уж очень щетина заметная.

Я слегка улыбнулась: а что, Мельникову эта легкая небритость даже идет, оказывается. Придает некий шарм. Попробовала мысленно примерить ему бороду — тоже очень неплохо. Ладно, посидела, полюбовалась, и хватит, хорошего понемножку. Надо бы, конечно, у него кое-что выяснить, но не будить же из-за этого. Все равно с врачом поговорить надо, узнать прогноз на будущее.

Лечащий врач Мельникова, немолодой худой мужчина с непропорционально крупными кистями рук, очень удивился, когда меня увидел. У них что, действительно соблюдаются часы посещений? Никогда не думала, что доживу до таких чудес! Но на вопросы мои Сергей Николаевич — судя по этикетке, болтавшейся на нагрудном кармашке халата, его звали именно так — ответил очень любезно и подробно. Состояние Андрея никаких опасений не вызывало, и доктор заверил меня, что крепкий организм Мельникова с ранением справится без проблем. Что же касается того, когда можно с ним побеседовать, то, подумав немного, предположил, что Андрей будет доступен для общения уже сегодня вечером. «С пяти до семи», — деликатно намекнул мне хирург. И, разумеется, ненадолго, поскольку пациент еще очень слаб.

Искренне поблагодарив милейшего Сергея Николаевича, я покинула больницу, причем искать потайную дверцу уже не пришлось. Крепкие молодые люди в камуфляже проводили неурочную посетительницу от лестницы до парадной двери — отперли ее персонально для меня — и очень любезно выставили вон.

Ну что ж, значит, до пяти я совершенно свободна. Вернувшись домой, я позвонила Самойлову и рассказала о своем налете на больницу. Мы немного посмеялись и поехидничали по этому поводу, потом договорились встретиться в пять у Андрея.

— Мне тут дела надо закончить, так что за тобой в управление заезжать не буду, — предупредила я.

— А то мы без тебя дороги не найдем. В конце концов, если мы с Венькой и задержимся, найдешь о чем с Мельниковым поговорить.

— Что, Ярославцев с тобой приедет? — никакой радости от этой новости я не испытывала.

— Тань, он работает с нами, в группе Мельникова, — напомнил Витя. — Привыкай. И потом, он вовсе не плохой парень, занудный, конечно, немного, но работник надежный и человек порядочный. Просто знакомство у вас вышло... неудачное. Он тебе еще понравится.

— Я от него уже в экстазе. — Никакого желания заводить нежную дружбу с Венькой Ярославцевым у меня не было. И если интуиция меня не обманывает, моя неприязнь была взаимной. — Ладно, раз обо всем договорились, хватит отвлекать меня разговорами про молодых и талантливых, у меня дел полно.

Витя хихикнул и повесил трубку. Я тщательно подвела итоги по так счастливо закончившемуся «разводному» делу и только успела все подсчитать и выписать счет, как явилась моя клиентка.

Эта крашенная под натуральную блондинку свиристелка молчать совершенно не умела. Она подробно рассказала мне про то, что от сервиза остались только две тарелки, совершенно непонятным образом уцелевшие, и соусник, который стоял на другой полке и про который поэтому забыли, про безуспешные поиски подходящей шубы, про манто из голубой норки, на коем в конце концов примирившиеся супруги остановились, про ювелирный магазин: вот она — брошечка с алмазиком. «Все равно уже настроились на определенную сумму, а манто — это ведь далеко не шуба, правда?» Естественно, я согласилась: манто действительно не шуба, тут не поспоришь.

Не переставая щебетать, дамочка лихо расплатилась новенькими купюрами, еще раз заверила, что мой телефон теперь на почетном месте в блокнотах всех ее подруг, чмокнула меня в щеку от избытка чувств и упорхнула.

Закрыв за ней дверь, я посмотрела на часы — слава богу, есть время выпить кофе. После общения со столь экспансивной клиенткой это просто необходимо. Кофе, правда, понадобилось две чашки, но они подействовали — звон в ушах прекратился.

Снова взяла в руки мешочек с магическими костями, высыпала кубики на ладонь. Какой же вопрос я хочу задать? Прикрыла глаза, расслабилась... Про состояние Андрея? Нет, на его счет доктор меня успокоил, а вечером сама все увижу. Лучше всего было бы спросить: «Кто стрелял в Мельникова?» Но увы, книга толкований — не адресный справочник деятелей преступного мира. Ответ-то я получу, но вряд ли смогу понять. Сумею ли раскрутить это дело? Сама знаю, что не успокоюсь, пока не найду подонков, значит, сумею. Ха, так я и позволила всякой шантрапе моих товарищей отстреливать! Найду, никуда не денутся. Тем более не одна, а как в старые времена — командой. Витька Самойлов, несмотря на свою незатейливую мордашку — домовенка Кузю из мультфильма не иначе как с него рисовали, — очень неглупый и опытный оперативник. И удачливый, что тоже не мало. Да и Андрей как оклемается, подключится к работе. Из больницы он, конечно, не скоро выберется, но думать-то он и там в состоянии. Ярославцев только этот...

Стоп, куда-то не в ту сторону мысли поплыли. Пошли с начала: что я хочу узнать? Может, это и спросить? Даже интересно, какой ответ получится.

Я открыла глаза и взглянула на часы. О, как время летит, пора в больницу. Халат в машине лежит, пусть там и остается — теперь он мне постоянно нужен будет. Похлопала себя по карманам, все, что нужно, с собой, можно ехать. А кости потом брошу, вечером, когда вернусь.

Глава 3

Андрей, уже выбритый и заметно порозовевший, лежал, не сводя глаз с двери.

— Танька! — обрадовался он. — Наконец-то! Я уже заждался.

— Так я утром забегала, ты спал, — машинально я взглянула на тумбочку, коробочек с соком осталось только две. Черт, а я не заехала в магазин!

— Знаю, что забегала, — Андрей расплылся в довольной улыбке. — На Сергея Николаевича ты произвела неизгладимое впечатление. Выяснял у меня твое семейное положение. Я честно сказал ему, что ты третий раз замужем и от каждого мужа у тебя по трое детей, общим счетом девять.

— Спасибо, — я присела на стул рядом с койкой, — ты настоящий друг. И как он это принял?

— Мужественно. Спросил, нет ли у тебя младшей сестры.

— Андрюша, — я осторожно коснулась пальцами загорелой руки, — как ты? Очень больно?

— Терпимо, хотя удовольствие, конечно, ниже среднего, — он поморщился. — И не называй меня «Андрюша», а то у меня сразу просыпается комплекс неполноценности. Я начинаю чувствовать себя несчастным маленьким мальчиком и готов плакать от жалости к себе.

— У меня у самой, глядя на тебя, слезы наворачиваются. Материнский инстинкт, наверное, срабатывает, девять детей, как-никак.

Он было засмеялся, но тут же побледнел и медленно, осторожно выдохнул.

— Не смеши меня, а то больно.

— Ладно. Слушай, Андрюша...

— Танька!

— Ну, извини! Слушай, Мельников, скоро ребята подойдут, обсудим ситуацию. Ты отдохни, пока их нет, а то врач меня специально предупредил, что утомляемость у тебя сейчас повышенная.

— Это точно, — он прикрыл глаза и заметно расслабился. — Сегодня столовую ложку творога пятнадцать минут ел. Так и не осилил, заснул.

— Вот и кончай болтать, можешь опять подремать, пока совещание не началось.

Не знаю, задремал он или нет, но до тех пор, пока в палату не ввалились, в одном халате на двоих, Самойлов с Ярославцевым, лежал тихо.

В крохотной палате сразу стало тесно. Я, естественно, осталась на стуле, Самойлов, на правах старого сослуживца, уселся на кровать, в ногах у Андрея, а Ярославцев, неодобрительно поглядывая на меня, отошел к окну и устроился на низком подоконнике.

Удостоверившись, что начальник выглядит довольно прилично и вполне работоспособен, Витя поставил на тумбочку литровый пакет с соком папайи.

— Где ты нашел такой? — удивилась я. — Мне попадались только двухсотграммовые.

— Места знать надо, — не стал делиться секретами Самойлов. Он открыл папочку, с которой везде таскался, и достал оттуда несколько листов бумаги. Сверху я заметила план квартала вокруг казино с нашими пометками. — Таня, быстренько повтори, что ты успела увидеть.

Я сжато рассказала свою версию, все трое слушали меня очень внимательно. Потом было сольное выступление Ярославцева, который видел еще меньше моего.

Он со спецназовцами сидел под аркой дома, и высунулись они только на звук выстрелов. Кто стрелял и откуда, не видели. Пока выехали, только и успели заметить, как я с какими-то мужиками заталкиваю Мельникова в машину. О том, что произошло потом, он говорить не стал. Рассказывая, Ярославцев смотрел только на Андрея и Витю, меня как бы не замечал. Мельников слушал с интересом, а Витя вздыхал, возил обратной стороной ручки по плану, но никаких пометок не делал. Дошла очередь до Андрея.

— Сразу скажу, — начал он, — свидетель я самый тухлый. Высматривал твою, Танька, машину, поэтому на другие вообще внимания не обращал. Откуда этот «Москвич» взялся, не знаю, заметил его только, когда оттуда палить стали. Главное, от неожиданности растерялся, мне бы залечь сразу, глядишь оно и обошлось бы... А я варежку разинул и стою, как мишень в тире. И морды ни одной не заметил, даже не знаю, сколько их было, только дуло автоматное пляшет перед глазами, и все.

Андрей запыхался, все-таки долго говорить ему было еще трудно.

— Передохни, — посоветовал Витя, мрачно разглядывая свой план.

— А что свидетели? — без особой надежды поинтересовалась я. — Народу-то полно сбежалось.

— Как обычно, — радости в голосе Самойлова не прибавилось. Он взял другой листочек, посмотрел на него с отвращением. — Они и тебя-то толком описать не смогли, а ты там пять минут крутилась...

— Четыре, — поправила я. — Ровно четыре минуты, на часы смотрела.

— Ну четыре, — не стал спорить Витя. — Один более-менее приличный мужик, из внешней охраны казино, успел что-то разглядеть, сейчас с ним работают на предмет фоторобота. Потом посмотришь, сравнишь. Он, кстати, тебе помогал, седой такой.

— А, помню. Хотя в лицо, наверное, не узнаю, я его не разглядывала. Ладно, бог с ними, со свидетелями. Я вот чего не могу для себя решить: что это все-таки было? Случайное нападение или спланированное покушение? Кто вообще знал, что ты в семь часов будешь там торчать?

— Ты, — не задумываясь ответил Андрей.

— Так, за телефон я ручаюсь, там жучков нет. Сама я ни с кем эту встречу не обсуждала. Слежка... Не знаю, стопроцентной гарантии дать не могу. Явный хвост я бы заметила, конечно, но специально не присматривалась, так что все может быть.

— Ерунду ты мелешь, Танька, — Мельников поерзал на подушках, устраиваясь поудобнее, и сморщился от боли. — Мы с тобой раз в сто лет встречаемся, я утром сам не знал, что позвоню тебе. Если это специально на меня выходили, то зачем бы им было за тобой следить.

— Может, все-таки случайность? — подал голос Ярославцев.

— Ну да, конечно. Ехали себе ребята спокойно по улице, смотрят, капитан Мельников стоит, красивый такой, весь в штатском. А давайте, решили они, подстрелим его, вот смеху-то будет! Сто процентов, именно так все и было... — съехидничала я.

— Не скажи, Иванова, — рассудительно покачал головой Витя. — Случайности, они всякие бывают, сама знаешь...

— Мало ли что я знаю... Мельников, ты лучше скажи, чего ты вообще туда поперся?

— Это по делу Кондратова, того директора стройфирмы, которого взорвали неделю назад. — Самойлов и Ярославцев согласно кивнули, дескать, понимаем, о чем речь. Я слегка покопалась в памяти и тоже кивнула. За криминальной жизнью родного Тарасова я слежу внимательно, а это дело, хотя и не из самых громких, было достаточно заметным. Во всех наших газетах о нем по крайней мере писали.

Кондратов, коммерческий директор процветающей строительной фирмы «Орбита», 27 июля сего года после окончания рабочего дня вышел из офиса, сел в принадлежащий ему автомобиль «Субару», включил зажигание, и машина взорвалась. Осколками были легко ранены несколько прохожих, сам Кондратов скончался на месте. Я не знала, что это дело Мельникову подбросили, но, с другой стороны, ничего странного в этом нет, кому ж еще.

— Дело подвисло, — продолжал тем временем объяснять Андрей, — вот я и начал всех подряд прочесывать. А вчера мне один мой осведомитель позвонил, он как раз в этой «Козырной шестерке» в баре работает. Слышал, говорит, что в нашем казино сегодня вечером будут люди, связанные с интересующим вас делом. Кто конкретно, он сам толком не знал, но вроде бы исполнители.

— Ясно, — я остановила его, давая возможность немного отдохнуть и отдышаться. — Вы разработали план, ты собирался посмотреть на этих людей и определиться с действиями. Витя должен был обеспечить слежку за подозреваемыми, Ярославцев в случае необходимости — задержание, я бы создала для тебя маскировочный фон и вообще была бы под рукой, на всякий пожарный. Правильно?

— Правильно, — сказал Витя. Андрей только бледно улыбнулся — явно устал. Мы с Витей переглянулись, и он стал засовывать свои бумаги обратно в папочку.

— Слушай, Мельников, а не поговорить ли мне с этим твоим осведомителем? — предложила я. — Кто такой, как его узнать?

— Извините, Татьяна Александровна, — впервые сегодня Ярославцев обратился прямо ко мне. — Очень жаль, конечно, но боюсь, ваши услуги нам не по карману. Вы ведь человек коммерческий, берете с клиентов двести долларов в день? Да еще добавляете, как известно, фразу: «И скажите спасибо, что не евро».

Я оторопело посмотрела на него, потом на Самойлова. Витя сморщился и обреченно махнул рукой, очевидно, уже имел с ним беседу на эту тему. Андрей поперхнулся от неожиданности и начал медленно багроветь. А вот это нам совсем ни к чему. Я быстро положила ладонь Мельникову на грудь.

— Спокойно, не вздумай подпрыгивать. Когда встанешь на ноги, тогда и объяснишь... господину лейтенанту, — ах, как Ярославцева перекосило, будто лимон разжевал. — Кстати, — я одарила всех безмятежной улыбкой, — мне пришлось изменить формулировку. Курс евро настолько упал, что слова «скажите спасибо, что не евро» теперь неактуальны. Мельников, так как мне найти в казино этого героического работника общепита?

— Это один из барменов. Фамилия Кабанов, зовут Александр, Шурик. Ростом с тебя, но вдвое толще. Блондин, короткая стрижка, усы. Узнаешь.

— Ладно. Значит, бармен за мной.

— А мы пройдемся еще раз по «Орбите», как считаешь, Андрей? — Витя уже застегнул папку и поднялся.

— Попробовать стоит. Очень у них там все вычищено... А то, что кто-то из фирмы в убийстве Кондратова завязан, ясно это и к гадалке ходить не надо. Уже собрались? — жалобно спросил Мельников, глядя, как мы столпились в дверях.

— А ты с нами еще не наговорился? — удивился Витя. — Ты же еле дышишь!

— Не расстраивайся, — подмигнула я. — Завтра приду с новостями.

И только один Венечка Ярославцев попрощался с больным человеком вежливо.

Я, конечно, могла ехать искать этого Шурика прямо из больницы, но засомневалась, стоит ли ломиться в казино в джинсах. Решила заехать сначала домой, переодеться.

В этот раз с выбором наряда я особенно не мучалась. Есть у меня, специально для таких случаев, свободный брючный костюм с объемным пиджаком. Основное его достоинство в том, что, сохраняя элегантный вид, я имею возможность незаметно надеть кобуру с пистолетом.

К казино я подъехала около восьми. Неторопливо прогулялась по залам, подошла к бару. Вид себе придала рассеянный, немного скучающий. Народу немного, хотя больше, чем я ожидала, все-таки рано еще. В баре крутятся двое, девица неопределенного возраста, с навеки удивленно приподнятыми бровками и капризно оттопыренной нижней губкой, и парень. Поскольку девица барменом Шуриком оказаться никак не могла, я сосредоточила внимание на парне.

Белая рубашка с длинным рукавом, галстук-бабочка, форменный красный жилет с большим круглым значком казино, нижняя пуговица расстегнута. Коротко подстриженные светлые волосы, пухлые щеки, пшеничные усы. Ростом, действительно, с меня, а вот что в два раза толще, это Мельников мне польстил. Хотя парень, конечно, полноват. Издержки профессии, наверное.

Я подошла к бару и, выждав удобный момент, тихо окликнула:

— Шурик?

— Слушаю, — он неожиданно живо крутанулся в мою сторону, любезная улыбка приклеена намертво.

— Хотелось бы побеседовать. Интимно, — прошептала я.

— Не понимаю... — несколько поблек бармен.

— А я объясню, не сомневайся. Только наедине.

— Но кто вы? И зачем... то есть почему...

— Шурик, не строй из себя болвана. После вчерашнего трудно не догадаться, кто я, зачем и почему.

— Но со мной уже беседовали! Еще вчера!

— Ты мне надоел, — змеюкой прошипела я. — Или ты сейчас выходишь со мной, или... — знаю я этот тип своих молодых современников. Такого непременно надо припугнуть, тогда он шелковым становится.

— Но я же на работе! — он взглянул на меня и поежился. — Хорошо. Лера, я на минуту, ладно?

Девица, которая в каком-то очень сложном ритме

трясла шейкер, равнодушно пожала плечами, и Шурик вывел меня из зала через неприметную дверь рядом со стойкой в полутемный коридорчик. Я покачала головой:

— Выйдем на улицу.

Больше не сопротивляясь, он провел меня к задней двери, и мы вышли во двор. Я огляделась. Что ж, все как положено: в помещении бархат, позолота и хрусталь, а на хоздворе грязь, лужи и переполненные мусорные баки.

— Так кто же вы все-таки? — жалобно проблеял Шурик.

— Частный детектив Татьяна Александровна Иванова, — веско произнесла я и, продемонстрировав пистолет, ткнула его дулом в живот. После чего, резко сменив тон, ласково продолжила: — И сейчас ты, Шурик, быстро и внятно объяснишь мне, как и зачем ты моего лучшего друга, капитана Мельникова, под пулю подвел.

— Татьяна Ивановна! Христом-богом клянусь! — Бармен смотрел не на меня — не сводил взгляд с пистолета, упиравшегося в его пивное брюхо. Согнутые руки он сразу же, как только увидел оружие, поднял на уровень плеч, пухлые ладони, обращенные ко мне, дрожали.

— Татьяна Александровна, — невозмутимо поправила я. — Иванова — это фамилия. Ну, я жду.

— Татьяна Александровна, бог свидетель, ни при чем я! Да неужели бы я против Андрея Николаича! Мне Андрей Николаич как отец родной, так неужели такой грех на душу... Вот хотите крест вам на том поцелую?..

Он торопливо дернул «бабочку», расстегнул верхнюю пуговицу рубашки и вытащил наружу небольшой золотой крестик, несколько раз его истово поцеловал, приговаривая:

— Ни при чем я, вот как бог свят, ни при чем!

— Верующий? — я убрала пистолет от живота, но в кобуру не спрятала, держала в руке. Шурик вздохнул чуть свободнее и с энтузиазмом отрапортовал:

— Истинно верующий, в церковь хожу, посты соблюдаю. — На секунду задумался, потом добавил: — каждое воскресенье на исповеди, у отца Михаила.

Надо же! В жизни не видела такого добропорядочного бармена. И ведь действительно похоже, что верующий. Интересно, он на исповеди отцу Михаилу рассказывает, сколько клиентов за неделю обсчитал? А что, все нормально, грешит парень и тут же кается, все по Островскому. Я еще пару секунд помолчала, внимательно вглядываясь в него, нагнетала напряжение, потом улыбнулась и убрала пистолет. Шурик воспрял духом и тут же выразил полную готовность рассказать мне все, что я пожелаю узнать.

— Так что за людей ты хотел показать Мельникову?

— Татьяна Ива... извините, Александровна! Так ведь Андрей Николаич хотел узнать что-нибудь про Кондратова. Тот бывал у нас здесь. Раньше, естественно, до того, как его взорвали.

«Естественно, до того, — мысленно согласилась я, — после взрыва он потерял интерес к подобным развлечениям».

— И когда он погиб, сами понимаете, слухи пошли, сплетни. Тут разное болтали, но в основном, что жадность его сгубила. Сами понимаете, народ у стойки толчется, разговаривает под выпивку, а я работаю, не всегда и разберешь, кто что сказал. Но обсуждали, что вроде он, Кондратов то есть, кому-то здорово на мозоль наступил. А другие говорили, что не то он кому-то недоплатил, не то на него денег пожалели, решили, что убить дешевле...

— А ты сам как думаешь?

— Я об этом ничего не думаю. Мне о таких вещах и думать не положено. Но хочу вам сказать, в этом деле все может быть, он ведь большими деньгами ворочал, Кондратов, очень большими.

— Ну хорошо, это слухи, а что конкретно ты узнал, кого Мельникову показать хотел?

— Был один разговор. Вчера, уже под утро, перед закрытием. Клиенты поднабрались, разговорились... Подошли к бару двое, они не постоянные наши посетители, но последнее время каждый вечер заходили, когда на пару часов, а когда и на всю ночь. Играли всегда только в рулетку, к другим столам не подходили даже. Я им виски налил, они выпили, смеялись что-то, по плечам друг друга хлопали. Ну, я не очень прислушивался, устал уже. А они еще заказали, и тут один рюмку поднимает и говорит: «Помянем Барина, земля ему пухом!» И снова засмеялся. Другой ему буркнул что-то, я не разобрал, а этот знай себе ржет. «Отдадут, — говорит, — и вторую половину, мы их, — вы уж, Татьяна Александровна, извините, прямо повторять неудобно, — крепко за задницу держим». И тут до меня дошло: Кондратова-то убили!

— А раньше ты считал это самоубийством?

— Да нет, я имею в виду, что они убили!

— Не поняла, почему именно они?

— Так ведь «Барин» — это Кондратов! У него не то чтобы кличка, а так... вроде прозвища. Я, когда сплетни слушал, запомнил, его часто «Барином» называли.

— По-нят-но, — по складам сказала я. — И что потом?

— Потом тот, веселый, хотел к рулетке вернуться, а второй ему говорит: «Хватит, да и казино скоро закрывается, завтра все равно придем, вот и доиграешь». Выпили еще и ушли. А я сразу, ну то есть не сразу, а утром, Андрею Николаичу позвонил. Он же мне как отец родной, кто же знал, что так все получится?

Я сунула руки в карманы, постояла молча, пристально разглядывая бармена. Под моим взглядом он снова занервничал, снова потянулся к крестику, бормоча «вот как бог свят». Собственно, ни сам Шурик, ни его рассказ сомнения у меня не вызывали, просто надо было подумать.

— Подожди, — остановила я его бессвязный лепет. — Опиши мне этих двоих.

— Они оба... ну такие, обыкновенные, — он немного растерянно посмотрел на меня. — Не кавказцы, это точно, русские. Одеты хорошо, рубашки канадские, знаете, такие белые, из тонкого трикотажа. К телу очень приятно. Брюки... фирму назвать не могу, но на губернском рынке, на втором этаже недавно похожие видел, за тысячу двести, мокасины у обоих настоящие. Да, еще, у того, второго, часы на руке, «Ролекс», солидная вещь. А у веселого на левой руке кольцо. Печатка. На безымянном пальце. Если действительно золотое, то очень недешево стоит.

— Шурик, а лица у них какие были? Рост? Высокие, маленькие, толстые, тонкие? Приметы особые?

— Приметы? Да нет, ничего особенного, люди как люди. Рост? — Он задумался, потом поднял ладонь сантиметров на пятнадцать над своей головой: — Вот такие примерно. Один чуть пониже, тот что с часами. Не толстые, но и не хлипкие, обыкновенные... А, вспомнил, есть примета! У веселого зуб золотой, сверху, вот здесь, — Шурик показал на коренной зуб слева. — Так его незаметно, а когда смеется, то сразу видно.

— Зуб, это, конечно — примета, — вздохнула я. — А уши? Может, оттопыренные сильно?

— Уши? Да вроде нормальные. Нет, не знаю, не присматривался.

— Ну ладно. А пришли они вчера, как собирались?

— Нет. Но вчера здесь такая суета была! Милиции понаехало, и снаружи, и внутри, свидетелей искали. Посетители, которые поосторожней, сразу разошлись, зато любопытных полные залы набилось. И никто же мимо бара не пройдет, все ко мне.Так что столпотворение, оглянуться некогда было. Но я так думаю, если бы они в баре были, я бы их увидел. И рулетка, где они всегда играли, мне хорошо видна.

— Но если бы они заглянули в казино, увидели, что здесь милиция, и сразу ушли, ты мог их и не заметить?

— Ну... если сразу, не сыграв, не выпив... тогда, конечно, мог и не заметить. Только зачем же им тогда в казино приходить, если не играть и не выпивать? — глубокомысленно отметил он.

— Это ты, конечно, прав, — не менее глубокомысленно согласилась я. — Если не играть и не пить, то и в казино приходить нет смысла. Шурик, а когда эти двое впервые появились у вас? Ты сказал, несколько дней назад, это до двадцать седьмого июля или после?

— Господи, да разве ж я теперь вспомню! — Шурик всплеснул руками. — Вокруг меня ведь каждый день люди, словно пчелы, роятся!

— И все-таки. Двадцать седьмое, среда, восемь дней назад. Когда перед тобой эта парочка начала мелькать? Раз несколько дней, значит, больше трех. Четыре? Пять? Или тебе не хочется об этом говорить? Ты ведь не будешь от меня ничего скрывать, а, Шурик?

— Татьяна Александровна, да что вы! Я же перед вами как на духу, как перед родной матерью...

— Ты это брось, — поморщилась я. — Придерживайся одной версии: или Мельников — твой родной отец, или я — родная мать. И то, и другое вместе никак не получится.

— А? — тупо спросил Шурик.

— Ладно, забудь, — я сунула ему визитку. — Здесь мой номер телефона. Если вспомнишь, какого числа эти двое у вас появились, позвони мне. И если снова их увидишь, звони. Только на этот раз не дожидайся утра, звони сразу, понял?

— Понял, — Шурик старательно закивал, запихивая картонный прямоугольничек во внутренний карман своей шикарной жилетки. Потом робко поднял на меня глаза: — Я могу идти? А то у меня работа.

— Конечно. И постарайся вспомнить, очень тебя прошу Знаешь, какую-нибудь точку отсчета найди около двадцать седьмого. Ну там, скандал в зале или на кухне что пригорело. Выходной, зарплата, мало ли. У других можно поспрашивать акккуратно, может, крупье, что на рулетке стоит, их запомнил...

— Постараюсь, — пообещал он. Застегнул рубашку, поправил свой нелепый галстучек. Спросил неловко, глядя не на меня, а в сторону: — Татьяна Александровна, скажите, Андрей Николаич, он как... выживет?

— Выживет, — улыбнулась я. — Врачи говорят, что все будет хорошо.

— Слава богу, — вздохнул он и перекрестился. — Я за его здравие свечку поставлю.

— Спасибо. Я ему передам.

— Да нет, я же не за этим, — смутился Шурик. — Я же от души...

— Хорошо, тогда просто привет передам.

— Привет передайте, — он уже привел себя в порядок и заторопился, — ну я пойду?

— Счастливо, Шурик. Буду ждать твоего звонка.

Дома я была часов в девять. Очень хотелось есть, а вот готовить совсем не хотелось. Ну и ничего страшного, на этот случай у меня давно отработан, так сказать, скорострельный вариант ужина: на ломтик хлеба кусочек копченой колбаски, колечко лука, ломтик помидорки, веточку петрушки и накрыть пластинкой сыра. Эту пизанскую башню ставишь в СВЧ-печку на полторы минуты и, пожалуйста, — «кушать подано»! Разумеется, в холодильнике не оказалось помидоров и петрушки, но лук, колбаса и сыр присутствовали, а хлеба я, умница какая, по дороге домой купила. Значит, придется ограничиться упрощенным вариантом.

Обеспечив себя горячими бутербродами и большой чашкой кофе, я развернула наши «Известия», которые не успела просмотреть утром, и приступила к ужину. Новости ни у нас, ни за рубежом, увы, сердце не радовали. Пожалуй, только культурная жизнь кипит — премьеры, выставки, концерты. Наш Тарасов тоже весь афишами заклеен. Сегодня только видела, какой-то молодежный оркестр из Англии приезжает. Сходить, что ли? Правда, есть опасность встретиться там с моей неудавшейся любовью, бизнесменом-меломаном Романом Анатольевичем. Ну и что же теперь, прятаться мне от него, что ли, ни на один концерт не сходить?

Убрала со стола, помыла посуду, подмела. Кухня все-таки страшное место! Я ведь не готовлю почти, откуда же здесь столько мусора?

В комнате, впрочем, тоже не мешало бы пройтись, хотя бы с веником. Но на этот подвиг сил у меня уже не было. И вообще, пора было заняться делом. Я присела к столу, взяла лист бумаги и записала краткое содержание своего разговора с барменом.

Что же он сказал мне полезного? Двое, которые пили за упокой души Барина-Кондратова. Собственно, здесь никакого криминала, за упокой души бизнесмена могли выпить и его друзья. Но эти, кроме того, намеревались получить «вторую половину», что вызывает определенный интерес. Они «крепко держат за задницу»... Кого? Заказчика убийства Кондратова? Но, к сожалению, не исключена возможность, что их разговор вообще не имел никакого отношения ни к Кондратову, ни к его смерти. Мало ли о чем могут вести разговор двое поддатых посетителей казино, с шутками и намеками, понятными только им двоим.

Кстати, имеются еще двое — те, которые стреляли в Андрея. По приметам сопоставить довольно сложно. Я запомнила оттопыренные уши, а Шурик — канадские рубашки и золотые часы. И как прикажете считать: та же это пара или другая? Те, которых видел бармен, вчера в казино не появились.Но, судя по его рассказу, они в любом случае к милиции особой любви испытывать не должны. Значит, их отсутствие там, где только что стреляли и где работники милиции станут теперь усердно проверять и трясти всех, кто под руку подвернется или просто окажется поблизости, вполне естественно. Может быть, они вообще решат, что здесь больше показываться нельзя. Да нет, казино затягивает, если они ребята азартные, то непременно придут. А по словам Шурика, они хоть и не завсегдатаи, но последнее время каждый день бывали. Следовательно, их действительно затянуло и ничто теперь не остановит, должны прийти. Вот только когда? Завтра или через недельку? Через недельку меня не устраивает, я столько ждать не могу. Как бы их поторопить?

А эти, в синем «Москвиче»? Мне показалось, что они собирались заехать следом за мной на стоянку. Или только показалось? И они, прикрываясь моей машиной, подбирались к Мельникову? Если это спланированное покушение, то почему именно вчера и именно там? Не самое удобное место и время. И уж очень точно все рассчитано. Появись они на несколько минут позже, мы с Мельниковым были бы уже в казино. Нет, у нас на Руси таких точных расчетов не делают. У нас плюс-минус полчаса. Тогда случайность? А вот в сие я поверить никак не могу. Из всех, кто был возле казино, выбрали для мишени капитана милиции в штатском. Бред какой-то.

Хорошо, допустим, двое в «Москвиче» прекрасно знали, что это именно капитан милиции в штатском. Предположим даже, что были в курсе нашей с Мельниковым встречи, но не знали, в какое время она произойдет. В таком случае они должны были поджидать меня у дома, потом ехать за мной, подразумевая, что Мельников будет ждать возле казино. Что и говорить: двухметровая мишень на тротуаре, тут уж никакая точность не нужна. Такое вполне могло произойти. И больше похоже на правду.

А кто им сообщил о нашей встрече? Знали о ней только три человека: я, Мельников и Шурик. Меня и Мельникова сразу исключаем. Остается Шурик. Кажется, богомольного бармена надо потрясти как следует. Исповедуется он каждую неделю, перед отцом Михаилом. Пусть теперь передо мной поисповедуется. Каждую неделю не нужно, мне только один раз, но основательно.

Кстати, а ведь Самойлов и Ярославцев тоже знали, что Мельников в казино будет. Да, дела... Самойлов — ясно. А вот Ярославцева я не знаю. Ребята его знают, а я нет. А раз не знаю, то хорошо бы белобрысого мальчика прощупать. В нашем деле всякое случается. Хотя ему-то было известно и время, и место. Тогда этим, в «Москвиче», за мной следить не требовалось. А кто сказал, что они следили? Я же их заметила перед самым казино.

Господи, я что, с ума схожу помаленьку?! Только из-за того, что Ярославцев мне не нравится, готова обвинить его в соучастии при покушении на Андрея? Самойлов с Мельниковым не первоклашки, их вокруг пальца так просто не обведешь. И если они считают его нормальным парнем, значит, так оно и есть. Но я все равно остаюсь при своем мнении, балбес он.

Пойдем дальше. Бандиты не знали про засаду, с их точки зрения все было чисто. Потому и действовали довольно смело, даже дерзко... И уйти стрелкам удалось чисто случайно. Если бы белобрысый герой не ловил мух в своей подворотне и кинулся догонять не меня, а тех, которые стреляли в Мельникова, то со своими спецназовцами взял бы их тепленькими... Хотя опять получается: и про Мельникова Ярославцев знал, и за бандитами не погнался. И ничего ему в вину не поставишь. Причина вполне уважительная — бросился спасать командира.

Теперь глянем с другой стороны. Бандиты знали о засаде, но были уверены, что погони за ними не будет. Тоже интересный поворот... Именно у Ярославцева имелась великолепная возможность сорвать погоню после покушения. Например, сказать: ошибся, бросился не в ту сторону, с кем не бывает? Хотя никто не мог заранее просчитать, что это я Мельникова повезу, Ярославцеву пришлось бы гнаться за стрелками из синего «Москвича». А, собственно, он мог ни за кем и не гнаться. Просто решил бы сам доставить раненого в больницу. Интересно, интересно...

Бандиты действовали по простой и примитивной схеме: примчались — обстреляли — умчались. Дальше, правда, схема ломается. Оружие не бросили. Машину хоть и бросили, но зачем-то еще и взорвали. Видно, люди они достаточно опытные, знают правила, но склонны к дешевым эффектам. По крайней мере машину взрывать никакой необходимости не было. А они взорвали. Что это нам дает? Пока ничего. Но запомнить надо, может потом пригодиться. А пока ясно только то, что ничего не ясно...

Но Кондратова тоже взорвали в машине! Так что вполне может быть, что Шурик прав: виски у него в баре пили убийцы Барина. И стреляли в Андрея тоже они, потому что знали, зачем он пришел в казино. Значит, опять возвращаемся к Шурику. Проболтался кому-то про Мельникова? Или сознательно на него навел? Вообще-то он мне показался довольно искренним, но кто знает? Лично я за его невиновность голову на отсечение не дам. И потом, как же он такие выдающиеся уши не заметил? Профессиональный осведомитель должен быть наблюдательным. Или заметил, но не сказал, морочил мне голову канадскими рубашечками?

Зазвонил телефон, я взяла трубку.

— Слушаю!

— Татьяна Александровна, я вспомнил! — голос в трубке звенел от возбуждения. — То есть вычислил!

— Шурик, это ты? — уточнила я.

— Ну да. Татьяна Александровна, я, как вы сказали, стал думать. Двадцать пятого они в первый раз пришли! У нас в тот день была не то чтобы драка, а так, суматоха небольшая. Посетитель один стал к девушке-крупье приставать, и его вывели. Аккуратно, конечно, без скандала, так, чтобы никто не обратил внимания, но мы-то заметили. Я у нее спросил, и она говорит, что это было двадцать пятого! Точно!

— Ясно. Слушай, а Кондратов тогда мог быть в казино?

— Двадцать пятое — это какой день, понедельник? Значит, да. Он человек привычки. Всегда приходил к нам по понедельникам и пятницам, два раза в неделю.

— Ясно. А знаешь ли ты, Шурик, что бывает с теми, кто дает ложные сведения?

— Татьяна Александровна! — взмолился Шурик. — Я же перед вами как на духу! Как на исповеди!

— Ладно, ладно, не дергайся, я же не говорю, что ты врешь. Спасибо за информацию. Но имей в виду, я ведь все проверю. И еще, сегодня этих двоих нет?

— Нет, — с сожалением ответил он. — Может, придут, еще рано... Я тогда сразу позвоню, я ваш номер телефона выучил.

— Спасибо, — повторила я. И решила поддержать энтузиазм бармена добрым словом: — Ты оказываешь следствию очень большую помощь.

— Так я же, чтобы найти, кто в Андрея Николаича стрелял, все что угодно... Вы уж ему привет передайте, не забудьте!

— Ни в коем случае не забуду. Андрей Николаевич получит твой привет в целости и сохранности.

— Ну я побежал, а то опять Леру одну бросил! До свидания, Татьяна Александровна.

— До свидания, Шурик.

Я медленно положила трубку. Значит, эти двое были в казино в тот же день, что и Кондратов. Знакомились с жертвой? Возможно. Или следили за ним? Или опять случайное совпадение? Что-то слишком много в этой истории совпадений. Интересно, Шурик правду говорит или все-таки врет?

Я взглянула на листок со своими записями, потом на часы. Ого, за полночь! Если для бармена «Козырной шестерки» это еще рано, то для меня уже довольно поздно. То-то я чувствую некоторую затрудненность мыслительного процесса. Оказывается, спать пора, а не ответы на каверзные вопросы искать. Что ж, против природы не попрешь, значит, как любила говаривать унесенная ветром Скарлетт, «об этом я буду думать завтра».

Глава 4

Утром я позвонила Самойлову.

— Витя, можно мне подъехать, документы по Кондратову посмотреть, что вы там накопали?

— Только до десяти, потом меня не будет. Успеешь? — как-то устало спросил он.

— Запросто! Сейчас буду.

Если голос по телефону у Вити был усталый, то вид и вовсе изможденный.

— Не выспался? — сочувственно спросила я.

— Если бы только! Совсем забегался. Что вчера выяснила?

— Тебе основное или подробно?

Он посмотрел на часы.

— Давай основное, но подробно.

Я начала рассказывать обо всем, что узнала, и мысли свои об этом, и сомнения. Только о Ярославцеве ничего не сказала. О Ярославцеве я отдельно с Мельниковым поговорить решила. А Витя, как обычно, достал свои листочки и стал делать пометки.

— Значит, говоришь, впервые они появилисв в казино двадцать пятого, в день, когда там в последний раз был Кондратов. Думаешь, пришли на него посмотреть?

— Не знаю. В общем-то, место для наблюдения за будущей жертвой идеальное — народ расслабляется, суета, никто ни на кого внимания не обращает. Но, может быть, и случайность. Слушай, а охрана что говорит? В казино ведь должны профессионалов держать, с наметанным глазом.

— Внешняя охрана дала сносные приметы «Москвича» и очень четкие твои. Я говорил, один из них тебе помогал, он хорошо тебя запомнил. Подтверждает, что в «Москвиче» сидели двое. Не то чтобы он хорошо их разглядел, но фоторобот попробовали составить, вот, смотри, — он подал мне листок.

Нет, эти две физиономии никого мне не напоминали.

— Витя, а их надо Шурику показать, бармену этому, — оживилась я. — Пусть посмотрит.

— До этого я тоже додумался, — кивнул Витя. — И если Шурик их опознает, то получим прямую связь между нападением на Мельникова и убийством Кондратова...

— Тогда, следовательно, они стреляли в Андрея потому, что он на них вышел? И выходит, это бармен его подставил?

— Тут-то я ни черта и не понимаю! — Витя ожесточенно потер лицо ладонями. — Во-первых, ни фига еще Андрей на них не вышел, пока все было на уровне намеков. Во-вторых, зачем Шурику его подставлять, что он, самоубийца? Потом, даже если Андрей и вышел на исполнителей, самое логичное для них было немедленно рвать когти! Зачем им осложнять себе жизнь стрельбой?

— А больше ведь никто не знал, что Мельников там будет. Только ты, да я, да Ярославцев...

— Да еще Шурик, — вынужден был он согласиться со мной.

— Кстати, Самойлов, вы-то с Ярославцевым хоть знали, что с Андреем в казино я пойду? — как бы мимоходом поинтересовалась я.

— Да нет, ты же знаешь Мельникова. Он такие вещи никогда другим не рассказывает.

— А Ярославцев мог откуда-нибудь узнать?

— Откуда он узнал бы, раз Мельников ему не сказал. Разве что от тебя. Так вы же с ним незнакомы были... Послушай, Татьяна, ты это чего?! — вскинулся он вдруг.

— Чего-чего? — приняла я совершенно простодушный вид. Но на Самойлова это не подействовало, слишком мы хорошо знали друг друга.

— А того! Не нравится тебе Ярославцев, и ладно. Но ты под парня не копай. На такое он не пойдет.

Никуда не денешься, пришлось поделиться с Витей некоторыми своими соображениями. Он даже и раздумывать над ними не стал.

— Если тебе делать нечего и времени навалом, можешь, конечно, и Ярославцевым заняться. И меня заодно проверь, мало ли... Ты у нас человек вольный, запретить тебе никто не может. А преступники тем временем смотаются. Потом ищи-свищи. Не ожидал от тебя такого, Танька...

— Ладно, проехали. Раз ты ручаешься за человека, то все, — сделала я вид, что он убедил меня. — Давай дальше думать о той парочке...

— Давай, — согласился он, все еще сердито поглядывая на меня.

— Они вообще какие-то странные, — напомнила я. — Машину взорвали... Кстати, ты уже направил запрос в лабораторию? Надо сравнить со взрывом кондратовской машины.

— Ждал твоих указаний, — огрызнулся он, видимо, никак не мог простить мне Ярославцева. — У меня тоже ощущение, что в этих взрывах много общего. Но ответ обещали дать не раньше чем завтра. Сначала вообще говорили, что дня через три, про выходные какие-то рассказывали, про начало следующей недели... — Витя скривился и потер лоб. — Но мне удалось их убедить, и они согласились на завтра.

— Согласились или сказали, что постараются?

— Пообещали, что завтра дадут заключение.

— Это хорошо. Молодец ты, Самойлов, кого угодно уломаешь!

— Так для пользы же дела стараюсь!

— А что у тебя еще, кроме фоторобота?

— Еще? — выражение Витиного лица стало трагическим. — Объявили розыск по всему Тарасову двух мужчин, среднего роста, среднего телосложения, без особых примет. Один просто мужчина, второй — с оттопыренными ушами. В качестве образца приложили фотографию Чебурашки. Думаю, к обеду найдем.

— Да ладно тебе, не психуй. Вспомни, какие дела мы раскручивали, и с этим справимся.

— Да я знаю... Извини, Таня, это я так, с недосыпу. В общем, я сейчас свидетелей ищу, и в казино, и в тупичке, где они машину взорвали, а Венька «Орбиту» утюжит. Кажется мне,что эти два дела связаны. И не кати ты, бога ради, бочку на парня. Он вообще-то неплохой, только, как бы это сказать... упертый сильно. Ты на него не обижайся.

— Да я и не обижаюсь, — пожала я плечами. — Мне-то что, вам с этим недоумком работать, а не мне. А что касается его упертости, то знаешь, Витя, ты ему посоветуй: пусть он упирается в кого угодно, только не в меня, а то обижаться ему придется.

— Да нет, Таня, ты не поняла. Ты Женю Ярославцева помнишь? Должна помнить, он еще при тебе погиб.

— Ну помню. Не то чтобы мы близко знакомы были, но здоровались. Нормальный был парень. А Венька что, родственник?

— Брат младший. Он, когда Женю убили, переживал очень. В общем, пошел в милицию, вроде как подхватить знамя, выпавшее из рук брата. Одним словом, для него все, кто ушел из милиции, — дезертиры, — извиняющимся тоном закончил объяснения Самойлов. — А ты ушла, вот он и смотрит на тебя вприщурку. Но ты не обращай внимания, Таня, это он по молодости, по глупости...

— Ну знаешь, — я сделала несколько глубоких

вдохов-выдохов, — ну знаешь, такого я еще не слышала... Даже не знаю, как на это реагировать...

— А ты никак не реагируй, — торопливо предложил Витя. Очень он не любил ссор и обид в коллективе. — Таня, ты же умная женщина, ты сумеешь. Ну была бы ты дурой, разве я стал бы тебе это рассказывать? А ты умница, ты поймешь и не станешь на него обижаться. Венька — парнишка толковый и старается. Над собой работает, в секции рукопашного боя ни одного занятия не пропускает.

— Видела я, как он старается. Ты еще скажи, что он каждое утро зарядку делает и зубы чистит... Ладно, Витя, уговорил, не стану я ему глаза выцарапывать, хотя пара затрещин этому сопляку только на пользу пошла бы. Сбил ты меня с мысли со своим Венькой, о чем мы говорили?

— О фирме «Орбита».

— Ага, вспомнила. Так что, есть подозрение, что заказал Кондратова кто-то из фирмы?

— Подозрения есть, но, как бы сказать, эфемерные. Что-то там такое... — Самойлов неуверенно помахал рукой в воздухе.

— Флюиды? — подсказала я.

— Вот-вот, — обрадовался Витя, — все чисто, а флюиды, гады, в воздухе так и носятся! Вот, я тебе подобрал материалы, посмотри, что сделано. Ты ведь к ним тоже собралась? Когда поедешь?

Я оценивающе посмотрела на лежащую передо мной папку.

— Часа полтора-два эти бумаги займут. А потом можно и в фирму наведаться.

— Ну давай, знакомься с делом, а мне надо закончить отчет о грабеже на Центральном рынке. Нынче ночью молодчиков как раз и повязали. Когда прочтешь, обсудим все еще разок, авось нащупаем, на чем эту самую «Орбиту» можно зацепить.

Витя занялся своим отчетом, а я склонилась над папкой. Материалов в ней было негусто. В основном — бумаги по убийству Кондратова: протоколы осмотра места происшествия, опросов свидетелей, заключения технической и судмедэкспертизы и прочее.

Судя по немногочисленным документам, касающимся собственно состояния дел в фирме, «Орбита» ничего особенного собой не представляла. Мелкая строительная контора — небольшая группа проектировщиков, сметный отдел и строители-сезонники. Не сказать, что очень впечатляющие заказы выполняла — на строительство кооперативных погребов да гаражей. Мелькала, правда, еще строка со словом «госзаказ». Да, фирмочка не производила впечатления золотого дна, а ведь Шурик утверждал, что покойный Кондратов «большими деньгами ворочал». Собственно, это и без Шурика ясно, человек без серьезных доходов два раза в неделю казино посещать не станет.

В комнату вошел Ярославцев. Увидел меня, дернулся от неожиданности, но моментально взял себя в руки, поздоровался холодно, хотя и безупречно вежливо. Я, не желая огорчать Витю, ответила ему со всей возможной в этой ситуации любезностью. Ярославцев же, вместо того чтобы сесть за свой стол и заняться делами или просто уйти, вытянулся передо мной в струнку.

— Татьяна Александровна, позвольте принести вам свои извинения по поводу моего поведения при нашей первой встрече и позднее. Проявленное мной неуважение ничем не может быть оправдано. Я постараюсь никогда больше не допускать подобного.

Он сказал все это таким тоном и с таким выражением лица, что было абсолютно ясно — выполняет приказ старшего, сам бы он скорее застрелился, чем попросил у меня помощи или прощения. Интересно, кто именно заставил его извиняться, Витя или Андрей?

Я глянула на Витю, но тот усердно занимался своим отчетом, делая вид, что ничего не видит и не слышит.

— Извинения приняты, — я холодно кивнула и уткнулась в бумаги.

Витя за него поручился. Что ж, поверим Самойлову. Не должна я изображать, что парнишка мне нравится больше, чем есть на самом деле. Сам Ярославцев себя этим не утруждал и сильно по данному поводу не переживал. Он сердито отодвинул стул и сел за свой стол. Не знаю, что он там делал, меня это совершенно не интересовало. Но вскоре услышала, как он закрыл все ящики стола на ключ и вышел из комнаты.

— Он что, боится, что я личность сомнительная и могу украсть у него особо секретные документы? — поинтересовалась я у Вити.

Витя рассмеялся:

— Не вяжись, человек по инструкции действует. Нехорошо, Иванова. Надо бы, наоборот, похвалить младшего товарища за добросовестное отношение к обязанностям, а ты к нему придираешься.

— Это ты его извиняться заставил?

— Да что ты, это он совершенно самостоятельно, инициативу проявил.

— Врешь ты все, Витька, он по собственной инициативе меня только обматерить может.

— Ей-богу, хочешь — перекрещусь.

— Не надо, — отказалась я. — Крестился уже вчера передо мной один такой, аж в глазах рябило, так что хватит. Ты мне лучше про «Орбиту» расскажи. Не столь уж богатая фирма, и не большие деньги в ней крутятся, на погребах и гаражах миллионы не наваривают. И зачем было Кондратова взрывать? Я все по финансам просмотрела и не заметила, чтобы они крупными суммами ворочали.

— То-то и оно, что не заметила, — он поставил стул рядом с моим и, покряхтывая, опустился на него. — Не выспался я сегодня. А ты, Татьяна, стареешь, что ли? Соображалка у тебя пробуксовывает. Погреба и гаражи здесь, ясное дело, ни при чем. Свой бешеный доход деятели в «Орбите» имеют не с них, а со строек по госзаказу.

— Да ладно тебе. Не такая уж сытная это сейчас кормушка. Даже если половину стройматериалов разворовывать.

— А если все? И при этом не строить, а деньги за работу получать? — Самойлов говорил лениво, вроде даже слегка дремал, развалившись на стуле.

— Как это? Ты о чем?

— А ты посмотри повнимательнее, где у них эти стройки, — посоветовал Витя, — в каком конкретно районе нашей необъятной Родины?

Я посмотрела. Действительно, Витя прав, невнимательная я стала и соображалка пробуксовывает. Должна была сама обратить внимание, а не ждать, пока носом ткнут.

— Значит, Чечня. Понятно. Строится, допустим, школа, — стала я прокручивать возможности фирмы в этом направлении. — Официально закупаются стройматериалы, оплачивается их отправка в Чечню, начисляется зарплата строителям, ну и всякие прочие расходы. Когда школа вроде как построена, в нее попадает шальная бомба или ее взрывают боевики, это уже дело техники. Государственной комиссии предъявляются развалины, и... строительство можно начинать сначала. Все стройматериалы распродаются, скорее всего, еще по дороге. В чистом виде остается начисленная зарплата, строителями-то наверняка «мертвые души» оформлены? Неплохо.

— Одна поправка, — Витя по-прежнему сидел, прикрыв глаза. — Нет никакой необходимости возиться со всеми этими кирпичами, цементом, стеклом и прочими материальными ценностями. Покупать, отправлять, продавать. Ведь за разумный процент можно оформить документы на покупку, погрузку и перевозку и сразу получить «живые» деньги.

— Да-а. Лихо, ничего не скажешь. А доказательства есть?

— Откуда? — горечи в голосе Самойлова еще прибавилось. — В тех документах, что касались Кондратова, все чисто, аудиторскую проверку они проходят регулярно, у налоговой инспекции к «Орбите» претензий нет. Для изъятия всего комплекта бухгалтерских документов нужен ордер, а с чем мы в прокуратуру сунемся? Про флюиды им рассказать?

— Да, флюидами наших не проймешь, — согласилась я, даже не заметив, что по старой привычке назвала ребят из прокуратуры «нашими». — Что ж, теперь мне понятно: за такие деньги можно и убить. А Кондратова, судя по сплетням, убрали «за жадность» и за то, что ходил по чужим мозолям. Как бы еще узнать, в Андрея стреляли те же, что Кондратова взорвали?

— Я думаю, когда эксперты дадут предварительное заключение по взрывчатке, появится та печка, от которой сможем танцевать. Если получим отрицательный ответ, значит, смело можно разделять взрыв Кондратова и нападение на Андрея на два разных дела.

— Знаешь, Витя, — сказала я, — не могу объяснить, но вот здесь, внутри, я уверена, что это те же двое. Уши, конечно, не сходятся, а все остальное очень подходит. Думаю, если мы как следует копнем в «Орбите», то выйдем на них.

— Значит, так оно и есть, — совершенно серьезно согласился Самойлов. Моим ощущениям за годы нашего знакомства он привык верить.

— Тогда я сейчас поеду в эту контору, посмотрю, чем там дышат, попробую все на зуб.

— Давай. Тебе сообщить, что бармен по фотороботу скажет?

— Обязательно. Позвони на сотовый. Ну, я полетела, только к себе заскочу.

Домой я заехала, чтобы прихватить кое-какие небесполезные в нашем деле игрушки.

Сразу, как только зашла в квартиру, вспомнила про магические кости, мешочек с ними со вчерашнего дня лежал на столе. А что, настроение у меня сейчас самое походящее. И вопрос — четкий и конкретный — появился в результате нашего с Витей разговора.

Я высыпала двенадцатигранники на ладонь, зажмурилась. Итак: «Если я начну работать с фирмой «Орбита», найду я тех, кто стрелял в Андрея?» Бросок, кубики весело покатились по полированной поверхности стола. «18+12+34» — «Вы будете приятно удивлены тем, как стремительно события приобретут благоприятный для Вас оборот». А я что говорила? Ну, «Орбита»! Ну погоди!

Ехать было недалеко, офис располагался в довольно престижном районе, совсем рядом с центром.

Один умный человек как-то рассказал мне, что существует ряд примет, по которым легко можно определить этап развития конторы и ее жизнеспособность на данный момент. Когда молодые хваткие ребята только собираются и начинают новое дело, они пашут от души. В это время фирма, как правило, ютится в каком-нибудь подвале или флигеле с обшарпанными стенами и противными лампами дневного света, а ребята работают, не отвлекаясь на такую ерунду, как обед или начало и конец рабочего дня.

По мере того, как дело набирает обороты, обстановка значительно цивилизуется, понемногу покупается новая мебель, обживаются комнаты первого этажа. Выделяется специальное помещение, где можно перекусить. На работе еще могут задержаться, при острой необходимости, но обед становится святым делом.

Следующий этап — переезд на второй этаж и качественный евроремонт. Еду уже не приносят из дома в баночках и термосах, а готовят здесь. На кухне имеются полный ассортимент необходимой посуды, газовая или электрическая плита с духовкой, холодильник, а то и два.

И последняя стадия начинается с введения официальных перерывов на чай в одиннадцать и четыре часа. Дни рождения и национальные праздники теперь отмечаются за общим столом, всем коллективом, от директоров до сторожей. Границы рабочего дня соблюдаются свято — до девяти часов в конторе ни души, а без минуты шесть все уже стоят у дверей. Как раз на этой стадии руководство — так сказать, отцы-основатели — и начинает грызться между собой. Все. Сотрудникам пора начинать искать новое место работы, долго фирма уже не протянет.

По всем этим приметам фирма «Орбита» находилась при последнем издыхании. Она занимала второй этаж офисного четырехэтажного здания. Фасад его был увешан дюжиной вывесок различных контор, но у «Орбиты» была самая большая и красивая. Вахтера в стеклянной будке при входе я совершенно не заинтересовала, даже обидно. Второй этаж сиял пластиком и потрясал обилием искусственных цветов. Ароматы, доносившиеся из конца коридора, напомнили об убогой яичнице, которую я торопливо проглотила несколько часов назад, здесь пахло по меньшей мере уткой с яблоками. А может, даже гусем. Вот бессердечные люди — не боятся, что какой-нибудь посетитель, совершенно невинный посторонний человек, захлебнется слюной и погибнет прямо у них в коридоре.

Одним словом, если учесть еще и взрыв машины с представителем руководящего состава, «Орбита» обречена.

Я прошлась по коридору и довольно быстро обнаружила кабинет директора. Приемной как таковой не было. Был небольшой светлый холл в конце коридора, в который выходило четыре двери. На трех из них висели исполненные в лучших традициях черные таблички с золотыми буквами, извещавшие, что здесь находятся кабинеты директора, коммерческого директора и главного бухгалтера. Кабинет покойного Кондратова был опечатан. Четвертая дверь, самая дальняя, была железной, и таблички на ней не было. В холле очень много цветов, и не искусственных, а настоящих, живых, причем очень-очень домашних, — два широких подоконника и тумбочка вплотную заставлены горшками с геранью и разноцветными фиалками. У стены стояли два стола, сдвинутые углом, на одном был установлен компьютер, на втором находился телефон и стопочкой лежали папки с аккуратными наклейками. Только несколько листков — какие-то таблицы, брошенные посреди стола, — нарушали идеальный порядок. Хозяйка, седая женщина с приятным, но незапоминающимся лицом сидела на вертящемся стуле боком ко мне и работала на компьютере.

— Одну минуточку, сейчас закончу фразу... — сказала она, как только я вошла. Допечатала, повернулась ко мне. На лице любезная секретарская улыбка, но на удивление естественная, совершенно не раздражающая. — Добрый день, чем могу вам помочь?

— Здравствуйте, — я тоже постаралась улыбнуться как можно обаятельнее. — Мне хотелось бы поговорить с руководством фирмы по поводу гибели Кондратова.

— Ой, — лицо секретарши сморщилось. Не глядя, она открыла ящик стола, достала прозрачную трубочку с большими белыми таблетками — наверное, это был валидол — и сунула одну в рот. — Я как про Павла Артемьевича вспомню... Это такой ужас был! Машина горит, всюду обломки и столько крови!

Теперь она полезла в сумку за носовым платком. Я сочувственно покивала и спросила:

— А вы что, видели, как это случилось?

— Нет, я ведь рассказывала уже вашим товарищам и на прошлой неделе, и сегодня с утра приходил молодой человек. Я задержалась, внуку в школе доклад надо было сделать, по Древней Греции, а я не успела его напечатать, поэтому и осталась. Так что, только когда взрыв услышала... Ужасно! Но Николая Георгиевича, — она кивнула в сторону директорской двери, — сейчас нет, он в мэрию поехал. Правда, к обеду обещал вернуться.

Я невольно принюхалась, и секретарша поспешила объяснить:

— У нас день рождения сегодня у одной девочки-проектировщицы. Тридцать лет, юбилей все-таки. И потом пятница, на работу завтра не приходить... А Елена Викторовна здесь, с ней вы можете побеседовать.

Главный бухгалтер фирмы «Орбита» — дама, самую капельку полноватая, но идеально ухоженная, — занимала просторный и довольно захламленный кабинет. У двери рогатая вешалка, по летнему времени пустая, только зонтик болтается да модная белая кожаная сумочка. Вдоль стен стеллажи, заваленные кипами папок с документами, стопки каких-то бланков лежат отдельно. У окна несколько коробок из-под бананов, тоже набиты бумагами. Специальный большой стол с компьютером и принтером. Тумбочка из-под стола выкачена, на ней глубокая тарелка с яблоками. И посреди всего этого Елена Викторовна Косачева — энергичная женщина лет сорока, строгие карие глаза, волосы цвета «спелый баклажан». Самый модный, между прочим, в этом году оттенок. Я тоже на прошлой неделе минут десять пыталась выбрать между этой пенкой и «красным деревом», махнула рукой и ушла, ничего не купив, решила остаться пока блондинкой. Отметила я сразу и гордую сдержанность хозяйки кабинета, безупречный макияж, модную стрижку, холеные руки с наманикюренными ногтями и светлый сарафанчик, для ее возраста и телосложения, правда, немного легкомысленный, но с другой стороны, лето на дворе, жарко.

В отличие от милой секретарши Елена Викторовна первым делом попросила мои документы. Выяснив, что я не представляю государственные органы, мадам Косачева подняла аккуратно выщипанные брови и без всякого интереса спросила, на кого я работаю.

— Извините, но я не могу раскрывать...

— Да-да, конечно, — махнула она рукой, — глупый вопрос. Итак, вы занимаетесь расследованием гибели Павла Артемьевича. Должна сразу сказать вам, что, как человек, долго проработавший вместе с Кондратовым, и как просто женщина, я в ужасе и в шоке от всего произошедшего.

Елена Викторовна замолчала и внимательно посмотрела на меня, желая удостовериться, что я прониклась силой ее переживаний.

— И конечно, весь наш коллектив надеется, что убийцы всеми нами уважаемого Павла Артемьевича не уйдут от ответственности и будут найдены в самое ближайшее время. Мы готовы оказывать полное и безоговорочное содействие. Но, насколько я понимаю, это дело милиции. В чем же ваша роль?

— По ряду причин в данный момент я сотрудничаю с представителями милиции в этом деле. Они уже провели у вас большую работу. Я же лично хотела бы посмотреть кое-какие финансовые документы.

— Абсолютно невозможно, — холодно отрезала главный бухгатер. — Наши финансовые документы являются коммерческой тайной. То же самое я сказала и милиции. Будет постановление суда, ордер на изъятие бухгалтерской документации, пожалуйста! Мы законопослушная организация, немедленно все предоставим, никаких проблем. Но пока я несу личную ответственность, и сами понимаете, у меня есть обязательства перед трудовым коллективом! Так что о выдаче вам документов не может быть и речи.

— Елена Викторовна, а в чем будет выражаться ваша готовность к полному и безоговорочному содействию? Поконкретнее, пожалуйста.

Она пожала плечами и посмотрела на меня ясными глазами.

— Все возможное, в пределах разумного.

— Понятно, — похоже, продолжать разговор было бессмысленно. — Всего хорошего.

Когда я была уже у двери, обычно такой устойчивый каблук моих туфель подвернулся. Я охнула, покачнулась, взмахнула руками, задев ладонью висящую на вешалке сумочку, успела опереться о стену и удержалась на ногах. Обернулась с испуганной улыбкой:

— Это же надо, такие удобные туфли, а каблук все время шатается.

— Супинатор надо проверить, — Елена Викторовна с женским сочувствием отнеслась к моей проблеме. — У меня так было. Если супинатор сломался, то каблуки гуляют так, что ходить невозможно. В соседнем доме очень хорошая обувная мастерская, там и срочный ремонт есть.

Но тут она вспомнила, что я — персона «нон грата», и глаза ее снова затянуло льдом. Пора было убираться, тем более, что главное дело сделано — крохотная булавочка микрофона крепко засела в мягкой коже сумочки. Только перед уходом надо бы малость расшевелить главбухшу. Тоже мне, Снежная Королева.

— Спасибо большое, прямо сейчас и к ним. Да, Елена Викторовна, один вопрос. Какая зарплата была у Кондратова? Или это тоже коммерческая тайна?

— Разумеется. Могу только сказать, что заработная плата Павла Артемьевича была достойной и соответствовала его квалификации.

— И ее хватало на посещение казино дважды в неделю?

— Видите ли, представление, что постоянные посетители казино обязательно проигрывают там миллионы каждый раз, довольно вульгарно, — не слишком охотно, но все-таки ответила она. — Многие приходят туда просто пообщаться с приятными людьми, провести время в культурной обстановке. Небольшие ставки вполне доступны, и при разумной игре практически любой человек с постоянным доходом может себе позволить это развлечение. Я сама время от времени там бываю.

— Правда? А когда вы были там последний раз?

— Понятия не имею. Я не хожу туда регулярно, бываю от случая к случаю, по настроению, — Елена Викторовна потихоньку закипала.

— А двадцать пятого, случайно, не были?

— Я же сказала, что не помню! У вас все? А то мне работать надо.

— Извините, Елена Викторовна, я ведь про это все почему спрашиваю? Дело в том, что по моей информации у Кондратова была репутация человека, ворочающего очень большими деньгами, но зарплата, даже высокая, сами понимаете, не дает основания для таких разговоров.

— Не знаю, где вы собираете подобную информацию, — моя собеседница брезгливо поджала губы, — и, кроме того, я совершенно не в курсе личных финансовых дел Павла Артемьевича. Но могу сказать одно, он был человеком широким, увлекающимся, можно сказать, артистичным, очень любил эффектные жесты. Ему нравилось чувствовать себя этаким барином, — она запнулась, но тут же взяла себя в руки. — Одним словом, мастер был производить впечатление на людей.

— То есть вы хотите сказать, что если у него и были большие деньги, то вы не представляете, откуда?

— Послушайте, вы отвлекаете меня от работы. Я, разумеется, готова оказать помощь следствию, но ваши бессмысленные и бестактные вопросы... — она поняла, что уже кричит и, сделав над собой усилие, заговорила более спокойно: — Что вы, собственно, хотите, найти убийц или опорочить имя Павла Артемьевича? Имейте в виду, от меня вы ничего плохого о нем не узнаете! Да я просто отказываюсь с вами говорить! Слава богу, вы не официальное лицо и я не обязана отвечать вам, так что попрошу больше не мешать мне. Всего хорошего.

— Да-да, конечно, — примирительно улыбнулась я, — вы имеете полное право выставить меня вон.

— Вот именно. Прощайте!

— До свидания, — я мягко закрыла за собой дверь, одновременно нажимая в кармане кнопку включения миниатюрного магнитофона. Не все люди имеют привычку говорить сами с собой, но некоторые, да еще если их разозлить... Кроме того, Косачева может позвонить по телефону. Записывающее устройство у меня не самой последней модели, но достаточно современное. Так что, пока я нахожусь в радиусе четырехсот метров, никаких секретов от меня у главного бухгалтера фирмы «Орбита» не будет.

Секретарша встретила мое появление в холле с доброжелательностью, явно для нее привычной:

— Вы уже закончили? А Николай Георгиевич вернулся, я его предупредила, заходите, он вас ждет!

Директор фирмы Николай Георгиевич Лемешев внимательно осмотрел меня и одарил приторной улыбкой — очевидно, мой внешний вид произвел на него самое благоприятное впечатление. Я, в свою очередь, не менее внимательно осмотрела хозяина кабинета: директор как директор, все они одинаковые. Маленькие глазки, розовые щеки и блестящую полулысину я отметила в качестве особых примет. А одет он был в очень черный костюм из какого-то дорогого материала и очень белую рубашку, на фоне которой совершенно терялся светлый-светлый галстук. Прямо пингвин какой-то...

Лемешев тут же вышел из-за стола, усадил меня в кресло, успев попутно потрепать по плечу, погладить по коленке и слегка, совершенно случайно, разумеется, задеть грудь. Все эти активные действия явно доставили ему немалое удовольствие. Что касается меня, должна честно признать, полулысые пингвины лет под пятьдесят, лапающие незнакомых дам, восторга у меня не вызывают. А он тем временем продолжал ворковать надо мной, восхищаясь красотой представителей нашей родной милиции.

Когда меня принимают за работника милиции, грех не воспользоваться. Но выдавать себя за должностное лицо — мошенничество. Особенно при данных обстоятельствах, после разговора с главбухшей. Так что пришлось представиться и вручить визитку. Николай Георгиевич артистично изобразил разочарование.

— Такая милая дама, и частный сыщик! Зачем вам это надо? Танечка, я вас умоляю, бросьте вы эту гнусную работу, неужели же вы, с вашим-то умом и талантом, не сможете устроиться приличней?

Интересно, что он имел в виду под умом и талантом? Или за сорок секунд знакомства сумел проникнуть в потаенные глубины моего подсознания? Боюсь, все здесь было гораздо примитивнее.

С трудом остановив поток пошлых комплиментов, я попыталась втолковать ему, что интересуюсь не его мужскими достоинствами, а неожиданной смертью его коммерческого директора вообще и финансовыми документами в частности. Удавалось мне это слабо. Ну никак не укладывалось в плешивой его голове, что молодая женщина может предпочесть его ухаживаниям разговоры про какие-то скучные документы. Господи, да кто же его директором в фирму взял, ему же только в зоопарке сторожем при павлинах работать! Чтобы они не зазнавались слишком.

Впрочем, наш тет-а-тет длился недолго. Шарахнулась о стенку распахнутая дверь, и в кабинет влетела разъяренная Елена Викторовна.

— Послушайте, вы! Я же вам ясно сказала, чтобы вы покинули офис! — орать она начала без предварительной подготовки и сразу во всю мощь своего голоса, а он оказался нехилым. Очень ей это не шло, весь лоск слетел, и теперь главный бухгалтер выглядела довольно рыхлой, вульгарной и визгливой бабой. — Вы что, думаете, на вас управы нет? Да один мой звонок — и вас лицензии в течение часа лишат! Посадят! Можете не сомневаться, влиятельных друзей у нас достаточно!

— Ну-ну-ну, Елена Викторовна, зачем вы так, — довольно безуспешно попытался утихомирить ее шеф. — Танечка ничего плохого в виду не имела...

— Она не имела? — возмущенно всплеснула руками Елена Викторовна. — Да она клеветница! Да, да, моя милая, то, что вы мне сейчас говорили, это все клевета! Вы что думаете, вы будете Павла Артемьевича черт знает в чем обвинять, а я буду молчать? Не пройдет, не надейтесь! — ругаться, соблюдая грамматические правила обращения к малознакомым людям, показалось ей слишком сложным и малоэффективным, и она перешла на «ты»: — Есть, есть люди! Они тебя в бараний рог скрутят, ты еще пожалеешь, что в это дело ввязалась!

Мне надоели ее вопли, тем более что ничего интересного, кроме бессвязных угроз, я не слышала. Перебивать человека, конечно, невежливо, но не ждать же, пока она выдохнется. Судя по габаритам, пару в этой даме было еще минут на двадцать.

— Не сомневаюсь, — вежливо, но решительно вступила я в разговор, — что у вас достаточно знакомых, которым захочется скрутить меня. Но вы забываете, что я тоже не новичок в своем деле и у меня тоже знакомые имеются. И у них могут появиться вопросы. Их наверняка заинтересует, почему это мое появление вас так разволновало. Почему принимаются столь серьезные меры, чтобы от меня избавиться? Не пытаетесь ли вы таким образом что-то скрыть от следствия? И если пытаетесь, то что именно? А мои знакомые очень не любят оставлять подобные вопросы без ответов. Они приложат все силы, чтобы эти ответы получить. И получат, можете не сомневаться.

— Убирайтесь! — Елена Викторовна смотрела на меня с ненавистью.

— Всего хорошего, — ответила я ей нежной улыбкой и поднялась из кресла.

— Девочки, ну что же вы так, ну зачем вы ссоритесь, ах как нехорошо, — расстроенный Лемешев бестолково метался между нами. Пришлось улыбнуться и ему. — Не сомневаюсь, что мы еще встретимся.

Я вышла из офиса, неторопливо подошла к машине. Уехать или подежурить немного здесь? Собственно, особо срочных дел нет, а тут может произойти что-нибудь интересное. Посижу, пожалуй, в машине, покурю и спокойно подумаю. Итак, что мы имеем от визита в «Орбиту»?

Косачева явно разнервничалась, когда я стала спрашивать о доходах Кондратова. Кроме того, обмолвилась, назвала его «Барином». Это, конечно, ничего не значит, так его могли называть многие. Странно то, что она при этом смутилась. А потом и вовсе распсиховалась. Из-за финансовых документов фирмы она такого шума поднимать не стала. Чувствовала себя увереннее? Имею право не показывать, и точка. А отказываться отвечать на вопросы про Кондратова у нее никаких оснований нет, вот нервы и сдали. Где тонко, там и рвется? Или это все было разыграно только для того, чтобы выставить меня из офиса, не дать поговорить... С кем? С Николаем Георгиевичем? Или еще с кем-то? Хотя злилась она, похоже, по-настоящему, аж пар из ноздрей шел. О, не зря я, оказывается, задержалась!

Елена Викторовна, не глядя по сторонам, сбежала с просторного крыльца и решительно направилась к черному «Вольво». Села за руль, машина резко рванула со стоянки. Ничего машинешка, но по городским улицам ей от моего «жигуля» все равно не оторваться. Я быстро затушила сигарету, вырулила следом и аккуратно влилась в поток транспорта, не теряя «Вольво» из виду. Между нами две машины, все как учили. А водит эта дамочка довольно нервно. Не то чтобы откровенно нарушает правила, а так, корректирует в свою пользу. Как мужики говорят: «Женщина за рулем — обезьяна с гранатой»? Точно про нашу главбухшу.

«Вольво» подъехал к зданию городской администрации и припарковался на стоянке для служебных машин. Я проехала немного дальше и тоже остановилась. Елена Викторовна вышла и, не заперев машину, хорошим шагом направилась в сторону небольшого чахлого скверика. Очень уверенно себя ведет эта дамочка, не боится, что машину угонят, охраны-то вроде не видно. Или есть? Администрация все-таки, прячутся, наверное, где-нибудь в кустах, чтобы пейзаж не портить.

Моя поднадзорная побродила по дорожке, постояла, нетерпеливо топая каблучком по асфальту, потом посмотрела на часы и присела на скамейку. Ага, понятно — она торопилась сюда не воздухом подышать, ждет кого-то. А я встала, оказывается, очень удачно, мне ее прекрасно видно. И расстояние, пожалуй, поменьше трехсот метров, и сумочка у нее на плече болтается. Так что, если она собирается сейчас вести не предназначенные для моих ушей переговоры, то доставит мне этим большое удовольствие.

Так... Сосредоточеннее надо быть, внимательнее, откуда этот тип взялся? Торопится. Мимо меня он не проходил и не из-за угла... Ну конечно, из здания администрации. Что же это получается, Елена Викторовна, и правда, побежала на меня жаловаться своим могущественным друзьям? Вот на это я не рассчитывала, была уверена, что она блефует, просто страху на меня пытается нагнать. Ладно, посмотрим да послушаем. Не страшно, конечно, но неприятности, действительно, могут образоваться.

Да, все правильно, именно этого мужика она и ждала. Вскочила со скамейки, протянула ему руку, что-то говорит, нервничает. Мужик ее вроде успокаивает. Или, наоборот, ругает, что-то очень руками размахался. Ссорятся, никаких сомнений. Так, он первым опомнился, посмотрел по сторонам. Правильно, на улице такие представления не устраивают. Теперь сидят на лавочке, воркуют, просто голубки!

Ворковали они недолго. Не прошло и десяти минут, как Елена Викторовна вернулась в свою машину. Тип помахал ей рукой, и «Вольво» тронулся. Мужчина стоял и смотрел ей вслед, но недолго. Махнул рукой в последний раз и, не обращая больше ни на что внимания, скрылся в здании администрации. Я тут же рванула с места. Хорошо, что «Вольво» машина приметная, догнала ее быстро. А дальше спокойненько, без проблем, доехали мы до девятиэтажного дома, где согласно прописке проживает моя дражайшая Елена Викторовна. Она поставила машину на дворовую стоянку, на этот раз тщательно заперев ее и опять-таки не оглядываясь по сторонам, зашла в подъезд. Хорошо работать с самоуверенными дамами. Охотники говорят, что, когда глухари токуют, к ним можно вплотную подойти. За этими тоже вплотную идти можно, они настолько уверены в своей исключительности, что ничего вокруг не замечают, вернее, не считают достойным своего внимания.

Я сверилась с записной книжкой: пятьдесят седьмая квартира — это пятый этаж. Вынула из магнитофона кассету с записью, вставила чистую. Еще немного подождала. Ну все, Елена Викторовна должна быть уже дома, путь свободен.

Дверь подъезда, несмотря на наличие кодового замка, была гостеприимно распахнута, так что я без всяких помех поднялась на площадку между пятым и шестым этажом. Там было темновато, а уж в щели за мусоропроводом и вовсе ничего не видно. Очень хорошо. Встав на цыпочки, я как только смогла высоко прикрепила к стене магнитофон. Подергала для верности, вакуумная присоска держала крепко. Взглянула на часы — два двадцать пять. Кассеты хватит на шесть часов, значит, не позже половины девятого надо будет вернуться.

Конечно, шансов услышать что-нибудь интересное не много, люди, как правило, не ходят по квартире с сумочкой. А то, что важный разговор произойдет как раз в том месте, где Елена Викторовна оставляет сумочку, маловероятно. Я, например, держу свою в шкафу, в коридоре. С другой стороны, одна моя подруга всегда оставляет сумку в кухне, а другая и вовсе на столике, где стоит телефон. Так что магнитофон может очень даже пригодиться, если повезет.

А я, пожалуй, сейчас поеду домой, послушаю, что у меня уже есть интересного.

Дома желудок сразу же напомнил мне, что время сугубо обеденное. Пришлось отвлечься, сделать себе несколько бутербродов и сварить кофе. В результате к прослушиванию я приступила с бутербродом в одной руке и чашкой кофе в другой.

Слушая запись, я одновременно делала вариант для Мельникова и его ребят, выбрасывая куски, не несущие информации, — звук шагов, радио в машине, просто тишину. Только самое начало оставила как есть.

Управилась я как раз, чтобы успеть в больницу вовремя. Сунула в сумку магнитофончик, кассету, достала из холодильника еще несколько пакетиков с соком папайи. Все в порядке, ничего не забыла, можно ехать.

Глава 5

Я опять пришла раньше всех. Вот и хорошо, будет время просто поболтать. К тому же бодрый вид Мельникова меня порадовал.

— Андрей, ты прямо не по дням, а по часам поправляешься! Про выписку еще ничего не говорят?

— Я спросил, а они пообещали проконсультироваться с психиатром.

Я захихикала, уже привычно выложила на тумбочку коробочки с соком.

— В целом, я их понимаю. Но выглядишь ты, действительно, очень неплохо, — посмотрела на сок, вздохнула. — Слушай, тебя как здесь кормят? Надо бы, конечно, не сок этот дурацкий, а поесть тебе притащить...

— Еще чего придумала! Знаю я, как ты готовишь, когда по уши в деле. Кроме ирландского рагу от тебя ничего и не дождешься.

— Между прочим, так говорить с твоей стороны большое свинство, — возмутилась я. — Ирландское рагу было очень вкусным, ты все съел, добавки попросил, а потом еще и тарелку вылизал!

— Так ведь я тогда очень есть хотел! Я бы все что угодно съел и всю посуду тебе вылизать мог!

— Если так, то я вообще тебя не понимаю. Женился бы, пусть бы жена тебя и кормила, никаких проблем.

— Ты что, Танька, с ума сошла? С моей-то работой, кто за меня замуж пойдет? А если уйти, так я ничего другого не умею. Конечно, — тут физиономия Мельникова приняла самое противное выражение, — вот если бы меня, например, миллионер замуж позвал, тогда другое дело. Но не всем же так везет, как некоторым.

— Да не миллионер он, сколько раз тебе говорить, — машинально отмахнулась я, потом сообразила, дернулась. — Стой! Ты это о чем?

— О Романе, естественно, — Андрей был абсолютно невозмутим. — Встретились мы недели три назад. Совершенно случайно.

— Да? И как он? — у меня невозмутимость была качеством пониже, чем у Мельникова.

— В общем, ничего, смурной только. Про тебя спрашивал.

— Ну и глупо. Если ему так интересно, мог бы сам мне позвонить.

— Это ты глупости говоришь! — нахмурился Мельников, ну прямо воплощение мужской солидарности. — Роман — нормальный мужик, а не тряпка половая. Если уж ты его бросила, он тебе в друзья набиваться не будет.

— С ума сошел? — не поверила я. — Когда я его бросала? Это что, он тебе сказал?

— Неужели ты думаешь, мы с ним это обсуждали? Просто я знаю тебя и немного знаю его. И на данный момент Роман не производит впечатления человека, которому удалось совершить такой невероятный поступок, как оставить с носом саму Татьяну Иванову.

— Вообще-то, никто никого не бросал, Андрей, — поморщилась я. — Просто мы разошлись по обоюдному соглашению. Мирно так, без скандалов... — я все-таки не удержалась и вздохнула.

— Не понимаю, Танька, какое, к черту, соглашение? Он тебя замуж звал?

— Звал. Но с условиями. Я должна закрыть свое агентство.

— Что, вообще работать нельзя? — удивился Андрей.

— Почему, можно. Даже предлагал — юрисконсультом, в его фирме. Или преподавать. Но только что-нибудь подобное. Он, видишь ли, не может допустить, чтобы мать его детей, размахивая пистолетом, гонялась за преступниками. Смысл по крайней мере был примерно такой.

— Какая мать? — Мельников, не готовый к такому повороту, растерянно хлопал глазами. — При чем здесь какие-то дети?

— Брак предусматривает рождение детей и дальнейшее их воспитание, — пояснила я. — Роман хочет, чтобы я именно этому посвятила свою жизнь. Я предложила другой вариант. Дискуссия была длительной и бурной, но консенсуса достичь не удалось. Вот, собственно, и вся история.

Я держалась очень хорошо, говорила спокойно, даже вроде равнодушно, и кого-нибудь другого мне, пожалуй, вполне удалось бы обмануть, но не Андрея.

— Наверное, ты права, — он смотрел на меня с сочувствием. — Хотя, с другой стороны, дети... Знаешь, Танька, возраст — страшная штука. У меня племянников целая толпа. Как собираемся всей семьей, крутятся вокруг, верещат, безобразничают. Сестры орут на них, а я смотрю, и мысли всякие бродят. Вот если бы был у меня сын...

— Так, — прервала я его, — меняем тему разговора. Или я сейчас начну рыдать на твоей забинтованной груди, оплакивая погибшую личную жизнь. Согласен?

— Согласен, согласен. В жизни не видел, как ты

рыдаешь, и смотреть не хочу. Тем более на моей забинтованной груди.

— Тогда давай о деле. Да, кстати, я все хотела спросить: Ярославцев знал, что ты будешь меня ждать возле казино?

Этот тоже мгновенно усек направление моих мыслей и вопросом остался явно недоволен.

— Не знал он ничего про тебя. Думаю, даже о твоем существовании не догадывался, так что не тяни на парня.

— А все-таки, вполне может быть, — не сдавалась я.

— Ничего тут быть не может. Парень наш. И забудь о нем. Тут что-то другое искать надо. Ты лучше расскажи, что накопала.

Получается, что я не с той стороны захожу. И Самойлов так считает, и сам Мельников. И чуть ли не одними и теми же словами говорят. Что же, может быть, я и ошибаюсь. Но все равно этот Ярославцев — личность весьма неприятная.

— Ладно, не трону я твоего Ярославцева. Но кое-чего интересного я все-таки накопала. Я буду говорить, а ты слушай.

Свой рассказ я начала с короткого сообщения об утреннем визите в управление, потом подробно, в лицах пересказала всю историю с посещением офиса фирмы «Орбита» и дальнейшей слежкой за главным бухгалтером упомянутой фирмы. Закончив, вытащила из сумки и поставила на тумбочку магнитофон и помахала перед носом Мельникова кассетой.

— Под статьей ходишь, Танька, — поморщился он. — Посадят тебя когда-нибудь.

— Боишься, что передачи носить придется и адвокатов нанимать? — поинтересовалась я.

— Конечно. Передачи на свою зарплату я еще сумею тебе обеспечить, но на адвокатов и на взятки моих средств точно не хватит. Так что предупреждаю, свято соблюдай технику безопасности.

— Даже не собираюсь комментировать твое бестактное замечание, — я пожала плечами. — Хочешь сказать, что ты мог бы предложить другие варианты, как добыть информацию? Ты, милый, еще не знаешь, какая бомба на этой кассете!

— Тут розетка так глупо поставлена, где-то под кроватью... — сменил тему Андрей.

— Магнитофон на батарейках, — я вставила кассету, положила палец на клавишу. — Включать или подождем ребят?

— Включай.

— Ты лежишь? Хорошо. Три, два, один, пуск! — я нажала на клавишу.

Сначала мы услышали довольно злобный женский голос:

— Зараза! Шваль подзаборная!

— Это Елена Викторовна пар спускает. Я только что вышла из ее кабинета, — пояснила я. Андрей кивнул.

Потом непонятное шуршание, стукнул ящик стола, скрипнул стул, шаги, легкий хлопок.

— Это она встала и к дверям подошла. Сейчас с секретаршей говорить будет, — я продолжала комментировать.

Снова голос, громкий, совсем рядом с микрофоном.

— Лидия Васильевна, зачем вы пустили ко мне эту женщину? — невнятное бормотание в ответ, и злости в голосе еще добавляется. — А я вам говорю, что она частный сыщик, а вовсе не из милиции. И что бы она здесь ни вынюхивала, это фирме только во вред. Так что я вас прошу, впредь проверяйте документы у всех, кто интересуется гибелью Павла Артемьевича, а эту девицу близко не подпускайте!

Секретаршу было плохо слышно, она и так говорила негромко, а сейчас, очевидно, волновалась и совсем понизила голос. Но по реакции Елены Викторовны было понятно — она сказала, что я вовсе не ушла, а нахожусь сейчас в кабинете директора.

— Что?! — резкий стук закрываемой двери, шум стал приглушенным.

Я остановила магнитофон.

— Пока, как видишь, ничего интересного нет, я это оставила для создания общего впечатления. Чтобы ты понял, какая это стервозная баба. Дальше события развивались в кабинете у Николая Георгиевича, но там тоже ничего интересного. Когда она меня выставила оттуда, то, судя по всему, вернулась к себе, взяла сумку, заперла кабинет и сказала секретарше, что едет по делам. На вопрос, когда вернется, ответила, что не знает, может, через час, а может, совсем не придет. Секретарша напомнила, что за стол сядут часов в пять, в полшестого, там у них день рождения у кого-то из сотрудников, — я взглянула на часы. — О, уже вовсю празднуют. Отсюда я этот разговор убрала, он нам ничего не дает, но на оригинале пленки все есть, если захочешь прослушать, пожалуйста. Потом она выскочила из конторы и поехала на площадь, к зданию администрации. Дождалась в скверике какого-то мужика. Там-то самое интересное и начинается, на этой встрече в скверике. Не знаю, что за мужик, но он уже был в курсе событий. Наверное, она ему позвонила перед тем, как выехать.

— Он что, вышел из здания администрации?

— Как он появился, я не заметила, но зашел он точно туда.

— Скорее всего, это бывший муж Косачевой. Им Витя занимался. Когда придет, сравните впечатления.

— А с чего это Витя им заинтересовался, он же в «Орбите» не работает?

— Это сейчас, а вообще-то он один из тех, кто основал фирму.

— Да? Это, наверное, очень удобно, когда один из основателей работает в администрации. Кем?

— Средней величины шишка в министерстве строительства.

— Понятно! А я еще удивлялась, как это у них все проверки так гладко проходят, ну просто идеальная документация! Ладно, значит, Елена Викторовна позвонила бывшему мужу и пожаловалась на нехорошую тетю Таню Иванову, которая ее обижает. Слушаем дальше.

Я включила магнитофон, и снова раздался взволнованный голос Косачевой.

— Борис! Ну почему так долго, я уже полчаса здесь топчусь!

— Точно, Косачев, — отбросил сомнения Мельников. — Его Борис Леонидович зовут. А что, она правда так долго его ждала?

— Врет. Не больше пятнадцати минут прошло.

— Леля, извини, задержался, — голос слегка запыхавшегося Косачева. — Но я все выяснил.

— И чего ей надо?

— Давай сядем, сейчас все расскажу. Уф-ф, значит, так. Кое-какие справки я навел, накоротке, конечно. Чтобы более подробные сведения собрать, время нужно, а я к тебе торопился. Так что пока слушай то, что есть. Итак, эта Татьяна Александровна Иванова действительно частный сыщик, она довольно известна и в милицейских, и в криминальных кругах. До того, как стала частным сыщиком, работала в прокуратуре, следовательно, имеет достаточно полезных друзей. Врагов, впрочем, тоже хватает, но с ней стараются не связываться. Репутация у нее… —

послышался шелест бумаги, — вот, я записал. С разными людьми разговаривал, поэтому есть повторы. Вот, слушай, «настойчивая, банный лист, чистая тигра, везде пролезет, злющая, как оса, упорная, собачий нюх, кобра змеиная». Один товарищ назвал ее «мисс прокуратура». Что, правда, так хороша?

— Ничего особенного. Обыкновенная драная кошка, а уж одевается, так не приведи господь! Борис, меня не волнует ее внешность, что по делу?

— Не верь ей, Танька, — ухмыльнулся Мельников, и мне пришлось остановить пленку. — Ты действительно была самая красивая, и я даже знаю, кто тебя так называл, «мисс прокуратура»!

— Сама знаю, — отмахнулась я, снова включая магнитофон, — ты дальше слушай.

— Чаще всего при определении Ивановой звучало слово «ведьма», — Косачев добросовестно продолжал излагать мою характеристику. — Одним словом, в коллективе пользуется заслуженным уважением, и человек, к которому она начинает вязаться, автоматически вызывает подозрение. Так что она права. Если подключит компетентных людей и нажмет как следует, то ее дружки, которые полчаса трендели мне про потрясающее чутье и какие-то там особенные взгляд и нутро, хором насядут на нас. И тогда — ничего хорошего.

— Черт побери, что же делать?

— Ага, теперь «что делать?». А все жадность ваша бесконечная! Говорил я, что лучше поделиться, так нет, убить дешевле!

— Да твой Кондратов был прорва бездонная! Ты бы с ним делился, пока последние трусы не отдал бы. Знаешь, сколько таких, как ты, слишком умных, он уже поделил и голым в Африку пустил!

— Конечно, так, как вы, гораздо лучше! Наняли каких-то придурков...

— Перестань орать на меня! С ума сошел, мы же на улице, кто-нибудь увидит, — и сама перешла почти на шепот: — Между прочим, с Барином они разобрались очень профессионально, и никаких улик! Мы вообще в сторонке, чай пьем, ничего не знаем. Что ты дергаешься?

— Я? Это ты дергаешься! Кто мне сейчас позвонил и истерику устроил? Кто такая Иванова, что ей надо, прижать ее, достать ее, убрать ее!

— Подожди, Борис, а при чем здесь, действительно, эта Иванова? Какое ей дело до Кондратова? Кто ей платит, какие-то его дружки?

— Да наплевать ей на него! Это не его, это ваши дружки подгадили, профессионалы хреновы! С тем ментом, которого они на днях у «Козырной шестерки» подстрелили, — на этих словах записи Мельников высоко поднял брови, но промолчал, — она раньше работала. Знаешь, как они все друг за друга держатся?! Вот она и полезла на стенку. Землю роет, обещает достать гадов. Ясно тебе теперь?

Андрей улыбнулся, глядя на меня. Я постаралась как можно невозмутимее пожать плечами.

— Ерунда какая. В жизни никому подобной пошлости не говорила.

— Ладно-ладно, не говорила, — успокоил меня он.

— От этой Ивановой, если уж она прицепилась, просто так не отделаешься, — продолжал просвещать бывшую супругу Косачев.

— Сколько она стоит?

— Откуда я могу знать. Лично с ней дела я никогда не имел.

— И все-таки, что она больше всего любит, наличные или камешки?

— Не знаю, не знаю, надо будет поспрашивать

кое-кого. Но учти: среди них есть и такие, кто не берет.

— Скажи лучше — такие, кому не дают. Хорошо, разузнай, на что она клюет. Купим мы эту дрянь с потрохами. Она еще и служить нам будет.

— Вот это было бы лучше всего, — согласился бывший супруг. — Тихо-мирно купить ее, и все в ажуре.

— Так и сделаем, — приняла окончательное решение Косачева по поводу моей дальнейшей судьбы. — Только мне вот что интересно: почему она к нам в «Орбиту» заявилась?

— Не знаю. Сначала она в казино побывала, но там недолго копалась. А потом уже за «Орбиту» взялась. Я что думаю: она, по разговорам, каждый день к этому своему дружку в больницу бегает. Может, это он ее навел?

— Вообще-то этот мент вроде не дурак. Довольно милый, между прочим, даже жалко, что его так... Но все равно странно, как он додумался, что искать надо у нас? Нет, никак он не мог нас вычислить, с Барином все чисто было сделано, к нам эта история никакого отношения не имеет.

— Да, покушение на Кондратова у них мертво висело, я точно знаю, от ответственных людей. К нам у него никаких подходов нет, потому как он еще не вышел на этих идиотов, что вы наняли. Только я не знаю, Леля, просто не представляю, как от них теперь избавляться!

— Расплатимся окончательно, они сами исчезнут. Им около нас крутиться тоже интереса нет.

— А если они опять какую-нибудь стрельбу устроят?

— Да ладно тебе, объяснили же они, что когда увидели его у входа, то растерялись, запаниковали. Он их знает, брал уже. И немалый срок им тогда припаяли. Вот, придурки, и подумали, что снова попались.

— Вот-вот, растерялись, запаниковали... А ты еще говоришь — профессионалы. Нечего было в казино соваться, если профессионалы! И вообще, Леля, как у них автомат в машине оказался, они ведь не на разбой ехали, а в казино?

— Так они же самые настоящие бандиты. Этот дебил, который все время хихикает, с автоматом не расстается. Он, наверно, и спит с ним. А второй все время нож с собой таскает. Здоровенный такой ножище, человека насквозь проткнуть можно.

— Дернул тебя черт с убийцами связаться!

— А с кем, по-твоему, мне надо было связываться, с гимназистами? Да и поздно теперь об этом говорить. И вообще, если ты такой умный, убирал бы Барина сам.

— Еще раз тебе говорю: я с самого начала был против!

— Ладно, Косачев, — в голосе Елены Викторовны послышалась явная усталость. — Это в конце концов тоже дела минувшие. Возвращаемся к тому же вопросу — что теперь делать будем?

— А что нам делать? Не дергаться, жить по-прежнему. Даже если менты что-то подозревают, доказать-то никто ничего не может.

— А Иванова?

— Что Иванова? Кто такая Иванова? Имела ты полное право выгнать ее из офиса? Имела. Здесь все в порядке. Киллерам этим недоделанным запретили на улице показываться? Обеспечить их водкой, закуской, и пусть дома сидят, идиоты. Не сегодня-завтра получаем деньги и расплачиваемся. Они тут же исчезают — и все! Ничего и не было, так, кошмарный сон привиделся.

— Господи, как не вовремя эти твои банковские заморочки. Если бы деньги не задержались...

— Леля, я тебя прошу! Не пытайся меня обвинить во всех глупостях, которые делают другие. Если бы они сидели тихо, а не таскались по казино, то тогда, действительно, никаких проблем не было бы!

— Хорошо, хорошо, ты прав. А эту Иванову, значит, покупаем?

— Самое разумное — купить. А вот если она не возьмет, тогда дело хуже.

— Если она такая идиотка, что не возьмет, то я ее и близко к офису не подпущу.

— И поступишь очень даже неразумно. Я бы предложил не только пускать, а быть очень любезной, старательно отвечать на вопросы, изо всех сил помогать следствию и, может быть, даже подружиться с ней... Но ты ведь так не сумеешь?

— Нет, не сумею, — судя по голосу, предложение подружиться со мной вызвало у нее глубокое отвращение. — Купить запросто, а подружиться не смогу.

— А вот я ей понравился, — вклинившись, гадким голосом прокомментировал запись Андрей. — Хороший вкус у женщины, сразу видно.

— Жаль, конечно, — Косачев иллюзий в отношении бывшей супруги не питал, — могла бы быть в курсе всех дел. Но что уж теперь, тебя не переделаешь.

— Я могу от другой стороны все узнавать, — оживилась Елена Викторовна.

— От какой другой стороны?

— Пойду в больницу к этому, как его фамилия? Простая какая-то, на букву «В», кажется?

— Кажется. Мельников он, Андрей Николаевич.

— Ну вот, к этому Андрею Николаевичу и пойду. Скажу, что услышала об этом ужасном происшествии, подружусь с ним. С ним-то я смогу подружиться, я же могу быть обаятельной. Он ранен, так я буду ему нежной сестрой и вообще «родной матерью»... Он мне все и расскажет.

— Расскажешь, Мельников? — теперь вклинилась я, усмехаясь.

— А как же! — расплылся он в ответ.

— Ну что ж, пожалуй, годится, — сомнений в способности Елены Викторовны подружиться с Мельниковым у Косачева не было.

— Ты узнай, что он любит. Персики там или, может, апельсины? — развивала свою гениальную идею мадам Косачева. — Буду его закармливать, чтобы добрее стал и разговорчивее.

— Хорошо, узнаю.

Тут я даже пленку остановила. Такое я пропустить не могла.

— Слышал, Мельников, какие возможности перед тобой открываюся? Смотри не продешеви, — и я улыбнулась насколько могла ехидно.

— Не сомневайся, задешево я не дамся, — этого верзилу твердокаменного разве проймешь ехидной улыбкой. — Ты давай запись включай, может быть, она обо мне еще что-нибудь хорошее скажет.

Я снова включила запись.

— А Иванову, — продолжал Косачев, — если даже не купишь, всячески ублажай, но к документации не подпускай.

— Если не купим, то, по-моему, лучше от нее просто избавиться.

— Леля! Опять? Мало тебе Кондратова?

— А в чем дело? Можно на этот раз не взрывать, а устроить обыкновенный несчастный случай. Автомобильная авария или нападение хулиганов... Наверняка она по ночам одна ходит, сыщица. А деньги получим, расплатимся сразу за двоих.

— Ну что это! Ты какая-то стала... кровожадная. Просто будь аккуратна с ней, и все будет хорошо.

— Конечно. А если убрать ее, то все будет прекрасно!

— Я запрещаю снова ввязываться в убийства!

— Да? И с каких пор твой голос стал решающим?

— Леля, но пойми же ты, наконец... Впрочем, о чем я говорю! Ладно, езжай сейчас домой, сиди тихо. Я сам все скажу.

— Не забудь мое особое мнение, что эту слишком шуструю сыскарку надо убрать.

— Забудешь тут... Иди. И будь дома, никуда не ходи, никому не звони. Я вечером все расскажу.

— Почему только вечером? Позвони сразу.

— А тебе не приходит в голову, что эта, как ты выразилась, шустрая сыскарка, если уж на тебя нацелилась, вполне могла жучка на наш телефонный кабель посадить?

Андрей вопросительно взглянул на меня, я отрицательно покачала головой и развела руками — не такая уж я и шустрая, оказывается.

— А что, разве можно прямо на кабель, не заходя в дом? — наивно удивилась Косачева.

— Ох, Леля... Как финансовые документы крутить, тут у тебя светлая голова, а что касается обыкновенных, житейских вещей, тут ты, прости меня, дура-дурой. Езжай домой, и я тебя прошу, хоть раз в жизни сделай, как я говорю.

Запись кончилась. Я выключила магнитофон.

— После этого она вернулась в машину и поехала прямо домой, нигде не останавливаясь. Во дворе тоже ни с кем не разговаривала, зашла сразу в подъезд. Так что, очевидно, раз в жизни она своего муженька послушалась. А правда, милый штрих, что жучка на телефонном кабеле Косачев считает житейской мелочью? В подъезде тоже никого не было, я потом заходила. Магнитофон прицепила на площадке, за трубой мусоропровода.

— А микрофон где?

— В сумочку воткнула.

Андрей недовольно скривился.

— Сама знаю, что не лучший вариант, а куда? Лето ведь, на ней сарафанчик такой, что туда с лишней булавкой не сунешься. Да, домой к себе она меня теперь не пустит, а жаль...

Дверь в палату открылась, и вошел Самойлов.

— Привет начальству! Таня, ты уже здесь? Вот и хорошо! — Витя прямо-таки бурлил весельем. Ярославцев, вошедший за ним, был привычно сдержан.

— Ничего себе «уже». Мы и поболтали, и пленочку прослушали. А что это ты такой довольный?

— С Шуриком твоим пообщался. Милейшее создание!

— Он не мой, он Андрея.

— Какие мелочи, Танюша, пусть будет Андрея. Короче, он очень уверенно опознал на фотороботе тех двоих, которые пили у него за упокой Барина, разве плохо?

— А не врет? — усомнилась я. — Этот богомольный бармен уж очень милиции боится. Кого та захочет, того он и узнает. И еще крест целовать будет.

— Это у Шурика есть, — согласился Андрей.

— На этот раз не врет, — стоял на своем Витя. — Есть подтверждение экспертизы.

— Эксперты проверяли, врет Шурик или нет, на детекторе лжи? — не смогла я удержаться. — А где приборчик достали, добрый дядя из Америки прислал?

— А шуточки твои, Татьяна, совершенно неуместны, — Витя сделал вид, что обиделся. — Мы только что получили официальную бумагу из лаборатории. Почерк у них ужасный, сплошные закорючки и понять ничего нельзя. Но мы с Венькой проявили настойчивость, упорство и еще что-то там такое, не помню что, и прочли. Так вот, эксперты сообщают, что машина Кондратова и синий «Москвич» взорваны одним типом взрывчатки, с применением одних и тех же детонаторов. В одной манере сработано.

— И получается, что Шурик правду сказал.

— Вот именно. Криминалисты подтверждают. А они люди умные и в целом принципиальные. Им можно верить на все сто процентов. Таким образом, мы имеем теперь следующее: стреляли в тебя, Андрюша, именно те, кто взорвал Кондратова.

— Сразу было видно, что это одна и та же пара, — не утерпела я.

— Ты, Таня, типичный субъективный идеалист, — Витя, оказывается, еще что-то помнил из лекций по философии, — и делаешь заключения, основываясь на явлениях совершенно нематериальных: внутренний голос, интуиция, гадания твои. Я, конечно, тебе в таких случаях доверяю, но это, — он торжественно помахал передо мной двуми мелко исписанными листками, — это официальные документы. Знаешь, почему они так называются? Потому что в них все официально и документально зафиксировано. Кстати, что это за пленочку вы здесь слушали? Я так понимаю, это не последний хит Земфиры, а что-то более актуальное?

— Да уж, актуальнее некуда. Еще одно подтверждение, что одни и те же бандиты взорвали Кондратова и стреляли в Андрея. Только, как ты выражаешься, не официальное, не документальное и не являющееся уликой. Поскольку запись получена путем несанкционированного прослушивания.

— Ох, Татьяна, под статьей ходишь, — поморщился Витя. Ярославцев ничего не сказал, но губы поджал довольно выразительно.

— Я в курсе, меня тут товарищ Мельников уже подробно просвещал и разными ужасами пугал. Так будете слушать пленочку или побрезгуете информацией, добытой с нарушением уголовно-процессуального кодекса?

— Будут слушать, — ответил мне Андрей. — Только ты лирическое вступление опусти, давай сразу с разговора Косачевых.

— Ага, будем, — согласился Витя и за себя, и за Ярославцева. — Это же ты нарушила, а не мы. Мы просто послушаем, чтобы определить, насколько нарушила. Понимаешь, профессиональный интерес.

— И кто ты, Витечка, после этого? Я тут свою лучшую технику расходую, жизнью, можно сказать, рискую, важную информацию собираю, а они вместо того, чтобы спасибо сказать, интересуются, насколько я нарушила... Ладно, пользуйтесь моей добротой. Уточняю для вновь прибывших, что это разговор бывших супругов Косачевых. Кстати, Витя, просвети, что у них за отношения?

— Нормальные для наших бизнесменов отношения, — не отказался просветить меня Витя. — Жили как кошка с собакой, потом, на паях с Кондратовым и Лемешевым, организовали строительную фирму, «Стройсервис» называлась. Два года без налогообложения согласно нашему законодательству вставали на ноги, устанавливали контакты с клиентами и поставщиками. А как два года прошли, они свою фирмочку закрыли и открыли другую, «Сервис-Орбита». И опять, естественно, все льготы, как положено. Еще через два года «Сервис-Орбита» перерегистрируется как новая фирма, «Орбита», к тому же с изменениями в совете директоров — Косачев ушел работать в администрацию и соответственно вышел из фирмы.

— И опять льготы на два года? — не выдержала я.

— Обязательно. По закону положено, — подтвердил Витя. — Продолжаю о Косачевых. За это время благосостояние семьи заметно улучшилось, и семейная жизнь постепенно наладилась. Так что развелись они, я думаю, фиктивно, не по житейским соображениям, а, скорее, по финансовым. По крайней мере жить они продолжают вместе, квартиру разменивать или еще как разъезжаться даже не пытались. Зато теперь вышедший из совета директоров Косачев, не связанный родственными узами ни с кем из руководства фирмы, имеет полное моральное право и возможность передать заказ на государственное строительство в Чечне маленькой, но хорошо себя зарекомендовавшей фирме «Орбита».

— То есть, несмотря на развод, и живут вместе, и дела крутят вместе, — подвел итог Мельников.

— И практически сразу после того, как Елена Викторовна выставила меня из офиса «Орбиты», она кинулась к своему «бывшему» супругу, — добавила я.

— А там, в офисе, что-нибудь интересное было? — поинтересовался Витя.

— Да нет. Косачева первым делом спросила мои документы, заявила, что готова оказывать всяческую помощь, и без передышки отказалась показывать финансовые документы и отвечать на вопросы. Я пошла от нее к директору...

— Это к Лемешеву?

— Да, к Николаю Георгиевичу. Но поговорить мы не успели. Прилетела мадам и устроила роскошный скандал. Меня выгнала, а следом и сама выскочила, прямо как ошпаренная кошка. Ну что, включаю.

Слушая пленку в третий раз, я уже больше обращала внимание не на слова, а на интонации. Несмотря на бравый тон Елены Викторовны и ее кровожадные планы, чувствовалось, что она сильно напугана.

А Косачев, тот был покрепче, поувереннней, что ли. И связи у него, по должности его, наверняка немалые. Из них двоих он, пожалуй, был поумней, больше думал и больше решал. Хотя она, когда ей этого хотелось, делала по-своему, не слушая советов мужа. Интересно, кто же все-таки у них за главного?

Когда пленка кончилась, я поделилась своими соображениями с ребятами.

— Я бы, пожалуй, поставил на нее, — высказал свое непредвзятое мнение Андрей. — Она вроде покруче муженька будет, этакая «мадам Вонг». Даже странно, бухгалтер ведь, в сущности, глубоко мирная профессия...

— А Косачев — сообщник в ранге действительного тайного советника, — подсказала я.

— Похоже на то, — согласился Андрей. — А директор «Орбиты»? Твое первое впечатление, Татьяна, — какую роль он играет?

— Шаги за сценой, — тут мне и раздумывать было не надо, и так все ясно. — Судя по тому, как Косачева себя в его кабинете вела, Лемешев там ничего не решает. Мне кажется, он там для мебели — зитц-председатель Фунт. Но два человека для таких афер, кажется мне, маловато. Должен быть еще кто-то, как думаешь?

— И этого «еще кого-то» надо искать, — согласился со мной Мельников.

А Витю больше занимали другие вопросы.

— Очень интересный разговорчик и здорово все проясняет, — рассуждал он. — По-моему, бандюги не врут. Эта стрельба была дурацкой случайностью. В общем-то я их понять могу. Совсем недавно завалили клиента, нервишки еще малость на взводе. Едут отдохнуть и немножко развеяться, а тут, как чертик из коробочки, старый знакомый. Мало того, что ты их семь лет назад брал, так они от Косачевой вполне могли знать, что делом Кондратова сейчас некий Мельников занимается. Естественно, подумали, что ты по их душу явился. Труханули, ясное дело, а автомат под рукой. Когда тут думать да анализировать, жми на гашетку и по газам! Андрей, ты не помнишь, кого ты семь лет назад сажал?

— Да мало ли их было? Если бы я хоть физиономии успел увидеть, а так...

— На, смотри, — Витя моментально вытащил из папочки фоторобот и сунул Андрею. Тот посмотрел рассеянно, прикрыл глаза, откинулся на подушку.

— Подумать надо, рожи действительно знакомые... Значит, девяносто третий год...

— Тань, а ты давай думай, как эту пленку теперь использовать, — Самойлов обернулся ко мне. — Эх, золотая пленочка. Молодец ты, Иванова! А вот если бы теперь взять Косачеву, да привезти к нам, да дать ей послушать этот разговорчик, а потом надавить...

— Ага, она во всем признается, а потом адвокаты из тебя в два приема рубленый фарш сделают, — не открывая глаз, сказал Мельников. — Смирись с тем, что для нас эта пленка не существует.

— Правильно, для вас она не существует, — осторожно начала я. — А вот что касается меня, тут совсем другое дело. И есть у меня идея...

— Подожди, Танька, — Андрей открыл глаза и скомандовал Вите, — пиши: Авдеев и Тарасенко, девяносто второй год, вооруженный грабеж. Возьмешь в деле фотографии, покажешь всем, кто может опознать, мне тоже привезешь, посмотрю.

— Ты уверен, что это они?

— Нет, конечно, но похожи. Правда, прошло уже восемь лет...

— Может, они имели в виду, что семь лет отсидели? — подал голос от окна Ярославцев.

— Может. Одним словом, проверить надо. Так что, Танька, ты надумала?

— Я надумала, что надо помочь Елене Викторовне.

Теперь все трое уставились на меня.

— Чего вы удивляетесь? Она ведь хочет меня купить, даже дала задание узнать, что мне больше нравится — камешки или наличность — да сколько я стою. Пока узнавать будут, пока то да се, это может занять немало времени, так ведь? И вообще, кто знает, что я больше люблю, я сама этого не знаю. А нам что теперь, ждать, пока они будут на меня информацию собирать да обдумывать? Некогда нам! Нам эту теплую компанию надо брать, да побыстрей.

— Это так, — согласился Витя Самойлов, — надо брать. А то бандюги вполне сбежать могут. Только я не пойму, куда ты ведешь...

— Все вперед и вперед, Витя. На линию огня! Я сама подскажу мадам, сколько стою, в зелененьких.

— И как ты себе это представляешь? — полюбопытствовал Мельников.

— Очень просто. Приду завтра к ней в офис и предложу прослушать эту пленочку. Как вы думаете, испугается она, когда все это услышит?

— До икоты, — согласился Андрей. — И что дальше?

— Поскольку я с нашим правосудием никак не связана, могут у меня быть свои узко меркантильные интересы?

— Могут. Дальше.

— А дальше, раз уж она все равно настроена меня покупать, Елена Викторовна начинает со мной ласково разговаривать и предлагает мне безвозмездно определенную сумму денег, разумеется, в деревянных.

— Дальше.

— Естественно, я, как человек принципиальный и честный, от такой пошлой взятки отказываюсь. Но тут же предлагаю ей купить у меня оригинал записи. И, опять же естественно, не за рубли, а за доллары. Я думаю, такое благородное движение моей души должно найти у нее полное одобрение и понимание.

— Зато я не понимаю, — сказал Витя. — Ну согласится она у тебя эту пленку выкупить, нам-то что с этого?

— Видишь ли, Витя, она дама расчетливая, всю жизнь при финансах. И покупать меня она собирается, я думаю, не слишком дорого. Ну сколько она рассчитывает на это дело потратить? Тысячу долларов? Пять тысяч? Десять? — Я выдержала театральную паузу и оглядела ребят.

— А что, десять тысяч — это сумма, — прикинул Витя. — Долларов, конечно.

— А я стою гораздо дороже.

— Интересно, сколько же ты стоишь, Танька? — непонятно чему обрадовался Мельников. — Мне это непременно надо знать.

— Сто тысяч долларов! Нет, лучше двести, вернее будет. Одним словом, пятьсот тысяч долларов.

— Ого! — присвистнул Андрей. — Ты же ее разоришь начисто. Не согласится она на такие деньги.

— Вот и я думаю, что не согласится. Тем более, что, судя по записи, у них с деньгами сейчас вообще напряженка. С бандитами рассчитаться не могут.

— Подожди, а зачем тебе тогда с ней торговаться, если ты знаешь, что она тебе все равно заплатить не может? — До Самойлова сегодня что-то туго доходило. Но он ведь последние несколько суток почти не спал. А Мельников сразу усек. Он на своей больничной коечке за два дня, кажется, отоспался за прошлых два месяца да за два месяца вперед.

— Ну-ну, — поддержал он меня. — Давай, разворачивай дальше. Предположим, она тут же побежит в милицию. Запись сделана незаконно и вообще — классический шантаж. Что ты тогда делать станешь? И как тебя тогда выручать? Витя, ты не помнишь, сколько там в уголовном кодексе за шантаж?

— В милицию она не побежит, — возразил Витя. — Запись хоть и незаконная, но если милиция у тебя ее конфискует, то, прежде чем вернуть хозяйке, прослушает. А это Косачевой ни к чему.

— И что тогда наша мадам Косачева делает, — торжественно спросила я, — если перепугана, как Мельников элегантно выразился, до икоты?

— Пообещает принести тебе деньги, — решил Мельников. — Назначит встречу в темной подворотне поздно ночью и там либо всовывает тебе ножик под ребро, либо буравит десяток дырок при помощи того же самого автомата, из которого в меня палили. Возможно, продолжая непрерывно икать от ужаса. С ума сошла, Танька?

— Ну, во-первых, сама она меня убивать не станет, не ее специальность. А если вдруг расхрабрится, то уж с ней-то я в темной подворотне да один на один справлюсь, как нечего делать.

— Действительно, что-то тебя не в ту сторону заносит, — Вите мои рассуждения тоже не понравились. А вот Ярославцев, хотя и не подавал голоса, смотрел на меня с любопытством, ждал продолжения.

— Ты погоди, слушай дальше. Сама она скорее всего со мной связываться побоится, наймет специалистов.

— Еще лучше, на тебя натравливают специалистов! Танька, тебя лечить надо! Если ты не заметила, сообщаю: эта дамочка и так твоей крови жаждет, убрать тебя с дороги в ее жизненной программе идет первым пунктом!

— И очень хорошо, быстрее созреет. Ты скажи мне лучше, кто те специалисты, к которым она обратится?

— Ах вот ты о чем... — моя идея не стала нравиться Андрею больше, но он хотя бы понял, что разумное зерно в ней есть. — Значит, организуем плотную слежку. В идеале Косачева выводит нас на бандитов при первой же попытке связаться с ними...

— Это в идеале, — Витя выглядел не слишком радостно. — И в любом случае так же плотно надо пасти Иванову. Людей не хватит.

— А зато как хорошо все получается, — влезла в их разговор я. — Бандитов берем с поличным, с оружием в руках...

Мельников и Самойлов одновременно взглянули на меня так, что я тут же отъехала назад:

— Да я разве чего... Я просто говорю, что если все хорошо организовать...

— Интересно, в этой больнице психиатр есть? — задумчиво перебил меня Мельников.

— Должен быть, я сбегаю, — предложил Самойлов.

— Да бросьте вы дурака валять, — рассердилась я. — Я же говорю, что если все хорошо организовать, то риска никакого и всех повяжем. Раз эти бандиты такие нервные, значит, они своих нанимателей покрывать не станут, заложат как миленьких...

Из моей сумки раздалось переливчатое пикание сотового телефона. Все замолчали. Я достала телефон, включила:

— Иванова слушает.

— Танечка? Это Николай Георгиевич. Вы уж извините, так все нехорошо получилось... Не сердитесь, пожалуйста, на Елену Викторовну, понимаете, она женщина очень нервная, эмоциональная, а тут столько всего навалилось... Взрыв этот кошмарный, милиция каждый день. А она ведь с Павлом Артемьевичем давно знакома, они, можно сказать, дружили семьями...

— Я понимаю, Николай Георгиевич, — четко сказала я, — не переживайте, все нормально. При моей работе и не такое бывает.

Поняв, с кем я разговариваю, мужики тут же подобрались и уставились на меня большими глазами.

— Ах да, ваша работа, — слегка поскучнел Лемешев и тут же снова оживился, зажурчал ласково. — Танечка, нам же и не удалось поговорить совсем, может, встретимся сегодня? У вас, наверное, есть вопросы, так я буду счастлив... Надеюсь, не будет большой бестактностью с моей стороны пригласить вас поужинать? Часиков в восемь, в ресторане? Мне бы так хотелось загладить неловкую сцену, которая произошла сегодня утром. А я знаю одно очень достойное заведение, ресторан «Калинка». Очень приличное место, и кухня неплохая. Вы согласны?

— Хм, ресторан «Калинка», сегодня, часов в восемь вечера, — повторила я, как бы раздумывая вслух. Андрей с Витей уставились друг на друга, очевидно, общаясь телепатически. Ярославцев смотрел на меня круглыми глазами, но по его лицу ничего нельзя было понять. Впрочем, его-то как раз никто ни о чем и не спрашивал. Мое молчание затягивалось. — Право, я даже не знаю... — Тут Мельников с Самойловым, очевидно, до чего-то договорились, потому что оба повернулись ко мне, и Андрей решительно кивнул. — Впрочем, почему бы и нет? — весело согласилась я.

— Прекрасно! — похоже, Николай Георгиевич действительно обрадовался. — Куда за вами заехать? По тому адресу, что на визитке?

— Да нет, пожалуй. Где эта «Калинка» находится?

— Около набережной. Угол Жасминной и Пушкина.

— Ага, представляю. Значит, так, я буду на углу Жасминной и Пушкина, — теперь кивнули одновременно оба — и Андрей, и Витя, — ровно в восемь.

— Но как-то это неправильно, что же вы сама? Давайте, я все-таки заеду?

— Нет, Николай Георгиевич, лучше договоримся встретиться на углу, мне так удобнее. Только учтите, я никогда не опаздываю.

— Та-а-нечка, о чем вы! Я уже буду ждать вас, не сомневайтесь!

— Хорошо, значит договорились. До встречи, Николай Георгиевич.

— До скорой встречи, Танечка.

Я отключилась и спрятала телефон обратно в сумку.

— Вопросы есть?

— В общем-то, все понятно. Ты у него что-то конкретное хочешь узнать? — поинтересовался Мельников.

— Да нет, думаю просто посплетничать. Однако он один из основателей фирмы, с Кондратовым был знаком хорошо, поболтать, похоже, любит. А дела «Орбиты» должен знать — хоть и пешка, но все-таки по статусу директор. Глядишь, и ляпнет что-нибудь интересное.

— Ладно. Только прошу тебя, будь поосторожнее.

— Что ты, Андрей, ты бы его видел! Его, по-моему, кроме жратвы и девочек, вообще ничего не интересует. Разве только еще выпивка? Сегодня узнаю.

— Иванова! — рявкнул Мельников и заговорил медленно, выделяя каждое слово: — Я. Прошу. Тебя. Быть. Осторожной. Усвоила?

— Усвоила, — послушно кивнула я. Чего связываться с раненым?

— Вот и хорошо. А теперь беги. Тебе еще кассету в магнитофоне сменить надо.

— Раскомандовался... — поднимаясь, я старательно состроила обиженную физиономию. — Я, между прочим, тебе давно не подчиняюсь, я вовсе самостоятельный человек...

— Смотри у меня, самостоятельная! — Андрей снова нахмурился. — И чтобы завтра ровно в пять была с докладом.

— Это можно, — согласилась я. — Завтра, ровно в пять, буду у твоего скорбного ложа. Если ничего не случится. Общий привет!

Удалилась я с достоинством. Собственно, Мельников, как всегда, был прав. Если я хотела поменять кассету в магнитофоне, заехать домой переодеться и при этом успеть, как обещала, к восьми часам к ресторану «Калинка», мне следовало поторапливаться.

Я без приключений доехала до дома Косачевой, зашла в по-прежнему распахнутую дверь подъезда — зачем только люди на кодовые замки тратятся? Тусклые лампочки не то чтобы освещали, а так, давали возможность не свалиться с лестницы. Впрочем, меня этот полумрак вполне устраивал. На ощупь нашла магнитофон, сменила кассету, снова прижала его к стене. Порядок, можно ехать домой.

Глава 6

Пока я собиралась в ресторан, не слишком, впрочем, тщательно, не тот кавалер, но подкраситься все же надо было соответственно случаю, и прическу поправить, и маникюр, и платьице синенькое в блесточку натянуть, — слушала только что привезенную кассету. Надежда на нее у меня была не малая. К Косачевой вполне мог, например, прийти с интересными новостями кто-нибудь, замешанный в этой истории. Но увы, похоже, она положила свою сумочку в какой-нибудь шкаф или оставила на тумбочке в коридоре. Хорошо были слышны в начале записи звяканье ключа, стук закрывающейся двери, потом снова стук, явно от сброшенных босоножек. Потом легкий скрип, мягкий шлепок сумочки о полку — и все. Дальше только глухой невнятный шум.

Елену Викторовну я так и не услышала, телефон тоже не звонил. Правда, слабо проявлялись какие-то голоса, и звучала музыка, но, наверное, это она просто включила телевизор.

В последний раз я посмотрела на себя в зеркало, взглянула на часы. Пора ехать. С сожалением выключила магнитофон. Уже понятно, что ничего интересного на этой пленке нет, но все-таки дослушать надо, на всякий случай.

Без минуты восемь я подъехала к ресторану и, высматривая место для парковки, подумала: забавно, два дня назад я точно так же вертела головой около казино «Козырная шестерка». Только тогда меня ждал Мельников, а сейчас машет мне пухлой ладошкой Николай Георгиевич. Кто это из великих сказал, что история часто повторяется, но если в первый раз как трагедия, то во второй как фарс?

«Калинка» — ресторан, действительно, очень приятный. Ничего в стиле «а-ля рюс», без хохломы на всех стенках и официантов в косоворотках. Все гораздо более скромно. Обстановка в зале была спокойной и, я бы сказала, мягкой. Вокруг небольших столиков полукруглые кожаные диванчики с высокими, метра в полтора, спинками. С одной стороны протискиваешься за столик, с другой стороны диванчик кончается тупичком, так что создается полная иллюзия уединенности. За стойкой в глубине зала вполне европейского вида бармен, белая крахмальная рубашка, галстук-бабочка. Оркестра нет, но из динамиков по углам льется тихая приятная музыка. На каждом столике лампа с матовым абажуром, одним словом, полный интим.

Лемешев проводил меня к одному из столиков, усадил на мягкое кожаное сиденье, сам сел рядом, перекрывая выход. Он что, всерьез считает, что сможет таким образом удержать меня, если его общество мне наскучит? Тут же подлетела официанточка. Ну что ж, обслуживание здесь на уровне, клиентов ждать не заставляют. А вот выбор блюд незатейлив. Я, может, хотела бы заказать осетрину по-монастырски или лобстеров в тминном соусе, гулять так гулять! Пусть мой кавалер почувствует, что я — человек с размахом. Но, увы, ничего подобного в меню отыскать не удалось. А есть-то все равно хочется, тем более запахи в зале... Одним словом, я быстренько выбрала простые и здоровые блюда: грибной салат, бастурму, котлету по-киевски с картофелем-фри, мороженое и кофе глясе. В конце концов, я сюда не обжираться пришла.

Николай Георгиевич, слегка поколебавшись, к моему выбору блюд присоединился. А вот что касается напитков...

— Я думаю — бутылочку коньяка, вот я вижу у вас «Реми Мартен», годится. И даме шампанского. Вы какое предпочитаете, Танечка, полусладкое?

— Пепси-лайт, пожалуйста. Николай Георгиевич, я за рулем.

— О чем вы говорите, что же это за ужин с газировкой! — Лемешев даже растерялся. Похоже, впервые в жизни он привел женщину в ресторан, а она не хочет пить дармовое шампанское. Да, вот такая я уникальная! — Здесь прекрасное шампанское, вы только попробуете глоточек, от этого никакого вреда. А если хотите, оставим вашу машину здесь, на стоянке, я отвезу вас на такси, здесь, слава богу, с этим проблем нет...

Продолжая уговаривать меня, он кивнул официантке, и она, дежурно улыбнувшись, исчезла. Через тридцать секунд возникла вновь, с закусками и напитками.

А еще через двадцать минут, не дождавшись ни горячего, ни мороженого, ни, тем более, кофе глясе, я позорно сбежала. Я ведь и не ожидала от этой встречи ничего особенного, так, была слабая надежда, что Лемешев расслабится и сболтнет что-нибудь интересное. Но увы, он расслабился слишком быстро, даже удивительно. Вроде крупный мужчина... Правда, за коньяк он принялся очень резво и, наверное, на голодный желудок. Нет бы подождать немного, съесть сначала хотя бы закуски. Поплыл он практически моментально, а известно, что у трезвого на уме, то у пьяного...

Одним словом, вместо приятного ужина с ничего не значащей милой болтовней и сплетнями я получила встречу в тесном углу с вдрызг пьяным сексуальным маньяком. Сначала он просто шуровал руками, проверяя, все ли у меня на месте, а я отбивалась, пытаясь завести более интеллектуальную беседу. Мимо порхали официантки, не обращая на нас внимания, привыкли, что ли? Тогда это не ресторан, а бордель какой-то!

А когда Лемешев с остекленевшими глазами стал стягивать с меня платье, я окончательно поняла, что вечер не удался, пора уходить. Вырвалась я хотя и с боем, но без труда, не тот противник. Он, конечно, пытался меня догнать, но, поскольку сильно захромал на левую ногу, не без моей помощи, конечно, я его далеко опередила. Директор «Орбиты», наверное, еще ковылял по залу, а я уже выскочила на улицу и быстрым шагом направилась к машине.

Слева послышался шум мотора. Одна из машин, стоявших у тротуара, двинулась за мной. Честное слово, понятия не имею, что заставило меня повернуть голову, что я, машин не видала? Но теперь я точно знаю, что чувствовал Мельников тогда, у казино.

Оцепенев, я застыла на месте и смотрела, как мимо меня проплывает машина, заднее стекло опущено, из окна торчит дуло автомата. Дуло задергалось, и сильный удар в спину бросил меня на асфальт. Тут же на меня упал еще кто-то, придавил тяжелым телом так, что дышать стало невозможно. А воздух рвали пули, и бесконечная грохочущая очередь автомата заставила меня вжать голову в грязный асфальт. Потом стало тихо, удивительно тихо, как будто никого вокруг нет и я здесь совершенно одна. Только очень болела спина, и тяжелое тело, навалившееся на меня, не давало пошевелиться. Значит, мне попали в спину, решила я. Вот и хорошо, что в спину. Просто ранили, поживем еще. А кого-то убили. Хотели убить меня, а убили его. Или ее? Кто там на мне лежит?

Я осторожно подняла голову, машина уже исчезла за поворотом. Тогда я попыталась выбраться из-под убитого. И тут он ожил: скатился с меня и сел рядом.

— Таня, ты как? — хрипло спросил покойник. — Что молчишь, Танька, зацепило тебя, что ли?

Какой там убитый! Витька Самойлов, совершенно живой и здоровый, смотрел на меня большущими перепуганными глазищами...

— В спину, — пожаловалась я, совершенно счастливая, что Витя здесь, рядом. Теперь он все что нужно сделает, а я могу спокойно лежать. Нет, долго лежать здесь мне нельзя. Надо в больницу, туда, где Мельников... Очень больно. Я ясно ощущала, как по спине у меня горячим ручейком течет кровь. — Перевяжи, у меня в машине аптечка...

Самойлов наклонился и осторожно провел рукой по моей спине.

— Вот здесь, — подсказала я, когда он дотронулся до самого больного места.

— Сюда, что ли, пуля попала? — Он легонько коснулся пальцем спины пониже лопаток.

— А что, не видно? — огрызнулась я. — Да принесешь ты аптечку, наконец, или мне самой ползти?

Но Витя и теперь за бинтом не побежал. Зато стал хихикать самым гнусным образом. У него, видите ли, чувство юмора прорезалось. Очень вовремя: меня ранили, а он веселится!

— Ты садист, Самойлов, — простонала я.

— Садист, — охотно согласился он. — Ты теперь, Татьяна, сто лет жить будешь без производственных травм. Цела твоя спина, и даже платье не порвалось — ни одной дырочки. Промазали они, чувырлы лаптежные. И вообще, вставай, некогда нам из-за каждого пустяка на асфальте разлеживаться. Дел у нас с тобой сейчас — невпроворот.

Я, хотя и не очень поверила ему, попробовала подняться. К моему удивлению, получилось, только спина по-прежнему сильно болела. Посмотрела под ноги. Ничего себе пустяки: рядом с тем местом, где я лежала, на асфальте четко выделялись оспины от пуль.

— Не попали? — удивилась я. — А почему тогда так больно?

— Это я виноват, — признался Самойлов. — Я, понимаешь, когда они стрелять собрались, немного подтолкнул тебя, чтобы ты упала. Перестарался, наверно.

— Ничего себе подтолкнул! Я тебе что, мешок с картошкой? У меня теперь там синячище будет, на всю спину... Слушай, Витя, а ты ведь мне сейчас жизнь спас! — сообразила я наконец.

— Ладно, об этом потом, — Витя подхватил меня под руку и буквально поволок к стоянке. — Вынесешь благодарность в письменном виде. Ты марку машины запомнила? Цвет, номер, приметы какие-нибудь?

Я честно попыталась вспомнить цвет машины, из которой меня только что обстреляли, но никак не могла сообразить: то ли черная, то ли синяя, а может быть, даже зеленая. Одним словом — какая-то темная. Господи, марку тоже не запомнила, что-то незатейливое, а что именно? Какие уж тут приметы... Видно, у меня от страха память отшибло. Так я и сказала Самойлову.

— Все у тебя с памятью в порядке, — успокоил он меня. — Понимаешь, Татьяна, человек, в принципе, так устроен, что, когда в него неожиданно начинают стрелять из автомата, он на цвет машины не смотрит.

Когда мы добрались до стоянки, Витя велел мне устраиваться на заднем сиденье, а сам в машину садиться не стал, вместо этого потребовал мой мобильник. Если честно, больше всего мне сейчас хотелось не с дежурной группой общаться, а убраться отсюда по-тихому, да побыстрее. Поехать домой, например. Я деликатно намекнула на предпочтительность такого поворота событий, но Самойлов пропустил мои намеки мимо ушей. Пришлось выдать ему телефон.

— Равнодушный ты человек, Витя, — пожаловалась я, глядя, как он набирает номер. Вздохнула и добавила: — Даже жестокий.

— Ага, — спокойно согласился он и заговорил с дежурным, не обращая на мои выразительные стоны совсем никакого внимания.

Самойлов коротко описал все, что произошло возле ресторана, и сказал, чтобы объявили розыск темно-синих «Жигулей», назвал номер, отметил, что левое крыло помято, и предупредил, что в машине находятся два человека, оба вооружены и чрезвычайно опасны.

— Думаешь, те самые? — спросила я.

— А кто же еще? И что это им синие машины так нравятся? Только на них и катаются.

— Опять бросят или взорвут.

— Вполне возможно, — согласился Самойлов. — На выдумку они не горазды.

— А ты как здесь оказался? — наконец заинтересовалась я. — Охранял меня, что ли?

— Еще чего. Просто шел с работы, гляжу — ты стоишь, как столб, смотришь, как тебя расстреливать собираются, вот я и решил, что дружеский толчок в спину тебе в данный момент не помешает, — совершенно откровенно соврал Витя.

Ладно, пусть врет. И так ясно, что страховал меня. Хороший все-таки в отделе народ...

Мы дождались приезда группы, слава богу ребята добрались до нас очень быстро. Я в работе почти не участвовала, как-то не было настроения. Прилегла себе на заднем сиденье, пока Витя подробно рассказывал, как все произошло, и рисовал свои схемы. А что, я все равно ничего толкового рассказать не могла. Как Андрей тогда сказал: «Только дуло автоматное перед глазами пляшет». Очень точно выразился.

Наконец Витя закончил, подошел к машине, где я уже почти задремала, постоял, глядя на меня внимательно и серьезно.

— Тебе, наверное, не стоит сейчас за руль? — спросил он.

— Пожалуй, — согласилась я. — Раз уж ты, Самойлов, спас мне жизнь, вези теперь домой.

Витя не только отвез меня, он зашел со мной в подъезд, поднялся на мой этаж, одним словом, проводил до дверей квартиры, по полной программе. Лампочка на нашем этаже всегда яркая и всегда горит, за этим я слежу строго. При моей профессии лестничная площадка перед квартирой всегда должна быть хорошо освещена. Так что Витя сразу заметил, что дверь в мою квартиру взломана.

Все-таки, когда возвращаешься домой с мужчиной, да еще если этот мужчина — милиционер при исполнении служебных обязанностей, это дает возможность переложить на его плечи неприятную работу, а самой немного расслабиться. Я прислонилась к стенке и прикрыла глаза, пока Витя, с пистолетом в руках, производил осмотр. Собственно, я была уверена, что взломали только наружную дверь. Дело в том, что внешняя дверь у меня самая обычная, деревянная, как у всех в подъезде, только открывается не в квартиру, а на лестничную клетку. А вот за ней стоит дверца посерьезнее, фирменная металлическая, с гарантией. Ее вскрыть не проще, чем сейф в солидном банке.

Действительно, около замка на металлической двери было несколько глубоких царапин, но этим ущерб и ограничился. Я достала ключи, Витя тут же отобрал их.

— Балкон, окна?

— Там у меня решетки.

— Молодец, — коротко одобрил он. Осторожно открыл дверь, скользнул в коридор. Через минуту зажег свет.

— Заходи.

— Спасибо, Витя, — я машинально двинулась на кухню. — Кофе хочешь?

— Нет, — голос у Самойлова был напряженный. — Я хочу, чтобы ты сейчас собрала вещи и шла ночевать к нам.

— Да ладно тебе, у меня же здесь крепость, сам видишь! Что со мной сделается?

— Таня, в тебя сегодня стреляли, ты не забыла еще?

— Забудешь такое, — меня передернуло.

— К тебе в квартиру попытались забраться. Тоже, думаю, не для того, чтобы поздравить с днем ангела, — продолжал Витя. — Так что одно из двух: или ты ночуешь у нас, или я ночую у тебя под дверью. Танька, если с тобой что случится, Мельников меня убьет. Ну пожалей мою Маруську, не оставляй девчонку сиротой!

— Да, против такого не возразишь, — хихикнула я. — Ладно, только ради Маруськи. Сейчас соберусь.

Я быстро покидала в сумку необходимые для ночевки в чужом доме вещи, сунула туда же магнитофон с недослушанной кассетой. В буфете зачерпнула из вазочки горсть конфет для Витиной дочки.

— Я готова, поехали.

— А переодеваться не будешь? — немного удивился Витя.

— Елки зеленые, — застонала я, подойдя к зеркалу. Мое синее в блесточку платье после тесного общения с грязным и шероховатым асфальтом выглядело, как поломойная тряпка. — Ну что за дело такое дурацкое, второе парадное платье на нет свожу!

С Любашей, Витиной женой, мы были знакомы, встречались на разных милицейских семейных мероприятиях, но и только. Но эта святая женщина совершенно спокойно восприняла мое появление на своем пороге, накормила обалденно вкусной гречневой кашей с тушенкой и постелила на полу в Маруськиной комнате. То есть сначала, по всем правилам гостеприимства, хозяева хотели уступить мне свою кровать, но я отбилась, упирая на то, что по летней жаре на полу гораздо приятнее.

Пока мы с Витей ужинали, дослушали до конца кассету. Как и ожидалось, ничего, кроме невнятного шума, на ней не было. Так что можно было и не оставлять там магнитофон на ночь.

Разбудили меня часов в шесть утра непривычные звуки. Это проснулась Маруська, завозилась в своей кроватке, села. Я открыла глаза и увидела, что трехлетняя Витина дочка, вцепившись крохотными пальчиками в прутья боковой стенки, хмуро смотрит на меня. Моя широкая улыбка и «Доброе утро, Маруся!», сказанное тем старательно бодрым тоном, каким люди, не имеющие своих детей, разговаривают с чужими, ее не смягчили. Она продолжала супить бровки, разглядывая меня, потом ее румяные со сна щечки задрожали, нижняя губка оттопырилась сильнее, и наконец Маруська зажмурилась и заорала:

— Ма-ам-мма!

Тут же раздался легкий топот, в комнату, в одной ночной сорочке и босиком, влетела растрепанная Любаша, одним движением подхватила Маруську на руки и прижала к себе. Та сразу же замолчала, словно ее выключили. Сидела у матери на руках и нахально на меня поглядывала.

— Что, будильник сработал? — за спиной Любаши появился Витя. Протяжно зевнул и пощекотал девочку под подбородком. Она захихикала и еще крепче обняла Любашу за шею. — Встаем, Иванова, работать пора!

Пора, кто же спорит. Если предлагать Косачевой купить пленку с записью, то хорошо бы поймать ее с утра дома, до того как она уйдет на работу. В офисе разговор вести будет несколько неудобно.

После завтрака мы вышли на улицу, и я попыталась напомнить Самойлову о массе неотложных дел, которые наверняка ждут его в управлении.

— Там Венька оборону держит, — на мой взгляд, легкомысленно отмахнулся он. — А мы с тобой теперь все равно что собачий хвост и репей, поняла? Если не поняла, то уточняю, репей — это я.

— А я, значит, собачий хвост! Ну, спасибо, друг!

— Всегда пожалуйста. Ну что, едем к Косачевым?

Уже в машине я почувствовала, что сначала надо заехать домой.

— На одну минутку, только глянем, как там, и поедем дальше.

— Смотри, тебе виднее, — пожал плечами Витя.

Лампочка на площадке не горела, точнее говоря, ее вообще не было. Мне это активно не понравилось.

— Да ладно тебе, — не понял меня Самойлов, — пацаны вывинтили, эка невидаль!

— Именно невидаль. Я всем окрестным вывинчивальщикам давно объяснила, что если будут мои лампочки воровать, то ушей недосчитаются. Так что это не пацаны.

— Ну, значит, бомж какой забрел...

— Может, и бомж, но давай все здесь аккуратненько и осторожненько все осмотрим.

Результат аккуратненького и осторожненького осмотра нас потряс.

— Таня, — спросил Витя шепотом, — ты тоже это видишь?

— Ага, — я сглотнула.

Вправо от дверной ручки тянулась еле заметная в тусклом утреннем свете леска. Она почти совсем терялась на фоне шероховатой стены, и конец ее прятался в смятой коробке из-под конфет, валяющейся на полу.

Мы присели перед коробкой, даже не пытаясь потрогать ее руками. Конфеты «Палитра» самарской фабрики «Россия». Выглядит так, словно выпала из мусорного ведра — съели люди конфеты, коробку слегка смяли, чтобы в ведре меньше места занимала, и выбросили. И леска почти незаметна, фиг бы мы ее увидели, если бы не мои предчувствия и профессиональные привычки.

— Ну что, репей, звони, — я протянула Вите телефон. — Может, конечно, это чьи-то дурацкие шутки, но я лично эту пакость проверять отказываюсь. И тебя не пущу.

— Тем более, в свете последующих событий, — пробормотал Самойлов, нажимая кнопки.

Бригада по разминированию приехала быстро, два молодых паренька в камуфляже, без знаков различия, и майор лет сорока, очень маленького роста и с огромными усами. Прямо Тараканище! Майор, не представляясь, кивнул нам с Витей, сразу протопал к коробке, присел около нее и удивился весело:

— Смотри-ка, и правда взрывчатка! Ну, повезло, — обернулся к нам и пояснил: — Ложные вызовы замучили. Май—июнь мы школы пылесосили, двоечники старались, а сейчас с вокзалов не вылезаем. Отпускники, как поезд подойдет, кидаются по вагонам, словно куры чумовые, а нам потом их кошелки забытые проверять приходится. А в результате у хлопчиков никакой практики...

— Может, соседей надо эвакуировать? — робко предложила я. Честно говоря, мне было здорово не по себе: ну не привыкла я к тому, чтобы мои двери минировали.

— Соседей? — Майор задумчиво шевельнул усом.— Да нет, не стоит, пожалуй. Начнут сейчас из квартир выскакивать, панику поднимут. Только толпу создадим и неразбериху. Мы сейчас быстренько... Ну-ка, хлопчики, двигайте сюда. А вы, наоборот, — это уже нам с Витей, — отсюда.

Хлопчики, почтительно склонив головы, присели рядом с ним. Мы же, как было велено, наоборот, скромно удалились на лестницу и, вытягивая шеи, оттуда пытались следить за действиями специалистов. Собственно, ничего мы не увидели и увидеть не могли — три широкие спины надежно закрывали обзор. Майор негромко объяснял что-то своим ребятам, но те слова, что я могла расслышать, казались полной абракадаброй.

Сработали они действительно быстренько. Не прошло и пяти минут, как все трое поднялись, и майор махнул нам коробкой.

— Идите сюда!

— Что там? — спросил Витя, когда мы подошли.

— А, халтура! Сделано на уровне клубной самодеятельности.

— То есть оно и не взорвалось бы? — я почувствовала себя глупо.

— Почему не взорвалось? Я говорю, что сделано халтурно, сплошные сопли висят, а рвануло бы за милую душу. Если бы кто попробовал дверь открыть, пришлось бы его потом столовой ложкой со стен соскребать. Теперь надо посмотреть, нет ли здесь еще подобных шоколадок.

Тщательно проверили лестничную клетку, потом я открыла дверь, и группа осмотрела квартиру. Слава богу, никаких сюрпризов больше не нашли. Наконец, минеры удалились, унося с собой нафаршированную коробку и строгие указания Самойлова — немедленно передать ее в лабораторию на предмет установления идентичности взрывного устройства с тем, что было использовано при убийстве Кондратова и при взрыве синего «Москвича», из которого стреляли в Мельникова. Собственно, ни я, ни Витя не сомневались в результате экспертизы.

— И пальчики, пальчики прежде всего пусть проверят, — напомнил он майору.

— Сейчас прямо в лабораторию и отвезем, — заверил майор и убыл со своими хлопчиками.

Когда мы остались одни, я прошла на кухню и без сил рухнула на табуретку.

— Нет, такие испытания не для моих нервов. Я существо нежное, можно сказать хрупкое, а тут то стреляют, то взрывают... Вить, давай по кофейку вмажем, для успокоения нервной системы?

— Вмажем, — согласился Витя.

Мы пили кофе и рассуждали, как же нам изловить бандитов, которые так мешают жить хорошей девочке Тане Ивановой.

— Они мне надоели! — пожаловалась я. — Не понимаю, чего они ко мне пристали? Вроде я еще ничего плохого им не сделала.

— Значит, получили серьезный заказ от богатенького человека. И кажется мне, что этот богатенький человек — твоя подружка, Косачева. Не иначе, она их натравила, помнишь, как требовала тебя убрать? До чего же настырная баба! Ну не нравишься ты ей, Танечка, активно не нравишься, вот она и сказала: «Фас!»

— Так она же меня купить хотела... Нельзя же быть такой непоследовательной!

— Да, это у нее крупный недостаток. Ведет она себя совершенно неприлично. Надо будет ей об этом сказать при первой же встрече. С другой стороны, ее тоже понять можно. Она все-таки бухгалтер, подсчитала, наверно, и получилось, что убрать тебя дешевле, чем купить, у нас это всегда дешевле... А поскольку ты ей не нравишься...

— Скоро я ей еще больше не понравлюсь, — пообещала я. — Вот только домой к ней мы с утра не успели, с этой бомбой дурацкой.

— Почему дурацкой? Представь, возвращаешься ты домой, не думая ничего худого, открываешь свою собственную дверь и... ба-бах! Если бы не твое ведьминское чутье, все у них получилось бы.

— Витя, прекрати.

— А вообще, они упрямые ребята, — не обратил внимания на мою просьбу Самойлов. — Попробовали вскрыть квартиру, не вышло. Тогда хотели застрелить, опять не получилось. Но они не опускают руки и в ту же ночь минируют твою дверь. Не перевелся еще трудовой народ на Руси! Даже интересно, что они дальше придумают?

— Скоро узнаешь, — мрачно пообещала я. — Ты зачем меня пугаешь?

— А чтобы ты, наконец, осознала всю серьезность ситуации. Ты хоть понимаешь, что жива до сих пор только потому, что тебе везет как... как...

— Как утопленнику, — подсказала я.

— Тьфу! Танька!

— Да ладно, Витя, я же все понимаю. Ну чего ты от меня хочешь?

— Больше всего, — мечтательно закатив глаза, признался Самойлов, — я хотел бы арестовать тебя и держать в маленькой такой, уютной одиночной камере с хорошими решетками. А в коридоре часового поставить. И сидела бы ты там тихо, спокойно, в полной безопасности... Я бы тебе целую пачку газет принес, и местных, и центральных. Ты бы их читала и, что там есть интересного, мне бы потом пересказывала... Хорошо-то как было бы...

— Угу. Сидеть, значит, взаперти и читать местные газеты, так?

— И центральные тоже.

— Извини, Витечка, но ничего не выйдет. Я тебя, конечно, понимаю и изо всех сил тебе сочувствую, но помочь ничем не могу, — безжалостно отказалась я. — У меня совершенно другие планы.

— Какие? — обреченно спросил он.

— Поеду сейчас пугать Косачеву. Позвоню ей, вытащу из офиса, а дальше — как договаривались. Дам послушать пленку, потребую денег. А потом посмотрим, что она делать станет. По-моему, она должна броситься к этим отморозкам. Так что надо ребят приготовить, вполне возможно, их сразу и брать придется.

— Это разумно, — согласился Самойлов. — Сейчас я Ярославцеву позвоню, чтобы все организовал. Начальство в курсе, так что ждут только моего звонка.

— Вот это хорошо.

— Только нам с тобой сначала домой к Косачевой съездить надо, — напомнил он. — Магнитофон из подъезда забрать.

— Черт побери, забыла совсем!

Глава 7

На всякий случай я поднялась и позвонила в пятьдесят седьмую квартиру, вдруг Елена Викторовна сегодня осталась дома. Но за дверью было тихо. Витя тем временем снял магнитофон и теперь проверял запись, слушал конец пленки. Такая же тишина.

Когда мы подъехали к офису «Орбиты», Витя взял у меня телефон и снова позвонил Ярославцеву. Коротко переговорив, ткнул пальцем в сторону серой «Волги» с дремлющим шофером.

— Наши готовы. Слушай, Таня, может, лучше я ее вызову, все-таки я лицо официальное, она не сможет отказаться разговаривать.

— Если эта пленка будет как-то связана для нее с тобой, она тут же рванет к адвокатам. И где ты тогда будешь, официальное лицо? Нет уж, лучше мы, частные лица, сами друг с другом разбираться будем.

Я набрала номер рабочего телефона Косачевой, который Витя нашел в своей бесценной папочке. Один гудок, и она сняла трубку. Ну да, телефон же у нее на столе.

— Слушаю, — голос усталый, недовольный.

— Добрый день, Елена Викторовна. Это вас Иванова беспокоит...

— Что? — взвизгнула она. — Как... — дальше ей хватило ума не продолжать, но для меня эти два коротких слова прозвучали полным признанием в организации покушения на убийство. И уж моего-то звонка она не ждала, это точно.

— Не ждали? — ласково спросила я.

Несколько секунд она тяжело дышала в трубку, потом сумела взять себя в руки.

— Нет, не ждала. Разве мы с вами не все выяснили?

— Видите ли, Елена Викторовна, я выяснила некоторые обстоятельства, которые и вам будут интересны, я так думаю. Не могли бы мы это обсудить не по телефону, а при личной встрече? — Она молчала, и я решила добавить: — Дело в том, что ко мне в руки попали интересные, я бы даже сказала, очень интересные записи. Разве вы не хотите с ними ознакомиться? Я вот просто мечтаю обсудить их с вами.

— Хорошо, — хотя и с трудом, но она приняла решение. — Только сюда не приходите. За углом есть уличное кафе, я туда подойду через десять минут.

Магнитофон наш разговор почему-то не записал, на пленке по-прежнему была мертвая тишина. Так что пришлось пересказать разговор Самойлову своими словами. Это было, впрочем, несложно, Витя и так все понял. Все-таки интересно, неужели она обнаружила микрофон?

Я вставила в магнитофон кассету, пленка была заранее отмотана на начало разговора супругов Косачевых, и отправилась в кафе. Там почти никого не было, только за одним столиком шептались, макая длинные распущенные волосы в стаканчики с жиденьким кофе, две школьницы, да в глубине мужик в красной футболке и серых шортах лениво ковырял мороженое, с интересом разглядывая пробегающих мимо девиц. Меня он тоже осмотрел, но оценил, судя по всему, невысоко. Нахал. Чтобы не сидеть за пустым столиком, я купила себе небольшую бутылочку охлажденного «пепси» и ждала, потихоньку потягивая ледяной напиток.

Елена Викторовна в отличие от меня пунктуальность, видимо, не считала достоинством и явилась только через двадцать минут. Увидев ее, в голубеньком платье, которое, вынуждена признаться, очень ей шло, и с голубой сумочкой в тон платью, я мысленно чертыхнулась. Значит, мой микрофон мирно лежит дома вместе с белой сумочкой! Додумалась, куда воткнуть! Но кто же знал, что у этой супермодной мадам к каждому платью отдельная сумка прилагается? Я лично вообще сумки не люблю, у меня только одна черная торбочка, на все случаи жизни. Ну и еще маленькая, театральная, бисером обшитая...

Косачева, заслужившая беглый, но одобрительный взгляд мужика в красной футболке, подошла ко мне, громко цокая каблучками. Села, напряженно выпрямившись, посмотрела на меня с отвращением.

— Ну?

Я молча выложила на стол магнитофон, воткнула в него провод от наушников, который протянула ей, дождалась, пока она их пристроит, и нажала клавишу «пуск». Елена Викторовна, несомненно, была уверена, что ни один мускул на ее лице не шевельнулся. Собственно, так оно и было, легкое подрагивание левого века не в счет. Чтобы увидеть ее реакцию, мне хватило нервных пятен, загоревшихся на ее щеках, сменившихся потом восковой бледностью. Когда запись кончилась, она сняла наушники, положила их рядом с магнитофоном.

— Это... — голос ее дрогнул, Косачева откашлялась и начала снова: — Это фальшивка.

— Ради бога, — я улыбнулась. — Называйте как хотите. На самом деле, это копия. Оригинал, как это принято, сами понимаете, хранится в надежном месте. И не натравливайте, пожалуйста, больше на меня своих громил. Если со мной что-нибудь случится, пленка немедленно поступит в известное вам учреждение. И сразу вам скажу, чтобы не вести лишних разговоров, запись продается. Я не собираюсь доставлять вам неприятности, рассылая экземпляры в милицию, в администрацию города, в газеты и на телевидение. Это мое частное дело, и я хочу заработать немного денег. Вы ведь хотели, чтобы я служила вам, собирались меня купить...

Ух как она смотрела на меня! Так и придушила бы — с удовольствием, тут же, за столиком.

— Так вот, служить вам я не собираюсь, а на то, чтобы купить меня, у вас денег не хватит. Пленку же я продам, это будет обычная коммерческая операция. Вы ведь в коммерции разбираетесь неплохо, так что можете быстро определить — сделка для вас выгодная.

— Я вам не верю, — она едва шевельнула бледными губами, но слова прозвучали удивительно отчетливо.

— Ничем не могу вам помочь. Вы опытный человек и понимаете, что я не занимаюсь благотворительностью. Сделка эта взаимовыгодна. Каждый из нас выигрывает. Вам, можно сказать, повезло, что мне в данный момент очень нужны деньги. И чтобы получить соответствующую сумму, я готова пожертвовать очень многим. Вам нужна эта запись. Я ее продаю. Все предельно просто.

Мои слова не то чтобы успокоили ее, но были той соломинкой, за которую Косачева могла ухватиться, чтобы не захлебнуться в волне паники. Купля-продажа, сделка — эти слова и обозначаемые ими действия были ей понятны.

— Но ведь вы же... — неуверенно начала она, потом сама себя перебила: — Ах, да, конечно. Деньги.

— Вот именно, деньги, — подтвердила я.

— Вы этот наш разговор тоже записываете? — все-таки до конца она мне не верила.

— Помилуйте, какой смысл?

Косачева молчала. Буравила меня глазами и ждала, что я скажу. Доказательств, что ли, ждала?

— Уж свои-то предложения к вам мне записывать совершенно ни к чему. Вы же это понимаете. И вот он, магнитофон, сами видите.

Кажется, поверила. А может быть, и не поверила, но решила этот вопрос больше не обсуждать. Во всяком случае, Елена Викторовна перешла к вопросу конкретному, из хорошо знакомого ей мира цифр. И даже голос у нее при этом изменился. Крепкая, однако, дамочка, быстро в себя приходит.

— Сколько вы хотите?

— Сто тысяч. Долларов, разумеется.

— Это слишком много, — нахмурилась она.

— Елена Викторовна, вам не кажется, что торг здесь неуместен?

— Но цена должна быть разумной.

Ага, цену я назначила правильную. Чувствовалось, что на сто тысяч долларов она ни в коем случае не согласится. Очень хорошо. Я улыбнулась обаятельно и слегка надавила:

— А вот это понятие относительное. Мне кажется, что разумнее отдать часть, чем потерять все.

— Я... я должна подумать, — Косачева встала.

— Не слишком долго, — я вынула из магнитофона кассету и протянула ей. — Возьмите, послушаете еще разок, вместе с Борисом Леонидовичем. Легче будет решение принять.

Она взяла кассету осторожно, двумя пальчиками, и кинула в сумочку.

— Позвоните мне сегодня вечером, тогда мы все и решим.

— Да, чуть не забыла, — я подошла почти вплотную и продолжила разговор полушепотом: — Еще раз убедительно прошу вас, скажите своим киллерам, чтобы приостановили свои происки в мой адрес. Это может плохо кончиться. Для вас.

Мадам Косачева одарила меня на прощание убийственным взглядом, четко, как солдат на плацу, развернулась «кругом» и зацокала каблучками, удаляясь.

Я вернулась в машину, протянула Самойлову бутылочку.

— Пить хочешь? Докладываю: встреча высоких договаривающихся сторон прошла мирно, условия приняты к обсуждению, окончательный вердикт будет вынесен вечером.

Витя жадно, в два глотка допил «пепси», закинул пустую бутылочку за заднее сиденье и потребовал:

— Подробности!

Что мне, жалко что ли? Рассказала с подробностями, почти дословно. Он слушал, кивал.

— Заглотнула, значит, наживку, — Самойлов неожиданно ухмыльнулся. — Тань, а если она, и правда, согласится и принесет тебе сто тысяч баксов? Что тогда делать будешь?

— Скажу, что передумала и хочу двести тысяч, — пожала я плечами. — Да не принесет, сам слышал, у них сейчас денег нет, киллерам заплатить нечем.

— Тут ты, пожалуй, права. Ладно, что дальше делать думаешь? До вечера далеко еще.

— Здесь, наверное, покручусь, присмотрю за Косачевой, она сейчас бурную деятельность должна развить, — я покосилась в сторону серой «Волги», водитель которой так ни разу и не пошевелился. Интересно, он там вообще живой? — Сколько у тебя тут народа, только этот или еще есть?

— Есть, конечно, — рассеянно ответил Витя и ткнул в меня пальцем. — Нет, подруга, все будет не так. Мы сейчас поедем в управление, я буду заниматься своими делами, а ты тихо, как мышка, будешь сидеть в уголке.

— Не открывая рта? — уточнила я.

— Вот именно, не открывая рта.

— Самойлов, ты что, с ума сошел?

— Наоборот, я очень трезво оцениваю ситуацию. Самым безопасным для тебя местом в данный момент будет наш кабинет. Тань, ты пойми, я очень не хочу, как тот минер сказал, соскребать тебя со стенок столовой ложкой.

— А если я пообещаю быть осторожной, с незнакомыми не разговаривать и у чужих дяденек конфеты не брать?

— Иванова, ты не поняла. Я этот вопрос с тобой не обсуждаю, я ставлю тебя перед фактом. А если ты будешь и дальше спорить, то я имею право задержать тебя, как лицо без документов, до выяснения личности.

— Что-о?

— И вообще, кого-то ты мне напоминаешь... —

Витя откинулся назад и, прищурившись, окинул меня подозрительным взглядом. — Проходила у нас по ориентировкам аферистка с такими приметами.

Я подняла руки.

— Сдаюсь! Вяжите меня, люди добрые, все признаю, на все согласна. А к Мельникову можно будет съездить?

— Без проблем, вместе и поедем.

— Витя, — я состроила жалобную гримаску, — а давай мы Андрею не будем говорить про вчерашнее.

— Про что это? — не понял он.

— Ну про стрельбу эту дурацкую, про дверь мою... Ничего ведь не случилось, зря только расстроим человека.

— Да что тебе это, игрушки детские, что ли? — Витя, похоже, начал сердиться. — Тут говорим, тут не говорим, тут селедку заворачиваем! Ясно же, что все взаимосвязано, что одна банда работает, какие тут могут быть секреты! Сама все расскажешь. С подробностями! Поняла?

— Поняла, — вздохнула я.

— Вот и ладненько, — сразу повеселел Витя. Все-таки не любил он ругаться. — Поехали в управление, а то у меня дел куча.

Я уже завела мотор, когда из дверей офиса вышел Лемешев. Неторопливо направился к служебной стоянке, отпер дверцу новенького, цвета морской волны, «Ягуара». М-да, не хочет, я смотрю, руководство фирмы «Орбита» поддерживать отечественного автомобилестроения. И машинешки себе подбирают неслабые — «Ягуар», «Вольво». У Кондратова, покойного, «Субару» была, тоже не последняя в ряду. Николай Георгиевич небрежно забросил внутрь машины дорогой кожаный кейс и сел за руль.

— Чего стоим? — спросил Витя.

— Вон, начальство пропускаем, пусть едет по своим делам, — махнула я в сторону выезжающей на дорогу машины.

— А, Лемешев. Мы за ним?

— Нет смысла. Он, конечно, тоже подонок, но с этим делом, по-моему, не связан. Я же про него вам рассказывала — типичный зитц-председатель. И вообще, как говаривал бессмертный Паниковский, жалкая и ничтожная личность.

— А ты уверена, что Паниковский это именно про Лемешева говорил? — усмехнулся Самойлов. — Кстати, Таня, а что вчера у тебя с этой жалкой личностью в ресторане произошло? Ты же так и не сказала. Выскочила оттуда как ошпаренная.

— Вчера, — я покачала головой, трогаясь наконец с места. — Кажется, уже так давно. Ничего там, в ресторане, не было, глупость сплошная. Он за пятнадцать минут назюзюкался до поросячьего визга и стал приставать ко мне с грязными предложениями.

— И сильно грязные были предложения?

— Точно я тебе сказать не могу, он все больше мычал и руками действовал.

— Старый козел, — посочувствовал мне Витя. — Но ты ему врезала?

— Врезала, только мало. Видишь, сегодня уже не хромает.

Так, коротая время за милой беседой, мы доехали до управления. Там я, как и обещала, вела себя тихо. Правда, в уголке не сидела, а занималась общественно-полезным трудом. Сначала прикрепила на стенку фотографии Авдеева и Тарасенко. Оказывается, Ярославцев, оставленный на хозяйстве, без дела не сидел: нашел в архиве нужное дело, взял фотографии, успел показать их свидетелям. В протокол опознания я заглянула: и охранник, и Шурик-бармен без колебаний опознали лица, предъявленные им на снимках. Шустрый Венька успел уже отправить бумаги на объявление федерального розыска. Ох, кажется, напрасно я Шурика подозревала. Да и на Ярославцева зря бочку катила, вон как трудится...

Потом я занялась чисто женскими делами — перемыла мужикам все чашки-ложки, привела в божеский вид чайник, повыкидывала пустые бумажные пакетики и прочий мусор, нашла крышку для банки с сахаром. И поила свежим чаем всех, кто заглядывал в кабинет.

— Ведь умеешь же, Иванова! — тихо умилялся Витя, выныривая время от времени из кучи бумаг на своем столе, в которую зарылся сразу, как пришел, и принимая из моих ручек очередную чашку чая. — Какой дурак придумал тебя ведьмой обзывать?

Но этой идиллии в небольшой обшарпанной комнате работников угрозыска не суждено было продолжаться долго. Не для спокойной жизни была эта комната предназначена... Шарахнулась о стенку распахнутая дверь, и внутрь влетел встрепанный, запыхавшийся Ярославцев. Остановился посреди комнаты и посмотрел на нас с Витей диким взглядом.

— Венька, ты чего, что случилось? Да ты сядь, что с тобой? — Самойлов аж подпрыгнул и выскочил из-за стола.

Ярославцев, все еще тяжело дыша, подошел к ближайшему стулу и рухнул на него. Я автоматически сунула ему свою чашку с чаем, которую держала в руках. Счастье, что чай уже остыл, потому что выпил он его одним большим глотком. Не глядя, вернул пустую чашку мне и наконец обрел голос:

— Косачеву убили!

— Та-ак, — Витя сел обратно за свой стол. — А вы куда смотрели? Что, опять рядом никого не оказалось?

— Да слава богу, что не оказалось, — Веня облизнул пересохшие губы. Я быстренько налила еще чашку чая, размешала две ложки сахара и подала ему. Нравится мне Ярославцев или нет, это другой разговор, но сейчас пацану явно необходимо было выпить. Лучше бы чего-нибудь покрепче, но на худой конец и сладкий чай сойдет. — Опять машину взорвали.

— Подробности, — потребовал Витя точно так же, как у меня сегодня утром.

— После разговора с Ивановой Косачева вернулась в офис. Вроде нормально продолжала работать. Люди к ней заходили, — он лязгнул зубами по краю чашки.

— Что за люди?

— Работники фирмы, чужих вроде не было. Панченко там терся по коридору, но всех отследить он не мог. Но никого, похожего на этих, — Ярославцев показал на висящие на стене фотографии, — ручается. Она сама несколько раз выходила из кабинета, заходила к директору, к проектировщикам, в туалет два раза. Все нормально. Потом, в обед, вышла из офиса, села в машину, поехала. Мы за ней, обрадовались... Трех минут не проехали, как рванет!

Веня помолчал немного, сделал несколько глотков, продолжил:

— Я такого никогда не видел — где руль, где колеса... Нашу машину всю осколками исцарапало, а ее, Косачеву то есть, просто в клочья разнесло, — он побледнел еще больше.

— Дежурную группу вызвали?

— Да, они уже приехали. Я ребят оставил им в помощь, сам сюда. Вот и все.

— Подполковнику доложил?

— Я ему по телефону. Тоже уже, наверное, там.

Теперь мы все трое молчали. Уж чего-чего, но такого поворота событий никто не ожидал.

— А за стоянкой кто-нибудь следил? — спросил Витя.

— Не то чтобы следили, но там посторонние не ходят. Люди подходили сразу к своим машинам, садились и уезжали. Никто без дела по стоянке не болтался, а к ее «Вольво» никто и близко не подходил. А если бы кто-то начал там машину минировать, мы бы точно заметили.

— Что ее, долго заминировать! Мимо прошел, мину на магните прижал — и готово.

— Мы бы заметили, — снова повторил Ярославцев.

— А что у нее в руках было, когда она в машину садилась? — я не была уверена, что он мне ответит, но Веня был не в том состоянии, чтобы помнить, с кем он «дружит», а с кем «в контрах».

— Сумочка голубая с длинными ручками на плече висела, а в правой руке пакет. Небольшой, с прорезными ручками. Красного цвета, весь щенками далматинцев разрисован.

— Тяжелый?

— Несла легко, а так разве скажешь? Вроде коробка там какая-то лежала.

— Ты что, Тань, думаешь, она сама взрывчатку в машину положила? — спросил Витя.

— Одно из двух: или взрывчатка была для меня и Косачева погибла случайно, из-за неосторожного с ней обращения, или для нее.

— Как это для нее? Вы думаете, ее могли убрать? Но зачем? — теперь спрашивал Ярославцев у нас с Витей обоих, быстро выговаривая слова и вертя при этом головой, словно кукушонок. Я хотела ответить, но Витя заговорил раньше:

— А затем: ее могли убрать, чтобы обрубить нам все концы. Она была у нас на крючке, а через нее —

выход на Авдеева и Тарасенко. Теперь этого выхода нет.

Следующая мысль пришла в голову нам всем одновременно. По крайней мере вскочили мы все вместе, как по команде, и кинулись к дверям. На бегу Самойлов отдавал распоряжения:

— Венька, на работу! Татьяна, ты со мной, едем к нему домой! Кто первый его находит, отзванивается!

Не единственной нашей ниточкой была Косачева. Судя по записи на пленке, ее супруг знал об убийцах если и меньше, то ненамного. И если уж те решили избавляться от всех, кто мог на них вывести, то следующим в списке был Косачев.

Пока мы ехали, я сунула Вите сотовый, но ни по одному телефону из четырех, указанных на визитке Бориса Леонидовича, его найти не удалось. Мобильный вообще был отключен.

Три часа мы метались по городу.

Венька поднял на уши и перетряхнул всю администрацию. Да, утром Борис Леонидович был на работе, многие его видели, потом куда-то исчез, даже секретаршу не предупредил. Поняв, что здесь он ничего не найдет, Ярославцев прочесал все больницы и морги, обзвонил все отделения милиции. Косачева нигде не было.

Мы с Самойловым в это время безуспешно ломились в запертую железную дверь квартиры. Соседи, люди малолюбопытные, супругов сегодня не видели и, может ли быть в данный момент дома хозяин, понятия не имели. После того, как Витя нагнал на них страху, кто-то вспомнил, что Косачевы, уходя из дома, сдают квартиру на охрану. Это было уже кое-что. Витя, окончательно отобравший у меня сотовый, довольно быстро выяснил нужный номер те-

5 Зак. 4457

лефона и, вовсю используя служебное положение, вызвал сотрудников охраны.

Не прошло и пяти минут, как они явились, открыли двери, и мы всей гурьбой ввалились в квартиру. И ничего интересного для себя там не нашли. Трехкомнатная квартира улучшенной планировки, продуманно и со вкусом обставленная, с массой милых безделушек. Не слишком аккуратно прибранная, но и незахламленная — обыкновенный житейский беспорядок. Никаких, слава богу, трупов, следов насилия или поспешных сборов. Хозяева явно ушли утром на работу, ни о чем худом не думая.

Оставив охранников писать акт вскрытия квартиры, мы поехали на место взрыва. Там Косачева или кого-нибудь на него похожего тоже никто не видел.

— Не знаю, нашли ли его убийцы, но нам это не удалось, — подвела я итоги наших метаний, когда мы все, усталые и злые, собрались наконец у Андрея в палате.

К этому времени эксперты уже предварительно подтвердили идентичность взрывчатки с предыдущими, в чем, собственно, никто и не сомневался. Витя получил здоровый втык от начальства за то, что такие безобразия в городе происходят: «Через день машины на улицах взрывают! Словно Тарасов криминальной столицей стал!» Ярославцев охрип, а я порвала джинсы, зацепившись за одну из обгорелых железок, в которые превратилась машина Елены Викторовны. Вот и все наши достижения на данный момент.

Мельников, не обращая внимания на наше настроение, затребовал полный отчет обо всем, что произошло со вчерашнего вечера. Господи, суток ведь не прошло, а столько всего случилось! Первым говорил Ярославцев, причем грамотно докладывал мальчик — четко, связно и без лишней болтовни. Андрей полюбовался на фотографии Авдеева и Тарасенко, кивнул:

— Точно, они. Но тогда они взрывчаткой не баловались, по-простому действовали, ножичком. Хотя, они ведь в университете учились?

— Третий курс физического факультета, — подтвердил Веня. — На то, чтобы понять, как собрать взрывное устройство, образования вполне хватит.

— Да-а, — Мельников отдал фотографии Вите, тот убрал их в папку. — Вот она, молодежь, государство их обучает, а они потом бомбы делают... Ладно, теперь ты, Танька.

Я попыталась изложить все события прошедших суток так же сжато и бесстрастно, как Ярославцев, но боюсь, не дотянула до его уровня. Впрочем, мне все время мешал Витя — подсказывал, дополнял, уточнял, так что доклад у нас получился в результате совместный.

— Да-а, — снова протянул Андрей. — Круто ребята завелись. Они, впрочем, и тогда особым умом не отличались. Когда поняли, что мы к ним подбираемся, начали крушить все подряд, так их свои же и заложили. По старым адресам вы, значит, прошлись уже. Веня, вроде они где-то в бараке жили, в Заводском районе?

— Авдеев в бараке, а Тарасенко в пятиэтажке напротив. Так барак уже снесли, соседей расселили...

Я откинулась на спинку стула и закрыла глаза. Ярославцев рассказывал про переехавших соседей, которые и помнили-то смутно, что были двое хулиганов во дворе, вроде их даже посадили потом за что-то, про бабку Авдеева, к которой тот заявился сразу после отсидки, но, быстро поняв, что с нее, кроме нищенской пенсии, взять нечего, исчез и больше не появлялся. Что-то говорил и про мать Тарасенко, которая вышла замуж и уехала в деревню. Но я уже не слушала.

В разговоре с женой Косачев произносил «вы наняли», «я вас просил», а она сказала ему, что не его голос решающий... А чей же решающий? Что мы уперлись в этих Косачевых, когда ясно, что был еще кто-то, с решающим голосом? Кто? Кому собирался звонить Борис Леонидович, чтобы доложить результаты своих изысканий на тему «что такое Иванова и как с ней бороться?». Кому Елена Викторовна просила передать свое особое мнение, что эту «наглую сыскарку» надо убрать? Как же мы все это прошлепали?! Надо было с самого начала искать этого третьего. Он должен быть где-то совсем рядом...

— Не понял, что ты сказала? Эй, Танька, ты что, во сне разговариваешь? — Андрей потряс меня за плечо.

— Ребята, — проникновенно сказала я, открывая глаза, — мы просто компания круглых идиотов!

— Я бы даже сказал, не круглых, а квадратных, — почесал в затылке Витя, когда я изложила свои рассуждения. — Черт, действительно, мы же еще вчера говорили, что должен быть третий, и этот разговор на тормозах спустили.

— Может, из администрации кто? — предположил Ярославцев. — С кем он по работе связан или начальство какое?

— Посмотреть, с кем еще Косачев бизнес крутил, прочесать круг знакомств, — шепотом начал составлять план мероприятий Самойлов.

— Подождите, сейчас я соображу! — я даже руками замахала. — Вот ведь вертится в голове, никак не поймаю!

Судя по выражению лица Мельникова, у него тоже вертелось, и он тоже не мог поймать.

— Может, пленку еще раз послушать? — подал здравую мысль Ярославцев.

Витя тут же достал из тумбочки магнитофон, проверил кассету, перемотал на начало, включил. Зазвучал голос Косачевой. Мы с Андреем смотрели друг на друга. Когда запись дошла до разговора в скверике, я все поняла. Андрей, не сводивший с меня глаз, выключил магнитофон.

— Ну? — спросил он.

— Когда она приехала на встречу с мужем, — медленно начала я, — он уже был в курсе событий. Мы еще тогда с тобой решили, что она ему позвонила и все рассказала. Так?

— Так.

— А откуда она звонила? — Я обвела всех взглядом, но никто мне не ответил. — Сумочка с микрофоном висела в кабинете. Раз записи звонка нет, значит, не оттуда. От секретарши? Вряд ли, там проходной двор, вы знаете.

— Из любой другой комнаты в офисе? — Ярославцев спрыгнул с подоконника и подошел ко мне.

— Нет, — покачал головой Витя, — отдельные кабинеты только у главбуха и директоров, в остальных комнатах сидят по четыре-шесть человек.

— Кабинет Кондратова? — спросил Андрей.

— Опечатан.

— Когда я уходила, она оставалась в кабинете Лемешева! — торжествующе сказала я.

Минуту они смотрели на меня молча. Потом Витя тихонько толкнул Мельникова кулаком в коленку.

— Ноги убери, — сказал он, устроился на краешке кровати поудобнее и обратился ко мне: — Таня, а кто еще знал, что ты с этим Лемешевым в ресторан идешь? Это на Андрея бандиты случайно напоролись, а тебя они ждали. Я видел, машина поехала только тогда, когда ты появилась.

— Думаешь, он позвал Таньку в ресторан и поставил, так сказать, стрелков на выходе. А сам разыграл такую сцену, чтобы она убежала. Стрелки ее и встретили. Вот тебе и зитц-председатель Фунт! — Андрей уже и лежать не мог, подвинулся и присел на постели, опираясь о спинку. — Веня, а ты что можешь сказать?

— А что, похоже на правду. Расчет простой — Иванова от него сама сбежала, а он в дрезину пьяный в ресторане остался. Старый козел, вот и все, какой с него спрос. И никому в голову прийти не может, что он с этими бандитами связан. Чисто сработано.

— Мы его лопухом считали, — обиженно сказал Витя, — а он нас всех облапошил, как маленьких.

— Подожди с самокритикой, — остановила я его. — Покаяться всегда успеешь. Давайте лучше о деле. Витя, помнишь, когда мы Косачеву до офиса проводили, вскоре оттуда Лемешев вышел, сел в свою машину и куда-то уехал.

— Было, — согласился Самойлов. — Веня?

— Лемешев уезжал куда-то после того, как Косачева получила пленку с записью, — отрапортовал Ярославцев. — Вернулся примерно через час. Но это же не улика.

— Так, — Мельников посмотрел на меня, потом на Витю. — Как, по-вашему, времени для того, чтобы она рассказала про пленку этому Лемешеву, у них было достаточно?

— Достаточно. Даже прослушать могли успеть, — ответил Самойлов.

— Мы минут пятнадцать в машине возле офиса «Орбиты» сидели, разговаривали, — подтвердила и я.

О том, что он предложил проследить за Лемешевым, а я убедила его не делать этого, Витя не сказал.

И спасибо ему. Совсем уж дурой тоже выглядеть не хотелось.

— А он с пустыми руками ездил?

— Нет, с кожаным дипломатом. Тот красный пакет вполне мог в нем поместиться. Все равно не улика.

— Это верно, прямых улик у нас ноль целых, ноль десятых, — почесал щеку Мельников. Потом снова вытянул ноги и откинулся на подушку. — Слушайте, ребята, а чего это вы здесь расселись? А ну, живо найти Лемешева и разобраться, где был, что делал, порочащие связи... Что мне, учить вас надо?!

Поехали все вместе на моей машине. Правда, не сразу. Когда мы уже подходили к месту, где я припарковала свои «Жигули», в голову мне пришла ужасная мысль.

— Подожди! — я схватила Витю за рукав. — Она сколько здесь простояла без присмотра, больше часа? Да за это время не одну, а два десятка бомб подложить можно было! Давай проверим.

И мы втроем тщательно осмотрели каждый сантиметр машины. Хорошо еще, что лето — светло. Убедившись, что внутри машины, на ней и под ней ничего подозрительного нет, мы наконец погрузились и помчались. Витя покопался в своей необъятной папке и выудил визитку Лемешева. Потом достал из кармана мой сотовый и начал звонить. На заднем сиденье сопел Ярославцев.

— Глухо, как в танке, — Самойлову надоело слушать длинные гудки, он выключил телефон и снова сунул его в карман .

Я только покосилась. Все равно, когда закончим, отберу. Я сыщик, а не меценат какой-нибудь. Не буду я их райотдел мобильными телефонами снабжать. Пусть их государство обеспечивает.

— Меня это молчание наводит на разные нехорошие мысли, — заявил Витя и тут же стал эти нехорошие мысли излагать: — Что-то все, кто нас интересует, либо взрываются, либо исчезают... К чему бы это? Таня, а куда мы едем?

— В «Орбиту». Вдруг у него трудовой энтузиазм проснулся.

— Нет его там, я же звонил. Ни сам трубку не берет, ни секретарша. И рабочий день уже кончился, там уже все закрыли и разошлись.

— Семь часов всего. Мужики в таких конторах часто задерживаются. Может, он с проектировщиками сидит. Это же в другом крыле, так? Значит, звонки не слышны.

— А сотовый тогда почему не берет? Я и по сотовому звонил.

— Он его в кабинете оставил. Чего ты прицепился, все равно надо заехать, вдруг кто знает, куда начальник подевался?

— Попробовать можно, — согласился Витя, — хотя вряд ли Лемешев перед ними отчитывается.

Правы оказались мы оба. Я — в том, что не все разошлись. Четверо мужчин и две женщины, слегка пришибленные последними новостями, сидели на кухне, пили водку и негромко разговаривали.

На столе стояли тарелки с остатками разных салатов, блюдечко с горкой нарезанной колбасы разных сортов, другое — с селедкой, большое блюдо с мытыми, но ненарезанными овощами и маленькие бутербродики с каким-то паштетом. Все это явно осталось со вчерашнего дня, когда праздновали день рождения проектировщицы.

— Вот, поминаем, — немного виновато кивнул на бутылку самый старший из мужчин.

Витя же был прав в том, что ничего они о Лемешеве не знали. Когда приехали из милиции и сообщили о смерти Елены Викторовны, директор был здесь, говорил с ними. Потом уехал. Нет, не с милицией, они уже ушли к тому времени. Куда? Да кто ж его знает? Может, к Борису Леонидовичу, мужу покойницы, они дружили все, а кто же еще поддержит человека в такую минуту, как не друзья? Нет, на завтра никаких распоряжений не было, так что сами ничего не знаем. Выйдем на работу, как обычно, а там посмотрим. Но, похоже, пора новое место искать, что же это такое, второго руководителя за месяц взрывают...

Мы попрощались и ушли.

— Можно попробовать домой к нему, хотя шансов мало. Скорее он где-нибудь в ресторане или в казино, нервы успокаивает, — предположил Самойлов.

— Или тоже по городу носится, Косачева ищет. Или сам в бега ударился, — продолжил Ярославцев.

— А ему-то зачем в бега? — удивилась я.

— Так мы же не знаем, для кого была взрывчатка, — пояснил Вениамин. — Если для Косачевой, то сейчас он должен вертеться у всех на виду, демонстрировать искреннее горе и полную непричастность. А если для вас... Это означает, что его план провалился и ему надо уйти в тень и срочно изобрести что-то другое.

— Или наши подозрения вообще основаны на нелепых совпадениях, и чистый, как голубь, Лемешев поминает сейчас безвременно усопшую в ресторане «Калинка» с какой-нибудь менее строптивой, чем ты, Татьяна, барышней, — продолжил Самойлов.

— Может быть и так, конечно, — вынуждена была я согласиться, — только слабо верится. Ладно, заглянем для очистки совести к нему домой, а потом поедем рестораны проверять. Начиная с «Калинки».

На наши звонки в квартиру Лемешева никто, естественно, не отозвался.

— Ну что такое, Танька, от тебя, что ли, заразился? — Витя сердито пнул железную дверь, воскликнул в сердцах: — Не хочется уходить, тянет что-то за душу, и все тут.

За душу, похоже, тянуло у всех. Я прислонилась к косяку и рассеянно нажала на ручку. Попробовала повернуть вправо, влево.

— Вень, ты это открыть не сможешь? — неожиданно обратился Витя к Ярославцеву.

— Нет. Простую сколько угодно, а для такой фирменной специальные инструменты нужны, и грохоту много будет, — спокойно ответил тот.

Господи, этот мальчишка у них, оказывается, еще и специалист-взломщик! Я нажала чуть сильнее и почувствовала, что ручка поворачивается. Массивная железная дверь была закрыта, но не заперта!

— Ловлю на слове, — что-то не к добру меня на шутки потянуло. — Я открываю эту, а ты, Веня, справишься с той, что внутри, согласен?

Они молча уставились на меня. Ярославцев неуверенно кивнул.

— Але-ап! — я дожала движением кисти ручку, потом с усилием потянула дверь на себя. — Прошу!

Витя оттер меня плечом, осторожно попробовал внутреннюю дверь. Она не поддалась.

— Из наблюдаемого нами пейзажа можно сделать вывод, что в квартире был чужой. Спросите, почему? Объясняю. Внутренняя дверь захлопывается сама, а внешнюю надо закрывать на ключ. Следовательно, последним из квартиры вышел человек, у которого ключей нет, то есть чужой.

— Таня, прекрати, — попросил Витя.

— Я просто хочу сказать, что в квартиру-то этот чужой попал, не взламывая дверей, значит, его впустил хозяин, — я сама чувствовала, что моя болтовня раздражает ребят, но остановиться не могла. Честно говоря, мне было просто страшно. Я уже понимала, знала, что мы найдем в этой квартире, и пыталась спрятаться от этого знания за завесой слов. — И означенный хозяин вместе с чужим гостем квартиры не покидал. Таким образом, поскольку хозяин на звонки не реагирует, приходит в голову мысль...

— Иванова, у тебя что, истерика? — поинтересовался Витя, отодвигая меня еще дальше в сторону, чтобы пропустить к двери Ярославцева. Не глядя на меня, Веня подошел и начал ковыряться в замке. — Я, конечно, могу тебе по физиономии дать, но, может, ты сама справишься?

— Проще, наверное, по физиономии, но какой будет пример для подрастающего поколения...

Ярославцев оглянулся, сказал почему-то шепотом:

— Я сейчас открою. Понятых бы надо позвать, а то...

— Верно, — согласился Витя. — Все надо делать по правилам.

Он позвонил в соседнюю квартиру, и через минуту к нам присоединились толстый мужчина в майке и дешевых тренировочных шароварах и угрюмая остроносая женщина, очевидно, его жена. На голове ее топорщились бигуди, прикрытые второпях повязанной косынкой. На лестничной клетке стало тесновато. Мы стояли и молча ждали, когда Ярославцев справится с замком.

Наконец послышался громкий щелчок, и Веня осторожно открыл дверь в темную прихожую и оглянулся:

— Готово.

— Тогда заходим, — буднично сказал Витя. — Таня, ты покарауль пока здесь.

Я снова прислонилась к косяку, молча глядела, как он прошел по коридору, на ходу включив свет.

Тенью за ним двигался Ярославцев с пистолетом в руке. Я, вздохнув, прикрыла глаза — нет еще чутья у пацана, не знает, что не понадобится ему сейчас пистолет, или просто не наигрался еще.

Понятые же, глядя на все это, неожиданно оживились и потопали за ребятами в квартиру довольно бодро. Даже странно, по всем законам логики, увидев пистолет, они должны были бы спрятаться в самый дальний угол, а тут все с точностью до наоборот. Так рванули вперед, что чуть Веньку не снесли.

Впрочем, чему удивляться: любопытство — страшная сила. Особенно когда мозгов не хватает. У меня был знакомый парень, который оказался в Москве как раз четвертого октября девяносто третьего года. Вышел с вокзала, слышит, стрельба где-то недалеко. Так он повернул в ту сторону, посмотреть, что происходит. Интересно ему стало! Хорошо еще, что в этого болвана ни одна шальная пуля не попала.

Из комнаты донесся тихий возглас, потом невнятное бормотание. Значит, нашли. Ну что ж, Витя, понятно, хотел пощадить мои деликатные дамские чувства, спасибо ему большое, но мне-то кисейную барышню изображать совсем ни к чему. И потом, что я, покойников не видела?

Аккуратно прикрыв обе двери, я не слишком уверенно прошла по коридору. В комнате царил разгром: дверцы шкафов распахнуты, книги, вещи, осколки посуды — все перемешалось на полу. Насколько было видно, то же творилось по всей квартире. И в центре захламленной комнаты лицом вниз лежал Лемешев, пушистый светлый ковер потемнел от крови. Витя, присев около него, пытался нащупать пульс. У стены, обнявшись, завороженно застыли понятые.

Я подошла к Самойлову, тоже присела, коснулась руки Лемешева.

— Витя, что ты щупаешь, он холодный уже. Часа два как умер, не меньше.

Ярославцев, все еще с пистолетом в руке, вышел из смежной комнаты, отрицательно покачал головой в ответ на вопросительный Витин взгляд. Самойлов выпрямился, посмотрел на лежащее у его ног тело, перевел взгляд на меня.

— Так. Лемешева мы нашли. Только вот рассказать нам он ничего не сможет, — и снова достал мой сотовый.

Глава 8

Поздно вечером мы с Витей сидели на его кухне и молча смотрели друг на друга. Когда в машине, возле дома убитого директора «Орбиты», Самойлов безапелляционно скомандовал ехать к нему, я, конечно, заикнулась, что, мол, неудобно, Любаше это не понравится, что я вполне могу забаррикадироваться в своей квартире и до меня ни один бандит не доберется. Витя тогда не стал спорить, только посмотрел грустно и попросил:

— Тань, ну хоть ты мне проблем не создавай, и так выше крыши...

Пришлось заткнуться и безропотно отправиться ночевать к нему. Поскольку Любаша уже спала, мы сами пошуровали на кухне: на плите нашлась сковорода жареной картошки, а в холодильнике — приличный кусок колбасы. Поделили все это по-братски, потом я помыла посуду, вытерла со стола, и мы на сытый желудок устроили «мозговой штурм». То есть, как я уже сказала, сидели и тупо пялились друг на друга.

Вот теперь у нас действительно никаких концов не было. Лемешев мертв, Косачева мертва, ее муж...

— Надо искать Косачева, — выдвинула я гениальную идею. — Проверить, не у любовницы ли он в щель забился.

— Официальную любовницу Венька проверял, она ничего не знает.

— Может, врет?

— Может, и врет. Съезди завтра к ней, поговори. Только зачем ему там прятаться, он же не дурак, понимает, что у нее в первую очередь искать будут. А Тарасов — город большой, щелей хватает. Особенно если с деньгами проблем нет.

— С деньгами он мог еще днем из города смотаться, и ищи его теперь по всей бескрайней Российской Федерации.

— Это если успел смотаться, а не лежит сейчас где-нибудь на свалке, в разобранном виде.

— Витя, а интересно, он от кого прячется, от нас или от бандитов?

— Я думаю, от всех. Хотя если не дурак, то должен понимать: мы-то его хоть в живых оставим.

Витя на цыпочках вышел с кухни, вернулся со своей папкой и вытряхнул оттуда бумаги. Просмотрел, несколько листочков оставил на столе, остальные убрал обратно. План квартиры Лемешева, протокол осмотра места происшествия, показания свидетелей. Очень ценные показания — никто ничего не видел, никто ничего не слышал.

— Лемешев, дурак, зачем их в квартиру пустил? Наверняка они к нему за деньгами приходили, — я разложила листки на столе.

— Может, надеялся уболтать, чтобы еще подождали.

— Уболтаешь таких. Интересно, сколько он дома держал. Они же все у него забрали, до копеечки, даже из карманов выгребли.

— Сколько бы ни держал, все равно меньше, чем

был им должен. За два убийства солидная сумма полагается.

— Теперь вообще ничего не получат.

— Ты переживаешь за их благосостояние? — поднял брови Витя.

— Не очень, — я встала из-за стола и прошлась по кухне. — Отсиделась вся уже.

Подошла к окну, постояла, глядя в темное стекло.

— «Тьма накрыла ненавидимый прокуратором город...» — проскрежетал за моей спиной Витя. Меня передернуло.

— Умеешь ты, Витечка, своей образованностью потрясти.

— Так это ты меня и вдохновляешь, — ухмыльнулся довольный произведенным эффектом Самойлов.

— Ладно, эстет, ты мне лучше вот что скажи: в этот раз они не стреляли, не взрывали, а тихо-мирно пырнули Лемешева ножичком. Что это значит: не собирались его убивать или просто шум не хотели поднимать?

— А я откуда знаю? Ты у них спроси. Я могу только сказать, что нож они унесли с собой, но, судя по характеру ранения, это явно не столовый прибор, а вполне, так сказать, профессиональный инструмент. И тот, кто наносил удар, сделал это очень грамотно. Я у врача спрашивал, так он сказал, что Лемешев умер мгновенно, еще до того, как упал. — Витя стал раскладывать из документов что-то вроде пасьянса. — Андрей же говорил, что по молодости наши парнишки с ножичками баловались.

Раздалась негромкая трель телефонного звонка. Витя поспешно достал из кармана мой мобильник. Но я тут же отобрала его, спокойно заявив:

— Все равно меня, тебе же никто по этому номеру звонить не станет.

Потом нажала кнопку и ответила:

— Слушаю.

В трубке несколько секунд было тихо, потом неуверенный тихий голос спросил:

— Татьяна... Татьяна Александровна?

Сердце у меня подпрыгнуло и заколотилось где-то в горле. Ни разу мы не разговаривали с этим человеком, и голос его я слышала только в записи, но тем не менее сразу поняла, кто говорит. Состроила Вите зверскую физиономию и одними губами произнесла: «Косачев». Он вскочил с табуретки, прижался ко мне плечом, пытаясь подсунуть ухо поближе к трубке. Я слегка развернула телефон, чтобы слышно было обоим.

— Да-да, Борис Леонидович, я вас слушаю!

— Но как вы... Впрочем, понятно. Татьяна Александровна, я... не знаю, что делать.

— Борис Леонидович, где вы?

— Это неважно. Я звоню... хочу предупредить вас... вы в большой опасности.

— Но вы тоже, за вами охотятся убийцы!

— Я знаю. Они Лелю, — голос его дрогнул, — убили. И вас тоже хотят убить. Это страшные люди...

— Послушайте, давайте встретимся...

— Нет! Вы уж извините, Татьяна Александровна, но я не слишком верю в способность родной милиции защитить меня. Лучше, если никто не будет знать, где я, пока вы не поймаете этих убийц, — он замолчал.

— Вы что-то знаете? — осторожно спросила я.

— Да, поэтому и звоню. Дело в том, что нашел их Лемешев, он с ними и договаривался. Но квартиру для них искала Леля и сняла на свое имя. Записывайте адрес, — Витя выхватил из папки ручку и сунул мне, — Орджоникидзе, сто четырнадцать, квартира три. Они специально требовали, чтобы на первом этаже. Записали?

— Да. И все-таки, Борис Леонидович...

— Нет, Татьяна Александровна, вот уж когда возьмете их, тогда и встретимся. И тогда я отвечу на все вопросы. И ваши, и Андрея Николаевича... — Он поколебался секунду, добавил тихо: — Удачи вам.

Пару секунд мы с Самойловым ошарашенно молчали, а потом Витя возбужденно спросил:

— Слушай, Иванова, а у тебя разве нет такой штучки, чтобы показала, откуда был звонок?

— Определителя номера, что ли? Конечно есть, я как раз недавно приобрела эту услугу сотовой связи, — ответила я, уже глядя на окошечко, в котором высвечивались цифры. — Судя по номеру, звонил он со своего сотового. Видишь? Только теперь, наверное, отключил его уже.

Витя взял у меня телефон и попробовал набрать номер Косачева. Механический женский голос забубнил: «Абонент находится вне зоны досягаемости или...»

— Действительно, выключил, — с сожалением вздохнул Витя.

— А зачем он тебе сейчас, — я подтолкнула ногтем листок с адресом. — Наводку он дал, действуй. Вызывай группу и поедем, чего тянуть-то.

— Действительно, тянуть нечего, — Витя снова взялся за телефон, — но и торопиться не следует, дело аккуратности требует.

Так, не торопясь и аккуратно, мы поехали в управление, где нас уже ждал вызванный Самойловым Ярославцев. Не успели рассказать ему подробности, как подтянулись спецназовцы. Они погрузились в «уазик», а мы опять поехали на моем «жигуленке».

Дом сто четырнадцать на улице Орджоникидзе оказался старой пятиэтажкой, стоящей несколько на отшибе. Грязный и запущенный двор был пуст. Окна квартиры номер три выходили на другую сторону. Там был небольшой пустырь, спускающийся к железнодорожным путям. Витя отправил дежурить под окном меня с Веней и одного спецназовца, на всякий случай. Сам же с основной группой пошел к подъезду. В предрассветных сумерках было видно, что одна половина двери совсем снята с петель, а вторая намертво примотана проволокой к трубе, подпирающей козырек подъезда. Здесь о железных дверях с кодовыми замками и слыхом не слыхали.

Мы втроем обошли дом, отыскали нужное окно и рассредоточились под ним так, чтобы перекрыть возможные пути отхода. Я встала метрах в пятидесяти и чуть правее, за небольшим деревом, посчитав, что еще недостаточно светло, чтобы меня разглядеть. Ярославцев очень артистично нырнул за какие-то кустики, еще правее, а спецназовец незатейливо растянулся на земле, совершенно скрывшись в зарослях бурьяна слева от окна.

Еще несколько длинных минут тишины, а потом началось. Со звоном разлетелось оконное стекло. Почему-то не то, под которым мы все устроились, а соседнее, справа от меня. Так что, когда из разбитого окна выскочили двое, они побежали прямо в нашу с Ярославцевым сторону.

В квартире вспыхнул свет, тут же кто-то рванул створку того самого — правильного — окна. Один из бежавших, тот что ближе к Веньке, оглянулся, вскинул автомат, на ходу резанул в сторону дома очередью. Вскочил из бурьяна спецназовец, но он оказался слишком далеко, ему еще бежать и бежать, а мы с Венькой — прямо на дороге у бандитов. Краем глаза я заметила, как из разбитых окон горохом сыплются люди. А на меня бежал Авдеев. Приготовилась, сгруппировалась — прыжок, удар!

Он, может, и профессионал, но и мы не лыком шиты. Завалила я его, носом в грязь, на счет раз. Обернулась посмотреть, как дела у остальных. И увидела безумные глаза Тарасенко и дуло автомата, направленное мне в грудь. А Витя со всем спецназом далеко-далеко сзади, почти за горизонтом.

Ярославцев с каким-то бешеным каратистским криком вылетел из кустов, словно пушечное ядро. Когда ребро Венькиной ладони коснулось шеи Тарасенко, бандит не успел ничего понять, он был уверен, что убивает меня. Так и свалился — бесформенной кучей, с выражением жестокой радости на лице.

Набежали наши, Витя сдернул меня с Авдеева:

— Цела?

Я кивнула, перед глазами все еще плясала улыбка Тарасенко над дулом автомата.

— Ты? — Витя обернулся к Ярославцеву.

— Нормально, — он пожал плечами и стал отряхивать брюки. Руки у него немного дрожали.

— А? Как фасон держит парень? — шепнул мне Самойлов.

— Молоток, — согласилась я.

Спецназовцы тем временем споро надели на бандитов наручники. Авдеев все еще пытался сопротивляться, но ему дали пару раз по морде, и он перестал дергаться, только глазами сверкал и матерился. Одного из ребят автоматная очередь все-таки зацепила. К счастью, легко — пуля пробила мягкие ткани плеча. Парня бинтовали, а он шипел от боли и злобно косился на лежащего без сознания Тарасенко.

— Веня, — забеспокоилась я, — а что это твой крестник до сих пор в себя не пришел? Ты его не пришиб часом?

— Да нет, — Ярославцев посмотрел на меня и не слишком охотно объяснил: — Этот удар специально так поставлен, он еще минут двадцать будет в отключке.

Подъехала машина для перевозки арестованных. Сюда же водитель подогнал спецназовский «УАЗ». Витя пошел распорядиться погрузкой, а я разглядывала Авдеева. Все-таки уши у него здорово оттопыренные. Не как у Чебурашки, конечно, тут я была не права, но все равно сильно.

Витя тем временем поговорил о чем-то со спецназовцами, кому-то пожал руку, кто-то похлопал его по плечу, и ребята полезли в машину. Еще через пару минут «воронок» с «УАЗом» уехали, и на пустыре остались мы втроем.

Витя подошел к нам и открыл было рот, но я остановила его:

— Подожди, я сказать хочу, — повернулась к Веньке и продолжила: — Товарищ Ярославцев, в присутствии вашего начальства хочу выразить благодарность за спасение моей жизни.

Потом махнула рукой и сказала проще:

— Веня, я хочу сказать, что, если бы не ты, эта скотина меня бы пристрелила... Спасибо.

Ярославцев выпрямился, подобрался, ответил неожиданным басом:

— Нормально. Служба у нас такая.

Губы его дрогнули, он быстро отвернулся и пошел за дом, к машине.

— Да-а. Ты представляешь, Таня, сколько лет он эти слова перед зеркалом репетировал? — тихо сказал Витя, глядя ему вслед.

Пиццу я испекла огромную, есть у меня специальная сковорода — полметра в диаметре. Щедро положила в начинку грибов, один большой клин выложила зелеными оливками. Витя их очень любит, а

Андрей, наоборот, на дух не переносит. Рассчитала время так, чтобы привезти ее в больницу еще горячей.

Когда я вошла в палату, оказалось, что в кои-то веки ребята успели раньше меня. Андрей сидел на кровати, а Витя с Венькой устроились по обе стороны от него и оживленно пересказывали вчерашние, точнее, сегодняшние, ну в общем, ночные события.

— О-о! — Андрей первым заметил сковородку у меня в руках. Пришлось везти пиццу в ней, иначе она бы просто сломалась. — Теперь я точно вижу, что дело закончено. Раз Танька до кухни добралась, значит, всех повязали!

— Все-то ты про меня знаешь, — усмехнулась я и, кивнув на тумбочку у кровати, попросила Самойлова: — Витя, освободи жизненное пространство.

Он быстренько смахнул все с тумбочки, я застелила ее специально прихваченной большой салфеткой и торжественно выложила свой кулинарный шедевр. Вынула из кармана перочинный ножик, положила рядом.

— Режьте сами, кому как нравится.

— А по капельке? — спросил Андрей.

— Ты что! — ахнула я. — Из него только что две пули вынули, а он туда же.

Самойлов и Ярославцев переглянулись.

— Вот-вот, — глубокомысленно промолвил Витя. — Тебе лечиться надо.

— Ну, вырастил смену! — возмутился Мельников. — Я еще понимаю Таньку, она раньше в прокуратуре работала, что с нее взять. А вас ведь я воспитывал! Оперативники называется! Идут к начальству докладывать об успешном окончании операции и пузырек с собой не захватили! Разочаровали вы меня, ребята. Все, уйду я от вас!

— Да ладно уж! — жалобно сказал Витя. — Чего это ты на нас так... — Он влез рукой в свою знаменитую папку и вынул оттуда плоскую бутылочку коньяка. — Чуть что, сразу уйду, уйду...

— А вот это совсем другое дело! — оценил Мельников. — Раз так, то остаюсь. Веня, будь другом, пошарь в тумбочке, у меня там одноразовые стаканчики должны быть.

— Ребята, вы что, — пыталась я спорить и остановить это безобразие, пока Ярославцев возился в тумбочке, отыскивая стаканы. — Андрей, ты же в больнице, тебе нельзя!

— Ладно тебе, Таня, по наперстку ведь! Ты оцени, такая махонькая скляночка на троих мужиков, — миролюбиво успокоил меня Витя. — Ты не думай, мы и тебе нальем.

— Мне нельзя, — твердо отказалась я. — Я за рулем.

— Нельзя так нельзя, — согласился Самойлов. — А нам не только можно, но и нужно, — и разлил все, что было в бутылке, в три стакана. А мне налил сока папайи.

— Именно, — поддержал его Андрей. — Коньяк врачи очень даже рекомендуют для расширения сосудов. Нет, Танька, ты сама подумай, такое дело свернули, грех же не выпить! — Он поднял свой стаканчик. — Вот выйду я из больницы, мы еще соберемся и как следует отметим это дело. Ну, за присутствующих здесь дам!

— За тебя, Таня! — поддержал его Самойлов.

Ярославцев молча отсалютовал мне своим стаканчиком.

Мы выпили и принялись за пиццу. Витя первым вырезал себе кусок с оливками, улыбнулся мне благодарно, передал нож Ярославцеву. Тот не слишком уверенно примерялся сначала отрезать тонкую полоску, потом передумал, лихо отхватил себе здоровенный кусок и сразу начал жевать. Лицо у него стало задумчивым.

— А я из твоих ручек хочу, — нахально заявил Мельников, — так вкуснее.

— Вот и думай, что это: комплимент или безразмерная наглость с твоей стороны, — проворчала я, отрезая и ему небольшой ломоть.

— Эй, а почему мне меньше всех? — возмутился Андрей.

— Так ты же раненый, тебе тяжело большой кусок держать. Устанешь, уронишь еще.

— Конечно, как пиццу есть, так сразу вспомнила, что я раненый. Жадная ты все-таки, Иванова.

— Не говори глупостей, кому, по-твоему, я ее притащила? Съешь этот кусок, отрежу еще.

Себя я тоже не обделила, глупо же сидеть в компании трех жующих мужиков и смотреть на них. Откусила, попробовала... Да, пицца удалась!

Запивали соком папайи. Причем Витя ворчал, что угораздило, дескать, Мельникова предпочитать такую гадость, вот виноградный сок не в пример полезнее и вкуснее.

— Ага, особенно хорошо перебродивший, — поддержала его я.

Наконец мужики наелись, да и пицца закончилась, несмотря на грандиозные размеры. Я собрала крошки, убрала салфетку и выбросила пустые коробочки из-под сока. Даже интересно, почему это, если в мужском коллективе появляется женщина, она автоматически становится «прислугой за все»? А сама виновата, не вспоминай, что ты женщина, не хватайся за уборку.

— Спасибо тебе, Танюша, — прочувствованным сытым голосом сказал Самойлов.

— Свои люди, сочтемся, — отмахнулась я. — Вы на чем остановились?

Остановились они на том, как мы все поехали на захват. Так что я с большим интересом прослушала Витин рассказ, как они лихо, с одного удара, выломали хлипкую дверь и вломились в квартиру, как оказались в совершенно пустой комнате...

— Косачев, балда, не предупредил, что квартира двухкомнатная. А они в спальне были, да еще дверь забаррикадировали. Так что пока мы разобрались, пока в окна попрыгали, смотрю, они уже улепетывают вовсю. Если бы не Татьяна с Венькой, могли и уйти.

Рассказал о героическом спасении моей жизни. Андрей не стал ничего комментировать, только улыбнулся Ярославцеву, одобрительно похлопал его по плечу. Тот тоже промолчал, опустил глаза и залился алым девичьим румянцем.

Потом Витя доложил, сколько всего интересного мы нашли в квартире, где обретались Авдеев с Тарасенко. И магазины для автомата, и массу комплектующих, необходимых для изготовления взрывных устройств. И ножичек нашли, вполне подходящий к печальной истории с Лемешевым.

— Так что теперь ребята сели плотно, — жизнерадостно говорил Самойлов. — Эксперты над взрывчаткой еще колдуют, а баллистики уже дали заключение: автомат тот самый, из которого в тебя, Андрей, стреляли. А с Татьяной сложнее, из тебя пули вытащили, есть с чем сравнить, а вот что в нее из этого же автомата палили, вряд ли сумеем доказать. Пули, срикошетив от асфальта, улетели черт знает куда, так и не нашли их.

— Ладно, хватит и того, что доказать можем. Нож тоже сейчас в лаборатории. На одежде и обуви бандитов обнаружены следы крови, сейчас устанавливают, чьей. Если это кровь Лемешева, то вообще никаких вопросов не остается. А скорее всего именно его. Да и Косачев рвется их утопить, хочет дать показания. Взрывчатку-то, которой его жену взорвали, Лемешеву дали Авдеев с Тарасенко. Все было так, как мы и подумали: как только главбухша дала своему директору прослушать пленку, он тут же решил рубить концы. Так что погибла Елена Викторовна отнюдь не случайно.

— Сам-то Косачев сесть не боится? — спросила я.

— Танька, ты о чем? — деланно изумился Мельников. — Он так активно сотрудничает со следствием, рассказывает обо всем, во что случайно оказался замешан. И киллеров мы взяли благодаря его своевременной информации. О преступных же действиях в фирме «Орбита» он и понятия не имел. Да, лоббировал некоторые выгодные строительные заказы в их пользу, поскольку был уверен в безупречной честности своих бывших партнеров, но ничего криминального в этом нет. А пленка твоя... Естественно, он делает вид, что она не существует. Сама знаешь, как доказательство ее не используешь. Так что с Косачевым все ясно — хороший адвокат, друзья из администрации помогут... Хотя из администрации его теперь, скорее всего, попрут, — задумчиво заключил Андрей.

— Не переживай за него, этот не пропадет, — сухо сказал Витя. — Кстати, Лемешева именно он, можно сказать, под нож подвел. Косачев наконец получил деньги и должен был вечером привезти их Лемешеву, для полного расчета. А как узнал про гибель жены, тут же залег на дно. Вместе с деньгами, естественно.

— И значит, когда Авдеев с Тарасенко явились за гонораром, — подхватила я, — у Лемешева для них ничего не было.

— Ну да. Он им говорит: подождите, дескать, вот сейчас человек с чемоданом денег подъедет, вы все и получите, разом, да с премиальными за высокое качество работы... Они ждали-ждали, а потом у них жданки-то и кончились. Так что Лемешева господин Косачев с чистой совестью может на свой счет записать. Кстати, деньги, я так понимаю, все у него остались. Он-то выкрутится, никакого сомнения.

— Ладно, мальчики, — я взглянула на часы и встала. — Хорошо с вами, но пора уходить. Через час концерт начинается, а мне еще переодеться надо, накраситься и все такое. Из Америки виолончелист приезжает знаменитый, только фамилия у него четырехэтажная, я ее выговорить не могу.

— Да мы все равно его не знаем, мы люди серые, — хмыкнул Андрей, внимательно глядя на меня.

А Витя бестактно обрадовался:

— Ты с Романом помирилась!

— При чем здесь Роман? — Я задрала нос. — Я, в конце концов, интеллигентная современная женщина! Я что, не могу сама захотеть пойти на концерт американского виолончелиста? Знаменитого причем!

— Можешь, можешь, — торопливо успокоил меня Мельников. — Не пыли. Завтра-то зайдешь, меня проведать? Ребята тоже придут.

Я оглянулась в дверях. Они сидели на кровати втроем — Мельников в центре, справа Самойлов, слева Ярославцев — и смотрели на меня.

— А куда я от вас денусь? — улыбнулась я им.

Прогулка с продолжением

ПОВЕСТЬ

Глава 1

Осень в этом году накрыла наш город внезапно, без предупреждения. Как-то в один день и в одну бедственную ночь все перевернулось, изменилось, и, выйдя на улицу, я поняла, что без плаща здесь делать уже нечего. Жаль. Нынешнее лето прошло емко, содержательно и вкусно, а закончилось незаметно. Так незаметно, что я долго в это не верила, пока меня не принялись убеждать сразу по всем каналам телевидения.

Сегодняшний четверг выдался для меня не только неожиданно прохладным, но еще и скучным. Заказов и клиентов сейчас не было — с последними я быстренько разобралась еще на прошлой неделе. И как назло мой Володька Степанов — чужой, но берущийся в постоянную аренду муж — как раз вчера утром уехал в стольный град в командировку и оставил меня в печальном одиночестве.

В общем — тоска.

Дело было к вечеру, и, как сказано у классика, делать было нечего. Я влачила жалкое существование и скучала до нервной зевоты. Одним словом, жизнь дала трещину и поползла набекрень.

В переселившемся в учебник истории Советском Союзе четверг был официально объявленным рыбным днем, о чем моя мама почему-то всегда мне напоминает. И я сама что-то припоминаю, правда, это «что-то», кажется, было связано с едой.

Но сегодняшний четверг стал для меня самым разнатуральным рыбным днем, потому что я валялась на диване и чувствовала себя как рыба, выброшенная на берег жизни: и ползти некуда, и дышать нечем. От скуки. Только крючка с червячком во рту не хватало. Ну и на том гран мерси.

Во второй половине дня, до которой я все-таки дотерпела и дожила с грехом пополам, я вспомнила про свои кубики-рубики — косточки гадательные. Тогда, встав с дивана и отшвырнув в сторону пачку иллюстрированных журналов с текстами для дефективных подростков, скучающий частный детектив Таня Иванова побрела в кухню в поисках замшевого мешочка со своими волшебными друзьями.

Поставив на плиту турку с кофе, я небрежно зацепила мешочек, обнаруженный почему-то на подоконнике, и сформулировала четкий и конкретный вопрос: «Случится ли сегодня хоть что-то интересное, или так и придется мне сдохнуть здесь от тоски?»

Потом передумала, решив, что такие вещи спрашивать не стоит. А вдруг мои паршивцы двенадцатигранные возьмут и пошутят? Ответят что-нибудь вроде: «Сдохнешь, Таня, только не печалься!»

Поэтому, почесав в затылке, произнесла более конструктивный и перспективный заказ:

— Значит, так. Случится ли у меня после выхода из дома сегодня вечером неожиданная встреча с приятным мужчиной, который влюбится в меня с первого же взгляда и объявит, что я самая-самая и прочее? После этого мы с ним романтично проведем время, он окажется импортным графином, который и увезет меня в замок в горах, сделав своей графиней. Или лучше герцогиней! А почему бы нет?

Я откинулась на табурете и, посмотрев в потолок, заинтересованно домечтала свой заказ до логического конца:

— А потом я победю на выборах в местный парламент, стану премьер-министром, как Маргарет Тэтчер, и мой фейс будут шлепать на почтовых марках, вот!

И, посмотрев на гадальные косточки требовательно, произнесла:

— Вы поняли меня? Вперед!

Выкатив косточки на стол перед собой, я увидела следующий расклад: 15-27-9.

«Можно быть «умной», но не такой же степени».

— А до какой же?! — взревела я. — До какой еще степени, черт побери и раскудрить тебя в кочерыжку! Скучно мне, понимаете вы, что ли?

Я замолчала и подумала, что, пожалуй, кости правы. Похоже, у меня от безделья немножко съехала крыша. Совсем чуть-чуть, но нужно принимать срочные меры. Вот и решила, налив себе полную чашку крепчайшего кофе, что дома больше не останусь ни на секунду, отправляюсь гулять прямо сейчас, и горе тому, кто посмеет меня остановить, если, конечно же, это не будет телефонный звонок от клиента или от Володьки на худой конец.

Ровно через час двадцать минут я выходила из квартиры при полном параде и великолепии, а никто так и не позвонил. Ну и черт с ними, еще пожалеют. Поэтому нарочно оставила свой сотовик дома.

— Теперь хоть обзвонитесь, — мстительно пробормотала я, вызвала лифт и съехала на первый этаж.

Куда направиться да податься, я придумала еще во время наложения макияжа и сочинения экипировки для выхода — решила побродить по городскому парку, тем более что, как подсказывала память, не была там ого-го сколько времени.

До парка от моего дома было не очень далеко. В другой, более содержательный день я с удовольствием проехала бы это расстояние на машине. Но сегодня решила отправиться именно пешком — и для здоровья полезнее, и время хоть чем-то заполнится.

По улицам двумя встречными потоками двигались толпы молодежи. Из коммерческих ларьков наигрывала разностильная музыка. Внешне в мире было все прекрасно.

Покрутившись по городскому парку, поглазев на культурно отдыхающих и весело выпивающих граждан, прокатившись пару раз на каких-то ужасных каруселях, помотавших меня сперва так, а потом эдак, и не поняв в этом удовольствии почти ничего, я свернула к одному из выходов парка и попала в узкую боковую аллейку. Закурив, присела на лавочку послушать шлягер, ревущий из динамиков, укрепленных на столбах. После полученных легких впечатлений в общем-целом настроение начало выравниваться.

Сигарета закончилась, песенка из динамиков сменилась другой, я уже начала подумывать о продолжении экскурсии, и тут на аллейке показался первый и единственный пока прохожий. Это был мужчина лет сорока—сорока пяти, в черном плаще, в шляпе, сдвинутой на затылок, и с черным кожаным портфелем в руках.

«А вот и графин движется к своей графине», — съехидничала я по своему собственному адресу и улыбнулась. После этого, прислушавшись к своим ощущениям, достала из кармана плаща новую сигарету и прикурила ее. Сидеть на лавочке было спокойно и приятно. Шум листвы, легкий ветерок... В общем-то, не настолько и холодно было на свежем воздухе после часовой прогулки вокруг рукотворных озер, являющихся достопримечательностью нашего городского парка. На какое-то мгновенье жизнь показалась даже не такой скучной, как в середине дня. Тем более что графин все приближался. Я улыбнулась еще раз.

Мужчина, почти поравнявшийся со мной, вдруг резко свернул со своего маршрута и подошел.

— Скучаете, девушка, без компании? — слегка шепелявя, спросил он.

— Никогда, — отчеканила я так убедительно, что склонна была сама себе поверить. В этот момент, разумеется.

Мужчина наклонил голову вбок и в упор посмотрел на меня сверху вниз. Легкий ветерок донес неароматную смесь нескольких алкогольных напитков, принятых этим джентльменом в ближайшем прошлом. Икнув и культурно прикрыв рот ладонью, мужчина пробурчал себе под нос что-то непонятное. Я в ответ молча покосилась на него и молча же пожелала, чтобы он поскорее свалил с горизонта.

Мужчина этого не понял. Он продолжал стоять на том же месте, и мне помимо воли пришлось, бросив еще один взгляд, рассмотреть его получше. Мужчина как мужчина, ростом пониже меня, почти наверняка с плешью под шляпой. Но чувствуется, что с тугим бумажником во внутреннем кармашке плаща. Для какой-нибудь девочки, промышляющей известным простым бизнесом, — самый удачный клиент: и денежный, и пьяненький, и приключений ищущий.

Он продолжал все так же настойчиво пялиться на меня, и это становилось уже навязчивым. Тогда я демонстративно отвернулась и подумала, как мало нужно, чтобы испоганить вполне нормальное настроение. Достаточно всего лишь одного взгляда и одного ика всего лишь одного козла.

Лавочка качнулась, и я поняла, что дядечка уселся рядом. А потом он придвинулся вплотную и игриво продышал мне в ухо:

— Мне кажется, что вы ждете меня, девушка.

6 Зак. 4457

Я, дернувшись от возмущения и брезгливости, отодвинулась и тут же встала.

— Неправильно вам кажется, папаша. И если не хотите неприятностей, научитесь вести себя прилично, — чуть ли не по слогам произнесла я, развернулась и неторопливо пошла по направлению к выходу из аллейки.

Мне показалось, что я уже нагулялась, зарядилась как положительной, так и отрицательной энергией и пора уже домой. Я не сделала и нескольких шагов, как услышала сзади тяжелый торопливый топот. Зачем-то оглянувшись, увидела своего знакомого дядечку, слонопотамской трусцой несущегося за мною следом и размахивающего для ускорения портфелем.

— Не так быстро, девушка, плиз, — улыбаясь, пропыхтел он, догнав меня, и протянул лапу, намереваясь схватить за рукав плаща.

Сделав плавный уход в сторону, я позволила дяде промахнуться. Он едва не упал, но сбалансировал, взмахнув портфелем, и случайно задел этим портфелем меня.

— Отстаньте от меня, пожалуйста, — с досадой проговорила я, давая дяде последний шанс и думая об идиотском положении, в которое меня загнала моя же идиотская натура: ну не сиделось мне, видите ли, дома, развлечений захотелось, ну так вот и получи, очень даже изысканное, с любовью.

Я бросила взгляд по аллее за спину дядечке, и мне показалось, что в конце ее мелькнула какая-то тень. Это меня разозлило еще больше: вот уж зрителей своего позора я точно не желала.

— Если вы от меня не отстанете, мужчина, вам будет больно об этом вспоминать, — честно предупредила я настойчивого не в меру джентльмена.

— Что значит «больно вспоминать»? — хихикнув,

спросил он игривым тоном. — Не обманывай, девочка, на гонорейную ты не похожа!

Мужчина снова сделал шаг ко мне, и, наверное, только по той причине, что я на секунду ошалела от его слов, ему удалось ухватиться за край моего плаща.

— Перестань ломаться, телка, — проговорил он уже с нетерпеливой досадой, — я же не сопляк какой-то и на халявку не собираюсь попользоваться. Все будет чисто и прилично, посидим, поговорим, выпьем-закусим, заплачу тебе сколько скажешь. Я немного устал сегодня и вряд ли больше одного раза смогу проширкать. Ну что тебя не устраивает-то? Не сказать, чтобы ты слишком уж крутая была на вид. Так себе, средненькая. Чего выпендриваешься?

Этот спич добил меня окончательно. Можно было бы простить пьяному козлу еще одно хватание за плащ. Но назвать меня средненькой... Этим он очень сильно навредил себе. Мне оставалось только показать, насколько именно.

Я внешне расслабилась и улыбнулась. Не знаю, как со стороны, но изнутри мне показалось, что улыбочка вышла довольно-таки змеиной. Однако дядя и этого не понял.

— Ну вот и славненько, девочка, — обрадовался он и подхватил меня под руку, щерясь радостной улыбочкой, — давно бы так. Куда пойдем? Выбирай, я сегодня добрый, мне душевности хочется.

— До ближайшего поворота, дорогой, — сладко объяснила я и потянула его вперед по аллейке.

— А что будет за поворотом? — спросил дядя, осматриваясь по сторонам. — А, ты имеешь в виду, когда выйдем из парка, да? Я сразу и не понял. — Он снова захихикал и даже радостно взмахнул портфелем от избытка чувств.

Его рука обвила мою талию. Решив немного потерпеть, чтобы не устраивать разборок на таком просматриваемом в оба конца месте, я промолчала. Крепко прижала его руку и повела вперед энергично и решительно.

— Темперамент какой, приятно даже рядом идти, — пробурчал дядя и, потянувшись, попытался чмокнуть меня в щеку. Что у него не получилось по причине нашей разницы в росте.

— Ну, убери плечо, малышка, — тоном обиженного ребенка проговорил он. — Я же не дотягиваюсь. Не видишь, что ли!

Тут я заметила прогал слева между деревьями и, потянув дядю за собой, шагнула туда.

— Это мы куда? — удивленно спросил он, но послушно пошел со мной. — Ты угол срезать хочешь? Да не спеши ты так, девочка, я же сказал, что за все заплачу. Меня не колышет — час мы провозимся, или два, или чуть больше. Да я тебя даже на всю ночь могу ангажировать! — поддался он вдруг приступу пьяненького шика. — Со мной ты заработаешь больше, чем с тремя клиентами.

Не желая ждать больше ни минуты, только бы побыстрее заткнуть фонтан гадкого словесного недержания, я протянула дядю сквозь кусты вдоль аллейки, и мы оказались на небольшой поляне с пеньком посередине. Я даже не предполагала, что здесь существует такая «пеньковая экспозиция». Век живи, век учись, Таня. И делай открытия в географии своей малой родины.

— Ну ты даешь, девка, — буркнул дядя, споткнувшись о высунувшийся на его пути корень и едва не упав на землю.

Он потянул меня за собой, но я резким движением стряхнула приставалу с себя и отошла на пару шагов в глубь полянки. Дядя огляделся, хмыкнул и, видимо, решившись на подвиги, бросил портфель на землю.

— Ну я тебя понял, — довольно сказал он, — ты — любительница развлечений на природе. Вакханка, блин, наяда-дриада-триада... Уговорила! Короче, иди сюда, сосулька, — дядя расстегнул свой плащ и распахнул полы. — Ну же! — протянул он ко мне свои растопыренные лапы.

И тут уж получил от меня за все. И за серенькую, и за сосульку. Я нанесла ему два резких удара правой ногой в живот. Потом, сделав подшаг вперед, навесила еще и локтем в грудь. После трех моих ударов дядя охнул два с половиной раза, упал на колени, постоял так с минутку, состроив скорбное выражение лица, и, покачнувшись маятником, рухнул физиономией в грязь.

Я наклонилась над ним и пощупала пульс. Убедившись, что этот позабывший реальность Ромео жив, но находится в состоянии предкоматозном, то есть отдыхающем, я разогнулась и, поправив свой плащ и волосы, решила, что мне давно уже пора. Это была ошибка, но кто же знал, что дядя окажется таким настырным. Внезапно сделав какой-то необычно дурацкий подскок на месте, он схватил меня за ногу и с утробным урчанием потянул вниз.

И пришлось мне, коленом наступив на грудь поверженного врага, разок приложиться кулаком ему в нос. Тут уж дядя закатил глазки всерьез и надолго.

Не возвращаясь на аллейку, я пошла напрямик, аккуратно обходя потерявшие половину своей листвы кустарники, и вышла к ограде парка. Приподняв полы плаща, просто перешагнула через это несерьезное чугунное заграждение и направилась к ближайшему местному кафе. Это был знакомый мне по более интересным временам «Гардемарин». Там, устроившись за свободным столиком, я очень премиленько провела полчаса за чашкой неплохого кофе с пирожным — после спонтанной физической тренировки можно порадовать себя чем-нибудь ужасно вредным, зато сладким.

Успокоившись под тихий джаз «Гардемарина», я решила, что с меня на сегодняшний бестолковый и выпавший из жизни день хватит, покинула кафе и направилась к первому же перекрестку, чтобы поймать такси. Буквально через десяток шагов мне навстречу прошла стремительным шагом женщина в бордовом плаще и маленькой шляпке на голове. Увидев меня, она почему-то шарахнулась в сторону. Невольно проводив ее взглядом и напоровшись на такой же внимательный взгляд женщины, я на всякий случай осмотрела себя спереди и ощупала сзади. Не заметив никакого безобразия, продолжила свой путь, окончательно решив ехать только домой и сразу же после ванны лечь спать.

Я стояла на тротуаре, размахивая рукой, довольно долго — пришлось пропустить несколько машин с водилами, не желающими вечером везти девушку куда ей надо. Покатать, повозить и завезти куда-нибудь в другое место желающие находились, но доставить меня к моему дому согласился только восьмой, если не девятый водитель. Это была бежевая «девятка», почти такая же, как и у меня. Только за рулем сидел молодой веселый парень, а не умудренная жизненным опытом, хотя столь же молодая сыщица. И музыка в машине играла не та, к которой я привыкла.

Я назвала парню адрес, он молча кивнул, и мы встроились в правый ряд машин. Вскоре парень весело поинтересовался:

— А вы уверены, девушка, что вам нужно именно туда?

Парень был симпатичным, веселым... Одним словом — неплохим кандидатом на роль графина. Но я твердо намеревалась поскорее попасть домой, поэтому просто взглянула на него и просто ответила:

— Да, я очень в этом уверена, молодой человек. Мне нужно именно туда и никуда больше.

— Как скажете, девушка, как скажете. — Парень улыбнулся на этот раз уже не весело, а просто дружески, и мы поехали спокойно, свернув на Большую Казачью.

Во время поворота я рефлекторно оглянулась и заметила поворачивающую вслед за нами белую «семерку». Получив от хозяина машины разрешение закурить, я полезла за сигаретами в левый карман плаща и обнаружила, что он надорван. М-да, это, конечно, дяденька в шляпе постарался. Ладно, урон не столь уж и велик.

Мы ехали неторопливо и молча. На пассажирском месте я чувствовала себя немного неуютно, как все люди, часто сидящие за рулем. А уж с водительской привычкой постоянно посматривать в зеркало заднего обзора в роли пассажира совсем неудобно. Поэтому я просто оглянулась назад. Тем более что внимание привлекло какое-то непонятное движение на заднем сиденье. Оказалось, упала аптечка.

— Она всегда падает, эта коробка, на наших великолепных улицах, — улыбаясь, пояснил парень. — Дороги-то у нас, сами знаете, какие трясучие.

Машинально я все же бросила взгляд на автомобили, идущие следом. А через некоторое время вновь оглянувшись, увидела, что белая «семерка» настойчиво следует за нами. Это что же, слежка? Очень похоже... Я быстренько включила свои замечательные аналитические мозги и, не доезжая пару кварталов до своего дома, попросила парня свернуть сначала налево, а потом направо.

— А вы, девушка, уверены, что знаете, куда мы

едем? — немного занервничав, спросил он, но все-таки выполнил мою просьбу.

— Почти, — ответила я, достав из кармана плаща кошелек. — А вам не все равно? Или вы боитесь женщин-маньячек?

Парень заржал, зашмыгал носом и признался, что не боится, потому что не знает, что это такое.

— Счастливый, — порадовалась я за него и снова оглянулась.

«Семерка» маячила в заднем стекле, следуя либо за мной, либо за парнем. Разумеется, стоило выяснить, за кем же из нас.

— Я тоже не знаю, что это такое, но иногда чувствую, что она из меня вполне могла бы получиться, — пробормотала я. Но поняв, что ляпнула какую-то глупость, сменила тему и предложила: — Давайте свернем еще разок, и потом вы меня высадите. Сколько с меня?

Вместо денег парень попросил номер моего телефона или на худой конец адрес. Но ему пришлось удовлетвориться полтинником. Не думаю, чтобы он остался недовольным: прокатить меня по городу, пообщаться со мной и получить за все это деньги — такое редкостное везение не всякому выпадает. Как только машина остановилась, я быстро выскочила и не оглядываясь пошла в знакомый двор. Завернула за угол и остановилась под раскидистым деревом.

Глава 2

Долго ждать не пришлось.

Белая «семерка», привлекшая мое внимание, подъехала к тому самому месту, где только что вышла из машины я, и остановилась. Резко распахнулась дверца, и на дорогу выскочила дама в бордо, которая недавно непонятно с чего вытаращилась на меня рядом с «Гардемарином». Посмотрев на женщину внимательнее, я однозначно решила, что никогда раньше ее не видела. Однако что ей от меня понадобилось? Что за чудеса происходят на наших тарасовских улицах осенними вечерами! Может, я, сама того не ведая, накликала на себя маньячку? От этой мысли мне стало смешно и еще интереснее, разумеется.

Женщина, отпустив машину, беспокойно огляделась и быстрой походкой направилась к проходу во двор. То есть в том направлении, в котором демонстративно пошла я. Подождав, когда она пройдет мимо «моего» дерева пару шагов, я вышла из своей засады и кашлянула.

Дама вздрогнула, остановилась, оглянулась, отшатнулась, вгляделась и вдруг... бросилась прямо на меня, размахивая зонтиком и громко выкрикивая дурацкий боевой клич:

— Ах ты негодяйка, прошмандовка эдакая!

Отступив сперва на шаг назад, потом влево, я с разворотом очень удачно сумела захватить зонтик — он всего лишь раз слегка ударил меня по руке, но это не считается — и, вывернув руку даме, выхватила это ее оружие. И тут же, встав в позицию ан-гард, словно у меня в руке была шпага, вежливо поинтересовалась:

— Это вы о себе рассказываете, мадам?

— Что?! Какая я тебе мадам? Ах ты, проститутка, кошка драная!

Женщина, не обращая внимания на зонтик, вооруживший теперь мою руку, отчаянно, а значит, глупо, бросилась вперед, размахивая сумочкой.

Мир сошел с ума, а может быть, и всегда был таким, только я ему грубо льстила, подозревая некую высокую логику в глупейших на первый взгляд ситуациях.

Легко отбив «полет» сумочки зонтиком, я отступила еще на шаг и, сделав резкий круговой взмах своей «шпагой» перед носом противника, заставила женщину притормозить.

— Вам не кажется, что вы меня с кем-то путаете? — вежливо спросила я. Поскольку все эти дурацкие крики не имели ко мне никакого отношения. Особенно мадам погорячилась насчет тезиса о проституции. Вот уж профессия не моего профиля и тем более не для моего шарма.

— Молчи, тварь! — задыхаясь от непривычных для нее быстрых движений, рявкнула женщина и снова взмахнула сумочкой.

Как видно, неудачи предыдущих атак ничему ее не научили. Отступать мне надоело, и я, воспользовавшись удачным моментом — ведь замахиваясь, моя противница открылась, что сразу же показывало ее полное незнакомство с практикой рукопашного боя, — очень ловко ударила ее зонтиком два раза по голове и один раз по ноге. В это время сумочка по инерции подлетела ко мне, я поймала ее и дернула. Ремешок порвался, и сумочка стала такой же моей законной добычей, как и зонтик.

Если так дело пойдет каждый день, то я вскоре смогу бросить тяжкий и неблагодарный труд частного детектива и начну зарабатывать на жизнь перепродажей женских сумочек и зонтиков.

Женщина, оставшись безоружной, растерянно огляделась, видимо, в поисках подходящего оружия для продолжения баталии.

Я пришла ей на помощь и предложила:

— Давайте начнем все сначала!

Дама в бордо недоуменно уставилась на меня, словно я сказала что-то непонятное на неизвестном языке.

— Ну да, с самого начала, — подтвердила я свою

мысль. — Я возвращаю вам ваши вещи, и мы начинаем разговор с первых же слов. Выражения вроде «прошмандовки» советую для краткости опустить.

В подтверждение своих намерений я кинула ей сумочку, которую эта совершенно нетренированная мадам, конечно же, не поймала. Зонтик я пока решила не отдавать: кто ее знает, может, мое предложение она поймет в невыгодном для меня ключе, и я рискую остаться в дураках из-за своей доброты и наивности. Как, впрочем, частенько со мною и бывает.

Пока буйная незнакомка молча подбирала сумочку, я осмотрелась по сторонам. Единственным отрадным моментом во всей этой истории было отсутствие зрителей. Не хватало мне улюлюкающих сопляков, организующих тотализатор на женских боях без правил.

— Итак, я повторяю свой вопрос, — снова заговорила я, увидев, что женщина подняла сумочку, разогнулась, и в ее глазах уже не наблюдалось прежнего боевого азарта. — Вам не кажется, что вы меня с кем-то перепутали? Мне, например, именно так и кажется. Я вас впервые в жизни вижу.

— Ничего я не путаю, — буркнула женщина, — я сама видела, как ты, тварь дешевая, — озлобленно произнесла она и тут же предусмотрительно отошла назад, что я отметила с удовлетворением, — ушла с ним в кусты. Что, удовлетворила кобеля? И много заработала?

— Вы говорите про дядю в черной шляпе и в плаще? — догадливо спросила я.

— А, сучка! — вскричала женщина, явно снова заводясь. — А говоришь, что я что-то путаю!

Несмотря на недостаточное освещение, я четко увидела, как в ее глазах снова полыхнул опасный боевой огонек. Но тут я наконец сообразила, в чем дело, и рассмеялась, а потом быстро подошла к женщине и сунула ей в руки зонтик. Она механически приняла «оружие» и оторопело вытаращилась на меня.

— Я все поняла, — объявила я. — Если вас так интересует судьба вашего дорогого мужчины, то я удовлетворю ваше любопытство. Он пристал ко мне как банный лист с одному месту, и я немножко его побила. Не насмерть, не волнуйтесь. Я думаю, он уже оклемался-отдышался и сейчас уже дома или в направлении к нему. Вы уж объясните ему в паузах между примочками, что к незнакомым девушкам приставать нехорошо, особенно когда они не хотят этого и честно признаются в своем нежелании.

Женщина непонимающе поморгала на меня глазами, потом на ее лице появилось удивленное выражение. После маски разъяренной фурии это перемена была явно обнадеживающей. Всегда приятно наблюдать за процессом просветления у другого человека.

— Вы хотите сказать, что... — начала она робко.

— Хочу, — сказала я. — Но предупреждаю, если вы сейчас резко передумаете и снова нападете на меня с криком: «Ах, ты еще и моего мужика бьешь!» — то это будет уже просто смешно.

Женщина помолчала, потом приложила руку ко лбу.

— Уф, — проговорила она, — что-то на меня нашло... такое... помутнение какое-то. А вы не шутите? — запоздало забеспокоилась она.

— Даже не думала, — подтвердила я. — А кроме того, вы, наверное, не в курсе, а вот я знаю, как выглядят проститутки. И уверяю вас, я на них не похожа. Совершенно.

Женщина замолчала и, как видно, начала успокаиваться.

Не последнюю роль в перемене ее мнения, конечно же, сыграла и разница нашей спортивной подготовки. А кроме того, в отличие от моего знакомца в парке, ее голова не была отягощена ни алкоголем, ни патологической мужской глупостью.

— Да, похоже, я действительно ошиблась, — не совсем уверенно произнесла она. — Вы уж извините меня. Когда живешь замужем за такой скотиной...

Женщина одернула свой плащ, шмыгнула носом и раскрыла сумочку. Я пока не делала шагов ей навстречу ни в прямом, ни в переносном смысле. Кто знает этих рассерженных жен: вдруг у них полные карманы всяких военных хитростей? Вот я сейчас расслаблюсь, а она возьмет и достанет что-то вроде рогатки.

Женщина вынула из сумочки всего лишь косметичку, посмотрела на себя в зеркальце и протянула:

— Да... хороша ты, мать... Ничего не скажешь...

Бросив косметичку обратно в сумку, она подошла ко мне.

— Вы уж не обижайтесь, пожалуйста, — сказала она вполне человеческим голосом, — я действительно очень перенервничала. Муж должен был сегодня вернуться из командировки домой. Я его встречала в аэропорту, а он сразу же пошел в кабак... Ну мне и стало интересно, что дальше будет. Извините еще раз.

— Все нормально, — полицемерила я, — без обид.

— Нет, правда? — Женщина снова запустила руку в сумку и достала оттуда визитку. — Возьмите и приходите к нам в любое удобное время, я вам сделаю абонемент. Меня зовут Изольда Августовна.

— А меня Татьяна, — представилась я и прочитала в визитке: «Спортивно-оздоровительный салон-клуб «Астарта». Поприна Изольда Августовна, директор».

Название «Астарта» возбудило нехорошие подозрения. Память услужливо подсунула информацию, что в храмах Астарты существовала ритуальная проституция. Правда, это было давно и не у нас, но в традициях нашего народа перенимать заграничный опыт. И плевать, что он устаревший, зато «мейд ин не наше». Но, скорее всего, мою память подстегнули события последних полутора часов.

— А чем занимается ваш салон? — на всякий случай спросила я. — Какой вид услуг вы предлагаете?

— Как какой? Весь набор, — ответила Изольда Августовна. — Маникюр, педикюр, визаж, солярий, тренажерный зал и сауна.

— И... это все? — спросила я, продолжая упрямо сомневаться.

— Буфет еще есть. Вегетарианский... — Изольда Августовна уже начала смотреть на меня с недоумением.

Я стряхнула с себя внезапно вылезшее занудство и, сунув руку в карман, нащупала там свою визитку, причем почему-то одну, хотя четко помнила, что еще вчера их было больше. Наверное, в кустах растеряла половину, пока боролась со страстным папиком.

— Ну вот, тогда и вам моя. На всякий случай. — Я сунула свою визитку ей в руку и предложила: — Не знаю, как вы, а я хочу домой. Вы далеко отсюда живете?

— Ну в общем-то... — Изольда Августовна впервые заинтересованно осмотрела окрестности. — Мы находимся где-то в районе набережной? — спросила она.

— Почти, — ответила я и размашистыми движениями показала направления и перечислила: — Набережная там, центр — там, Затон — там, ну а трасса, на которой неплохо ловятся такси, — здесь! — последний мой жест пришелся на дорогу, с которой мы обе недавно «соскочили».

Видя, что Изольда Августовна продолжает в растерянности оглядываться и ощупывать свое пальто, я решилась.

— Знаете, я живу здесь недалеко, буквально в одном квартале. Пойдемте, попьем чаю или кофе, заодно вы себя в порядок приведете.

— А можно? — засомневалась она. — Вы на меня действительно не обижаетесь? Я была такой дурой...

«Почему была? — подумала я. — Я же точно вижу, что ты продолжаешь меня подозревать, только связываться боишься». Но улыбнулась и вслух сказала:

— Мне кажется, я и сама немного виновата. Нужно было сразу объясниться.

Разумеется, Изольде Августовне моя квартира понравилась. Разумеется, она высказала мне много всяких любезностей, но не приминула с беспокойством уточнить, когда мы приземлились в кухне за столом:

— А вы, Татьяна, извините, не замужем?

Я уже открыла рот, чтобы ответить свое обычное «мне и так хорошо», но вовремя сообразила, что сейчас я не в той компании, и, вздохнув, произнесла:

— Нет, увы. Вы знаете, никак не получается у меня это дело. Современные мужчины, к сожалению, пьют.

— Да-да, — оживленно подхватила Изольда, — это просто бич какой-то, прямо чума. Вот мы с моим Семой почти двадцать лет прожили вместе, и в последнее время его словно подменили. А каким раньше человеком был...

Я вздохнула и поставила кофе.

— А вы кем работаете, Татьяна? — спросила меня Изольда Августовна. — Я в полумраке не разглядела, что написано на вашей визитке.

— Я — частный детектив, — скромно призналась я, следя за реакцией моей собеседницы.

И реакция последовала. И была замечательной: Изольда приоткрыла рот, распахнула глаза и замерла в таком малоэстетичном положении. Ее молчание затянулось, и мне на мгновенье захотелось даже пощелкать пальцами перед лицом Изольды Августовны и сказать: «Але, мадам!..»

— Во-от как, — произнесла наконец моя собеседница и, опустив голову, задумалась. — Это хорошая работа, интересная, — произнесла она после паузы медленно, тщательно подбирая слова. — Наверное, у вас много знакомых из самых разных сфер?

— Есть такое дело, — ответила я и, поняв, что, по всей видимости, разговоры затянутся, встала и вынула из шкафа бутылку «Катнари» — необходимый неприкосновенный запас одинокой женщины для одинокого же вечера.

Этот вечер был заполнен и людьми, и событиями и располагал к небольшому расслаблению. Поставив бутылку вина на стол, я принялась за поиски штопора. И тут пришлось пожалеть, что я так неразумно поспешила похвастаться перед Изольдой профессией: штопор не находился, хоть тресни.

— Вот одна из тех ситуаций, когда пожалеешь, что в доме нет мужчины, — не выдержав, проворчала я. — Не отстреливать же горлышко, в самом деле.

— А у вас есть пистолет? — спросила Изольда, снова вытаращив глаза.

Как я успела заметить, это у нее происходило по любому поводу. Причем излишне часто, на мой вкус. Может быть, поэтому Сема и запил?

— Пистолет? — переспросила я. — А как же? Обязательно есть. В нашем деле без оружия — это все равно что в вашем — без ножниц и пилочек. Да где же этот штопор?! — вскричала я в пространство и принялась за поиски с самого начала, но уже по научной логической системе.

Зрительно разбила кухню на квадраты и принялась тщательно проверять каждый. Метод подействовал блестяще и оправдал себя: перерывая второй квадрат — пардон, шкафчик, — я внезапно вспомнила, что штопор третий день лежит на подоконнике в комнате. Произнеся положенное в таких случаях физическое слово «эврика», я сбегала в комнату и вернулась уже не одна, а с прибором.

Со стаканами проблем не было: они терпеливо ждали своей очереди там, где им и положено — на подоконнике в кухне. Я их просто когда-то забыла убрать, а перед этим забыла помыть. Включив воду для полоскания стаканов, я продолжила светский разговор с Изольдой:

— С пистолетом чувствуешь себя спокойней. С мужчиной по фамилии Макаров у меня еще ни разу не было никаких проблем.

— А у меня с мужчиной по фамилии Поприн сплошные проблемы. Практически каждый день, — вздохнула Изольда. — И не видать им ни конца ни края. Вот вы сказали про пистолет, а я сразу же подумала, как было бы классно пристрелить этого гада, алкаша несчастного, и так решить все и сразу. Сил моих больше нет, Татьяна. Верите?

— Верю, — энергично подтвердила я и, чтобы перебить тему, спросила: — А ваш Семен тоже работает в «Астарте»? У вас это вроде семейного бизнеса?

— Бог с вами, Татьяна, разве с ним можно иметь какие-то дела? — рассмеялась Изольда. — У него свое, а у меня свое. Семен раньше меня пошел по дороге бизнеса, я тогда еще сидела дома домохозяйкой. Потом, когда он раскрутился, я поставила вопрос ребром, и муж сказал мне, чтобы я придумала себе занятие, а денег на первое время он даст. Вот так я и занялась услугами по сотворению красоты.

— Стильно излагаете, — одобрила я, выключая воду и ставя стаканы на стол.

— Ну что, за неимением мужчин разливать буду сама, — сказала я, — не дворника же приглашать.

— Ни в коем случае, нам и так хорошо, — улыбнулась Изольда. — Да и лучше бы их вообще не было, я вам так скажу, Татьяна.

Я промолчала на этот демарш и вывернулась из положения тем, что предложила выпить за все хорошее. Мы посидели так, за разговорами и вином, с полчасика, а может быть, минут сорок, после чего Изольда начала собираться.

Еще раз проговорив друг другу вежливые глупости, мы наконец-то расстались. Обеим уже взаимное общество начало надоедать. Мне — раньше.

Проводив гостью, я вернулась домой, внимательно осмотрела свою одежду — других повреждений, кроме надорванного кармана, не заметила — и легла спать.

Глава 3

Проснулась я неоригинально, обычно-привычно-раздражающе — от звонка телефона. Прокляв это дьявольское изобретение и прослушав еще парочку настойчивых трелей — как это ни странно, по опыту точно знаю, проклятия на телефон не действуют, — я сползла с кровати и, как сомнамбула, повлачилась по квартире в поисках своего мобильника. Но только я его нашла, он заткнулся.

Подержав трубку в руке и подумав, не разбить ли ее об стену, я взглянула на настенные часы. Ровно десять утра — совершенно свинское время для звонков, как будто нельзя дождаться, когда я сама проснусь. И после таких мерзких сюрпризов некоторые люди клевещут, что у меня по телефону иногда бывает неприятный голос. Звонить надо в приличное время, а не с первыми петухами! Я еще раз посмотрела на часы, вздохнула и подумала, что ложиться снова было бы глупо. Поэтому, поставив чайник, направилась в ванную, прихватив с собою и телефонную трубку.

Самое обидное, что, пока я умывалась, больше никто так и не позвонил. Наверное, телефон уловил эманации, исходящие от меня по поводу стены, вот и решил пока переждать и помолчать для собственной безопасности. Ну что ж, это разумно с его стороны.

Вернувшись в кухню и заварив чай — кофе мне почему-то не хотелось, — я достала замшевый мешочек и, развязав его, высыпала косточки на ладонь.

Несмотря на явную юмористическую окраску предыдущего предсказания, они дали мне довольно-таки верное предупреждение. И как бы я ни обижалась на них вчера, сегодня приходилось признать (в который уж раз!), что без них мне было бы в жизни туго.

Вот и вчера: не мечтала бы я ни о какой ерунде, сидела бы дома, и все было бы нормально. Хотя с другой стороны: тогда я не познакомилась бы с новыми людьми.

Так я раздумывала ни о чем, катала косточки и попивала чаек. И вдруг неожиданно раздался звонок во входную дверь. Это еще большее свинство, чем телефонный звонок! Покачав головой, заранее обругивая неизвестного мне визитера и представляя, как ему сейчас начинает икаться, я затянула свой замечательный халат поясом потуже и побрела в коридор.

Неприлично, конечно, встречать гостей в халате,

но им приходить без предупреждения — еще неприличнее.

Я отперла входную дверь, напомнив себе с опозданием, что нужно было сначала посмотреть в глазок, и увидела стоящего за дверью совершенно незнакомого мне джентльмена.

Это был приятный мужчина примерно сорока лет, одетый очень даже неплохо: в легкий темно-серый плащ, из-под которого виднелся костюм с галстуком, напоминающим по расцветке галстук школы Харроу для английских аристократических мальчиков. Этот мальчик, скорее всего, был нашим, отечественным и доморощенным, но все равно, смотрелся он достойно.

— Иванова Татьяна Александровна? — спросил он, вежливо осматривая меня, не позволяя своему взгляду скользнуть ниже ватерлинии, хотя ему явно этого хотелось.

Я сдержанно кивнула и отступила в сторону, открывая джентльмену проход.

— Вы не предупредили меня о своем приходе, — произнесла я тоном под стать нынешней королеве Елизавете, — поэтому встречаю вас в халате. Вы ко мне по делу? — спросила я исключительно для формы, потому что это и так было ясно.

— Извините за неожиданный визит, Татьяна Александровна, — расшаркался джентльмен, — но я постараюсь не задержать вас надолго. Мне хотелось с вами побеседовать тет-а-тет. Если вы позволите, разумеется.

Ну куда денешься от настойчивых джентльменов с утра пораньше? Пришлось согласиться.

Я не стала приглашать посетителя в комнату, потому что не успела, естественно, убрать постель. Но отечественная привычка принимать гостей и вести переговоры в кухне тем и хороша, что понятна всем и каждому, сформировавшемуся на наших жилищных просторах. Мужчина прошел в кухню, сел на гостевой табурет, и я, поставив перед ним чашку, села напротив.

— Мое имя Григорий Иванович Пшенников, — представился джентльмен и подал свою визитку, на которой было написано то же самое с добавлением, что он генеральный директор ООО «Бурный поток», предоставляющего всем желающим услуги по междугородным перевозкам.

Я никуда переезжать не собиралась ни бурным потоком, ни вялым и поэтому спросила напрямик, в чем дело.

— Замечательный кофе, — похвалил мою поспешную бурду Григорий Иванович, сделал два глотка, отставил чашку в сторону и начал излагать свое дело: — Я знаю, Татьяна Александровна, что вы трудитесь частным детективом, и хотел бы с вами переговорить по поводу вашей работы, которую вы проводили вчера во второй половине дня...

Пшенников сделал паузу и внимательно посмотрел на меня. Я ответила ему таким же взглядом. И хотя не поняла ничего из сказанного им, готова была ставить сто баксов против пробитого талончика, что он не уловил моего непонимания. Искусство лицедейства имманентно присуще женщине как априорная способность, формирующаяся еще до рождения каждой представительницы лучшей половины человеческого племени. Здорово сформулировано? Сама придумала.

Пшенников продолжил:

— Ваша работа, безусловно, опасна, Татьяна Александровна, но интересна. Вы выполняете очень нужную функцию в нашем обществе, — продолжал выражаться высоким штилем Григорий Иванович, а я тщательно следила, чтобы с моего умного лица не сползало соответствующее выражение. А еще я очень боялась зевнуть, от чего, кстати, умное выражение дополнялось похвальной сосредоточенностью.

— Работа частного детектива сопряжена со многими опасностями и неприятностями. Что уж тут греха таить, я ведь правильно говорю, правда? — Григорий Иванович попытался наладить контакт с аудиторией и привлечь меня к его монологу, но это у него не вышло. Однако он не расстроился. Тоже, как видно, владел высоким умением удерживать выражение лица. — Не секрет, что, как происходит и с представителями многих других замечательных профессий, в нашей стране в это тяжкое время ваш труд почти наверняка оплачивается не совсем так, как вам самой хотелось бы.

Тут я уже решилась открыть рот и сказать, что он ни фига не прав, и мне хватает и на корочку хлеба, и на пачку маргарина. Но Григорий Иванович легко помахал в воздухе ладошкой и произнес:

— Да-да, вы правы, Татьяна Александровна, но что поделаешь! Нужно изыскивать возможности, и я, собственно, пришел к вам с деловым предложением. Не могли бы вы продать мне кое-что, Татьяна Александровна?

— Что-то, может быть, и смогла бы, — наконец ответила я, — но пока не слышу, что вам нужно.

— Мне нужны копии — обратите внимание, только копии и ни в коем случае не подлинники — тех материалов, которые вы собрали, выполняя свое очередное задание, в том числе и вчера вечером.

Григорий Иванович сделал паузу и воззрился на меня, ожидая ответа.

Я быстро соображала, и самое лучшее, что я смогла сделать, так это задать вопрос — не подлить ли ему еще кофе.

— Нет, благодарю, кофе у вас прекрасный, — снова наврал, не моргнув глазом, Пшенников. — Но я уже с утра выпил несколько чашек, — наврал он в третий раз, ведь каждому ребенку в мире известно, что утро только что началось и так напиться кофе к этому часу практически невозможно.

Я достала сигарету из пачки, лежащей передо мною на столе, и закурила. Нужно было повести беседу так, чтобы Пшенников выговорил как можно больше информации, пусть по крошке, чтобы я могла составить более-менее понятную мне мозаику.

— Вы думаете о сумме? — догадался Пшенников. — Называйте, Татьяна Александровна. Я заплачу вам сейчас же и, по вашему желанию, — в валюте или, если вы патриотка, отечественными рублями.

— Я, конечно же, патриотка, — проворчала я, — особенно своей профессии. Ваше предложение довольно-таки неожиданное. Не могли бы вы предоставить обоснование — для чего вам нужны результаты моей работы? — Я попробовала схитрить, но надо признаться, что успех был достигнут минимальный.

Григорий Иванович мягко объяснил, что, к его глубочайшему сожалению, он не может ответить на мой вопрос, и снова спросил, сколько же я хочу.

Пришлось отказать ему прямо и однозначно.

Пшенников немного помялся, поговорил о трудных временах и, видя мою непробиваемую непреклонность, пожал плечами и сказал:

— Я человек очень занятой, Татьяна Александровна, но если вы вдруг надумаете, то звоните в любое время, однако желательно сегодня, потому что информация — товар специфический: сегодня, например, она стоит дорого, а завтра вообще ничего не будет стоить.

— Это я понимаю, но вряд ли смогу вам чем-нибудь помочь, — ответила я, — профессиональная этика не разрешает, знаете ли.

Пшенников посидел еще немного, в четвертый раз наврал про кофе и наконец-то ушел, напомнив мне в дверях, что он будет ждать моего звонка по своему мобильному телефону сегодня весь день, а завтра уже, возможно, и нет.

Я пожала плечами, закрыла дверь и вернулась в кухню. Потом пошла в ванную и, уставившись на себя в зеркало, строго спросила:

— Ну! Ты вчера какое задание выполняла? Колись!

Отражение не ответило ничего. А что, собственно, оно могло сказать, если я сама не понимала, куда и как я влипла.

То, что совершенно незнакомый мне бизнесмен уверен, что я вчера что-то для кого-то делала, наводило на самые разные мысли. Я снова села за стол и стала эти мысли приводить в порядок.

Получалась полная чушь: за выполнение задания мою вчерашнюю деятельность можно было принять только с очень пьяных глаз.

Я протянула руку за гадальными кубиками, но тут зазвонил телефон. Отложив на некоторое время сеанс проникновения в будущее, я взяла трубку.

— Да!

— Привет, это Владимир! — услышала я знакомый голос и едва не подпрыгнула на своей табуретке.

Звонил Володька Степанов, мой бывший однокорытник по юрфаку, а теперь майор милиции. Помимо того, что он выполнял какие-то важные функции в Волжском РОВД, для чего имел отдельный кабинет и отдельную же секретаршу, у себя дома он еще выполнял сложные обязанности отца и мужа. У меня и со мной он тоже, как бы это сказать поизящней, кое-что выполнял.

Я говорю о том, что мы с Володькой старинные друзья. И не только. Между прочим, это очень важно. Я столько знаю формальных и неформальных пар, которых связывают не дружеские отношения, а только удовлетворение, пардон, естественных надобностей, что иногда диву даюсь. Но с Володькой у нас полное взаимопонимание.

Вот позавчера уехал он в командировку, и у меня сразу же все из рук стало валиться, и жизнь пошла наперекосяк да набекрень. А если бы он не уехал, я не поперлась бы вчера на эту дурацкую прогулку, не случилось бы со мной двух дурацких происшествий, ну и, разумеется, не появился бы сегодня Пшенников со своим ребусом.

— Ты почему молчишь? — спросил меня Володька. — Не проснулась, что ли, еще?

— Он еще спрашивает! Да я не ложилась, между прочим, с той самой секунды, как ты уехал в свою командировку. Все волновалась и думала только о тебе: как ты, где ты, с кем ты... Так ты говоришь, нормально долетел? Значит, теперь я за тебя спокойна.

— Можешь успокоиться еще больше, — рассмеялся Володька. — Я уже вернулся.

— Да ну! — воскликнула я, схватила свои кубики и, покатав их в ладони, высыпала перед собой. — Когда же ты успел?

— Долго ли умеючи! Мне ведь только нужно было доставить документы в главк да получить там коечто.

— Втык, например, — догадалась я.

— Ну, было немножко, — снова рассмеялся Володька, — наша жизнь не без этого. Я тебе, кстати, презент привез из столицы. Ты сегодня весь день дома? Я бы разобрался с семейством и, может быть, заскочил к тебе на пару минут.

Я опустила взгляд на гадальные косточки, разложившиеся передо мною в — ого! — занимательный расклад: 17-12-26. «У вашего любовника не то чтобы не все дома, а вообще никого дома нет и не было».

— Врешь, опер, — твердо заявила я, — врешь, как сивый мерин! Уехала твоя жена к мамочке или подальше. И детей прихватила. Признавайся, я все знаю!

После полуминутной паузы обалдевший Володька удивленно произнес:

— Признаюсь. Слушай, Тань, а ты откуда это знаешь? Я сам узнал только час назад... Приехал домой, а там записка на столе...

— Ты не забывай, кем я работаю, — равнодушно ответила я, — так, значит, на какую минуточку ты забежишь?

— Да я хотел приехать к тебе и потом сказать, что вот такая везуха привалила. Ну а раз ты все знаешь, то до обеда я разгребусь с делами на работе и приеду. Так годится?

— Ну-у-у, — протянула я, великолепно изображая интонациями задумчивость, — даже не знаю, что и сказать. Откуда я знаю, когда наступит «после обеда»... Может быть, мне чего-нибудь захочется...

— Я все привезу с собой, — заверил меня Володька и, не удержавшись, спросил: — А все-таки, если честно, откуда узнала?

— Ах, не утомляйте меня, юноша, а то мне начинает казаться, что я вас не захочу ждать: вы такой нудный вернулись из Москвы, хоть и были там один день.

Отключившись, я аккуратно положила трубку на стол и, взглянув на косточки, покачала головой:

— Ну, ведь можете, если захотите! А почему вчера прикалываться начали?

Косточки промолчали, я это оценила как молчаливое признание, что шуточки могут и продолжиться, однако ни о чем больше их спрашивать пока не решилась.

Я решила заняться своей несравненной внешностью. Хотя нас, красавиц, как ни одень-причеши, все равно не испортишь, но для собственного развлечения можно и что-нибудь новенькое сделать. Тем более что сегодня появится ясным солнышком зазноба сердешная, как снег на голову свалившаяся из командировки.

Я внимательно осмотрела себя в зеркале и решила, что несколько штрихов тут и там — не скажу, где конкретно, — только усилят мое воздействие на противоположную половину рода человеческого в лице Володьки Степанова. Это было необходимостью, чтобы он лучше понимал, как опасно со мной так подурацки шутить, как он пытался только что.

Звонок в дверь застал мои художественно-психологические занятия в стадии завершения. Мне даже раздражаться не пришлось. Я даже успела переодеться и теперь, поставив кофе на плиту, не спеша направилась в коридор.

Я решила не давать Володьке повода ворчать — если его «после обеда» случилось так скоро, он имеет право не ждать на лестнице. Поэтому и отперла дверь сразу. Но, открыв ее в весьма лирическом расположении духа, я обнаружила за дверью вовсе не Володьку, а незнакомого мне мужчину, неплохо одетого и стоящего с глубоко засунутыми в карманы темно-синего плаща руками. Темно-синяя кепка была сдвинута на лоб.

На вид мужчине было лет тридцать пять, и он был не без приятности в наружности. А еще, в отличие от предыдущего визитера, явно выраженного интеллигента, в этом чувствовалась какая-то внутренняя неукротимость и решительность, что мне всегда импонирует в мужчинах. Одним словом, он мне понравился больше.

— Вы Иванова Татьяна Александровна? — спросил нежданный, незваный гость, осматривая меня внимательно и подробно. Взгляд у него тоже был неукротимый и, казалось, пронизывал и сквозь платье, и сквозь белье. Интересный самец.

Я не отстала от него и, подарив похожий взгляд, после паузы призналась:

— Вы совершенно правы. Чем могу быть полезна?

— Я хотел бы с вами переговорить об одном деле, Татьяна Александровна, — произнес молодой человек достаточно вежливо, и я пригласила его войти в квартиру.

В коридоре он с независимым видом огляделся и повесил свою кепку на вешалку. Плащ, однако, снимать не стал, очевидно, подчеркивая этим свою ограниченность во времени, а заодно недостатки в воспитании.

— Чай или кофе? — спросила я, проводя гостя в комнату и указывая на кресло рядом с журнальным столиком.

— Нет, благодарю вас.

Мой второй за сегодняшнее хлопотное утро гость сел в кресло, положил ногу на ногу и, подождав, когда я села во второе кресло, произнес:

— Меня зовут Григорий Иванович Пшенников, я директор автотранспортного предприятия, занимающегося междугородными перевозками.

— Весьма приятно это слышать, — ответила я, пристально разглядывая этого клона, совершенно не похожего на предыдущего. Ошибка генетиков, что ли? Не зря их академик Лысенко ругал, не могут не напортачить.

Молодой человек подождал, не скажу ли я еще что-нибудь, и, не услышав от меня больше ничего, продолжил:

— Татьяна Александровна, я хотел бы вам предложить кое-что продать мне.

— Вот так сразу? — уточнила я.

— А зачем тянуть-то? — Визитер приподнял правую бровь и снисходительно посмотрел на меня. — Мы же с вами деловые люди и живем в современном мире. Мы знаем, что время — деньги. Так не будем тратить напрасно ни то ни другое. Я ведь правильно говорю, а?

Я пожала плечами и, извинившись, вышла в кухню за сигаретами и пепельницей.

Явление второго Пшенникова за одно утро было легким перебором. А ведь еще вчера жаловалась на скуку и хотела встретить графина своей жизни. А двух Пшенниковых не хочешь, Таня? Выбирай любого, сами приходят!

Вернувшись в комнату, я поставила пепельницу на столик и закурила.

Молодой человек кивнул, молча достал из кармана пиджака пачку сигарет «Давидофф» и щелкнул золотым «Ронсоном».

— Итак, Татьяна Александровна, — проговорил Пшенников-второй, или клон, или черт его знает кто, я еще не имела возможности в этом разобраться. — Мне желательно было бы получить от вас информацию о том, как и почему именно так, а не по-другому, вы провели вчерашнюю вторую половину дня. За эту информацию я и готов заплатить вам вполне приличные деньги. Мне кажется, мы договоримся.

— Не знаю, не знаю, — рассеянно ответила я, пуская дым в потолок и решая, что уж этот Пшенников так просто, как предыдущий, от меня не свалит, уж что-нибудь интересное для себя я от него должна скачать.

— Не понял вас. — Пшенников наклонил голову вбок и недоуменно поглядел на меня.

— Это я вас не поняла, простите, забыла ваше имя-отчество...

— Григорий Иванович, — мгновенно отреагировал мой гость, затем, вынув из кармана бумажник, раскрыл его и показал мне якобы случайно пачку денег, лежащую там, а потом вытянул из маленького кармашка визитку.

Я ее взяла и посмотрела.

Точно такая же лежала у меня на кухонном столе.

— Так что же вы не поняли, Татьяна Александровна? — повторил Пшенников-второй. — Мне, наоборот, казалось, что мы с вами быстро поймем друг друга. Дело-то простое. Обыкновенное, так сказать.

— Зачем вам информация о второй половине моего дня? — спросила я. — Сначала мне казалось, что вы хотите получить что-то определенное, а теперь, словно нарочно, стараетесь затуманить смысл разговора. Мало ли чем я вчера занималась. Вы заставляете меня заподозрить в вас маньяка, Григорий Иванович.

Пшенников непринужденно рассмеялся, откинувшись на спинку кресла, и закашлялся.

— Извините, — проговорил он, вынимая платок и вытирая губы. — Вы абсолютно правы, Татьяна Александровна. Я высказался несколько туманно, и вы вполне могли подумать, что я... — Григорий Иванович-второй рассмеялся снова, но, тут же оборвав свой смех, наклонился к столу, чтобы уменьшить расстояние между нами, и сказал:

— Вы вчера во второй половине дня по своей работе проделали кое-какие действия. Мне бы хотелось узнать суть вашего задания, а также то, что именно вам удалось узнать. Вот и все. Я понимаю, что у частного детектива могут быть в разработке несколько дел, он может быть связан с несколькими клиентами. Но все-таки признайтесь, вчерашний вечер был вами посвящен одному клиенту. Я прав?

— Возможно, — проговорила я, — а теперь задаю закономерный вопрос: зачем вам это надо?

Пшенников-второй улыбнулся на сей раз достаточно хищно и произнес:

— У меня есть свои интересы в данном деле, и я просто хочу быть в курсе. Знаете, лишняя информация никогда не повредит, а вот отсутствие ее повредить может, и даже очень.

Я побарабанила пальцами по крышке стола, быстро соображая, что бы можно такое предпринять.

— Ну так как? — Мой гость интонацией надавил на меня и с силой затушил окурок в пепельнице. — Начинаем торги, чтобы не тянуть время?

— Мне нужно подумать, — призналась я наконец. — Сколько у меня есть времени?

Пшенников выдернул запястье из-под белой манжеты и посмотрел на часы.

— Ну, будем считать, что минут десять-пятнадцать у вас точно есть, — задумчиво сказал он.

— А что потом? — сразу же полюбопытствовала я.

— Потом я, к сожалению, буду вынужден вас покинуть, Татьяна Александровна. Я улетаю в Европу по делам. К сожалению, самолет ждать не будет. Я еще не настолько богат, чтобы содержать собственный авиатранспорт.

Я оказалась в сложном положении. У меня не получилось узнать, что именно интересует Пшенникова-второго. Он говорил нарочито неясно и туманно, возможно, сам не зная точно сути моего вчерашнего задания, которой я и сама, правда, не ведала.

Пришлось признаться, что вопрос, который он передо мной поставил, слишком сложный, и я не могу решиться вот так сразу. Профессиональная этика не позволяет. Высказав эту глубокую мысль, я не удержалась и почесала в затылке: меня накрыло явление дежа вю. Показалось, что за сегодняшнее утро я уже один раз произносила эти слова. Или действительно — произносила?

Тогда Пшенников решил взять быка за рога.

— Тысячу? — спросил он и тут же уточнил: — Долларов, разумеется. Это достаточная цена?

— Для профессиональной этики? — с легким испугом спросила я.

— Ха! — Пшенников снова рассмеялся и приподнял планку: — Хорошо, уболтали. Предлагаю полторы штуки баксов, но это самый край. Вряд ли вам ваш клиент заплатит больше за полдня. В сущности, чем вы вчера занимались? Можно сказать, что прогулками и разговорами. Меня интересуют эти прогулки и эти разговоры. Неужели полторы штуки гринов мало? Побойтесь бога.

— Может быть, нет, а может быть, и да, — я тоже затушила сигарету в пепельнице. — Будем считать, что наши переговоры закончились неудачно. Ничем не могу вам помочь, Григорий Иванович.

Пшенников пронзил меня острым взглядом и встал.

— Ну что ж, если это ваше последнее слово, к сожалению, я вынужден откланяться. Хотя, не буду скрывать, надеюсь, что в последний момент, возможно, вы и передумаете, Татьяна Александровна.

Я отрицательно покачала головой и проводила раздраженного гостя до двери.

— Это ваш последний ответ? — спросил он перед уходом, надевая свою кепку.

— Да, последний, — ответила я, и Пшенников-второй, кивнув мне, не прощаясь вышел.

— Мне искренне жаль, — пробормотал он, и я закрыла за ним дверь.

Вернувшись в комнату, я взяла оставленную на журнальном столике визитку и, пройдя в кухню, положила ее рядом с первой. Они были идентичными.

В веселенькое, однако, дельце я попала, сама не понимая куда, как и зачем. Пришлось срочно закурить и постараться обдумать ситуацию.

Пока, размышляя, я бегала по кухне между плитой и столом, во входную дверь снова позвонили.

Теперь я взглянула на дверь с запоздалой осторожностью. Взяв свой пистолет, тихо подкралась и заглянула в глазок. А это пришел Володька Степанов!

Если бы я его увидела не сейчас, а полчаса назад, то встретила бы совсем по-другому. Но явление двух Пшенниковых, проговоривших мне практически одинаковые предложения и оставивших совершенно одинаковые визитные карточки, немножко выбило меня из колеи.

Я спрятала пистолет за спину и отперла дверь.

— Привет, Танька! — поздоровался Володька и протянул мне букетик гвоздик, хотя я ему сто один раз говорила, что люблю розы. — У тебя все нормально? Что-то ты нахмуренная и нахохлившаяся. Не выспалась?

— Нахохлишься тут, — проговорила я, пропуская Володьку в квартиру и запирая за ним дверь.

— Если ты мне сейчас скажешь, что твоя фамилия Пшенников, то я нахохлюсь еще больше, — честно предупредила я, и Володька, хмыкнув, оглянулся на меня перед тем, как нагнуться и снять ботинки.

Он поставил свой неизменный «дипломат» рядом с собой. В нем что-то звякнуло, и Володька снова хмыкнул.

7 Зак. 4457

— Так что за анекдот ты мне рассказала в дверях? — спросил он. — Как я должен был назваться?

Я промолчала.

— Может быть, ты и смешно пошутила, но я не понял ничего, — сказал он, проходя в кухню, прихватив «дипломат».

— Забыла уже, но это был не анекдот, — хмуро ответила я.

Я не была расположена рассказывать ему все, пока сама не разобралась хотя бы в половине. Правда, я еще не решила, в какой половине мне стоит начинать разбираться: в старшей по возрасту или в младшей? Старший — джентльмен, ну а младший — опасней. Везде и во всем есть свои плюсы и минусы.

Володька поставил на стол «дипломат», раскрыл его и начал выставлять на свет божий бутылки и бутылочки, пакеты и пакетики. Бросив рассеянный взгляд на его действия, напоминающие работу фокусника Акопяна на арене телевизора, я сосредоточенно буркнула:

— Не изображай из себя коммивояжера, Володька, ставь лишнее в холодильник, — и снова ушла в комнату.

Там я закурила и тоскливо посмотрела в окно. Из окна на меня посмотрела не менее тоскливая осень.

«И какого же черта этим двум Пшенниковым было нужно?» — в который уже раз спросила я сама у себя, почесала себе кончик носа и опять поняла, что не понимаю ни фига. Что могло так озадачить и насторожить незнакомых мне людей? Драка с пьяненьким папиком? Или с придурковатой маменькой? Или тот скромный набор напитков, который я употребила в «Гардемарине»? Хотя для того, что я пила, термин «употреблять» не подходит по традиционно русским причинам. Вечерок-то был безалкогольным.

— Да что с тобой происходит? — Володька вошел

в комнату и сумел незаметно подкрасться ко мне. Он приобнял меня сзади за плечи и тоже посмотрел в окно.

— Ты Карлсона ждешь, Танька? Или у тебя осенний пессимизм наступил?

— Ты не помнишь, Володь, как называются непохожие друг на друга близнецы? — спросила я у него потухшим голосом. — Близняшки или однояйцевые?

— Чего?! — вскричал Володька. — Ты так прикидываешься или у тебя что-то на самом деле случилось? Спрашиваю в последний раз!

— А если не отвечу, что будет? — все так же вяло поинтересовалась я.

— Спрошу еще раз в последний раз.

— И так до тех пор, пока не признаюсь, — поняла я. — Брось, не волнуйся, пошли кофе пить. Расскажешь мне о своей командировке. Просто мне в кроссворде слово попалось, и я его никак сообразить не могу.

— Ну это запросто, — Володька развернул меня в направлении кухни, — если не знаешь слово, его нужно просто при-ду-мать! — ласково и с расстановками пояснил он. — Сколько букв тебе нужно? Заказывай!

Глава 4

Все-таки Володька молодец. Умеет он если не успокоить, то, по крайней мере, перебить настроение и мироощущение. Вскоре я почти забыла и псевдо-однояйцевых близнецов Пшенниковых, и дурацкие проблемы, их интересующие.

Не знаю, как у Володьки это получается, но через час — я даже на часы посмотрела из любопытства — я думала совсем о другом. Чтобы было понятно, повторяю еще раз: совсем о другом. Ясно?

Лежа на диване рядом с Володькой, я настырно-упорно-безостановочно старалась расшевелить это никуда не годное бревно, которое норовило, видите ли, вздремнуть после обеда для здоровья и чести. Тоже мне, боярин нашелся. А зачем пришел, спрашивается? Спать нужно дома, а не в гостях!

— Юноша! — вскричала я. — Маму вашу и вас за ней следом! Вам что, спать негде? А для чего вам государство выдает кабинет?

— Ай, Таня, — поморщился Володька, — я же там работаю. Такова моя грустная жизнь, всегда и везде мне приходится работать: на работе, дома, к тебе придешь, и ты туда же...

— Мне кажется, что это именно вы туда же, а я всего лишь прошу чуточку внимания к моему обаянию, — от досады я заговорила в рифму и, поняв, что щипательно-вербальный метод не срабатывает, свалилась с дивана и пошла в кухню, уповая на повышенную дозу кофеина в моей банке кофе и еще кое на что.

Кофе я поставила вариться, а кое-что прихватила с собой.

Снова упав рядом с Володькой, я кинула ему на грудь две визитные карточки.

Недовольно поморщившись, он приоткрыл один глаз, но внимательно осмотрел обе бумажки и опять зажмурился.

— Коллекционируешь печатную продукцию? — слабо проговорил, даже почти прошептал он. — Хочешь, я тебе пачку принесу?

— Таких же? — спросила я.

— Разных, у меня на работе в столе их куча, куча, куча...

Последнее слово «куча» он даже не произнес, а

слабо выдохнул и ровно задышал, намекая, что его здесь уже нет, что он далече, и не буду ли я так любезна...

Но со мной такие фокусы не проходят по определению. Сев на диване в любимую позицию по-турецки — очень, кстати, стильная поза, если ожидается кофе тоже по-турецки, — я задала простой вопрос:

— Слышь, уснувший опер, а ты не заметил между этими карточками никакой разницы?

Володька хоть и испытывал сильное желание вздремнуть, но обращение к его профессионализму возымело действие: он снова приоткрыл один глаз и уже более внимательно начал изучать обе визитки. Но вскоре, вздохнув и уронив их на диван, обиженно проговорил:

— Не смешно, Танька. Сама же видишь. Совершенно одинаковые.

— Вижу, — огорченно призналась я, — а представляешь, какое кино со мной случилось? Сегодня ко мне с перерывом в один час пришли два совершенно разных человека, оба представились Пшенниковыми Григориями Ивановичами, подали эти совершенно одинаковые визитные карточки и попросили одного и того же. Смешно, правда?

Теперь уже я спокойно легла на диван, зевнула и закрыла глазки. Я по характеру очень компанейская: если спать — то всем. Не буду откалываться от коллектива. Ровно через три с половиной секунды после того, как я проделала это усыпительное упражнение, нудная майорская душа Володьки Степанова не вынесла. Он подскочил на диване и громко спросил:

— Ну и? А дальше-то что было?

— Фу, как ты меня пугаешь, — проворчала я, поворачиваясь на бок и причмокивая губами, — я уже расслабилась... ты про кофе не забудь, пожалуйста... на плите...

Слово «пожалуйста» я не проговорила, а слабо выдохнула и задышала ровно. Не все оперу масленица, сам же жаловался, что везде приходится работать, вот и накаркал. Спокойной ночи, не кантовать, при пожаре выносить в первую очередь. Пока.

Глаза у меня были закрыты, но уши, разумеется, нет, если про них так можно сказать. И я прекрасно слышала, как со скрупулезным сопением Володька принялся сличать в третий раз обе визитки, после чего аккуратно сполз с дивана и зашлепал в кухню, что-то ворча себе под нос.

С кухни прослышался его приглушенный голос:

— Алло! Это Степанов... Еще раз привет... Посмотри, что у нас есть на ООО «Бурный поток» и его директора Пшенникова. Да, срочно. И спроси у соседей, может, они нарыли что-то... Жду.

После того, как запахло кофе и с кухни послышалось характерное шипение и приглушенная ругань Володьки, я поняла, что Тане пора просыпаться. Все равно он не сумеет вытереть плиту как следует. Я появилась как раз в тот момент, когда Володька тщетно пытался скрыть следы убежавшего напитка.

Отобрав у него тряпку, я высказала нелицеприятное предположение:

— Мне кажется, я понимаю, почему люди идут работать в милицию. Они опасаются, что сами не сумеют скрыть следы преступлений. Попадутся и сядут.

— Мы заняты важным государственным делом! — рявкнул Володька и раздраженно сел на табурет. — Что у тебя за шутки дурацкие такие?

— Обычная шутка после того, как я увидела, что ты не можешь выполнить обычное дело. Почему кофе убежал?

— Он у тебя колумбийский, — ответил Володька и принялся выуживать сигарету из своей мятой пачки «Русского стиля».

— Ну и что? — не поняла я. — В чем проблема-то? Нормальный кофе!

— Есть проблема, — упрямо гнул свое Володька, — рос он, наверное, рядом с кокаиновыми плантациями, вот и нанюхался. А теперь у него ломка началась. Бешеный он у тебя. Придурковатый.

Чтобы скрыть свою неуклюжесть, мужики всегда норовят придумать какую-нибудь ахинею и выдают это за всемирное открытие.

— Это не кофе придурковатый, а... — начала я, но остановилась, будучи девушкой воспитанной и тактичной.

— А что? — с подозрительностью спросил Володька.

— Ничего, ничего, дорогой, — я чмокнула Володьку в намечающуюся лысинку на макушке, — ты замечательный. Все нормально

Володька попыхтел и высказал несуразную чушь:

— А ты знаешь, мне жена тоже так говорит, если я что-то не то сделаю. Вы сговариваетесь, что ли?

— Ага, по телефону, — подтвердила я.

Я разлила кофе и поставила перед Володькой большую чашку.

— Сладкого ничего нет? — буркнул он.

— Из сладкого только сахар, если вам нужна грубая проза, а если...

— Я буду с сахаром, — робко согласился Володька, и тут зазвонил его телефон, лежащий на столе.

Володька моментально схватил его и ответил отрывистым басом:

— Степанов...

Прослушав, что ему сказали, Володька хитро взглянул на меня и уточнил у своего собеседника:

— Откуда сведения?.. А-а-а... Ну, хорошо... Спасибо.

Положив телефон на место, Володька с довольным выражением лица отпил глоток и доложил:

— У тебя съехала крыша, Таня.

— Да? — с сомнением произнесла я. — Это потому, что я терплю твое хамство, ты сделал такой вывод? Так я могу перестать. Легко!

Володька поерзал на табурете и, пряча глаза, сказал:

— На ООО «Бурный поток» у нас нет ничего. А твой Пшенников еще вчера уехал в Париж. Точнее, улетел на самолете. После Парижа он полетит в Ганновер, потом в Киль и вернется дней через десять. Сведения получены от его секретаря. Вот так, Тань, а ты говорила...

— Ну и семь футов ему под этим килем, — высказала я пожелание. — Только получается еще более смешная картина: ни один из моих визитеров Пшенниковым не был.

Я достала сигарету и перекатала ее в пальцах.

— Мне нужна фотография настоящего Пшенникова, — заказала я Володьке, и он молча кивнул.

— Завтра к вечеру, сто пудов гарантии, она у тебя будет.

— Вместе с тобой, — уточнила я.

— Само собой, без меня ее никто и не донесет, — кивнул мой верный опер. — Моя благоверная укатила на неделю. Так откуда, кстати, ты узнала об этом? Только не говори, что твои косточки так подсказали.

Я задумчиво посмотрела на Володьку и поняла, что он спер у меня реплику. Пришлось прибегать ко второму варианту.

— На тебя стучат. Прямо из РОВД, — трагическим шепотом сказала я, с удовольствием наблюдая, как вытягивается Володькина мордашка. — Мне не хотелось тебя расстраивать, но не только твоя жена, но и твоя секретарша делится со мной информацией по поводу тебя. А я делюсь с ними.

Володькины глаза остекленели, и почти наглядно стало заметно, как в голове у него забегали беспокойные мысли. Постепенно они стали бегать медленнее, и, неуверенно усмехнувшись, Володька высказал:

— Шутишь, — и внимательно посмотрел на меня.

А я в это время отвернулась. Получи, фашист, гранату за свои дурацкие шутки.

Так как настроение перебилось со скверного на приемлемое, я решила разрядить обстановку.

— Есть предложение, — сказала, ставя на плиту вторую порцию кофе.

— Согласен, можно и поваляться, — ответил Володька, закуривая и потягиваясь.

Ну никакого понятия о культуре у работников наших внутренних органов. Смотреть неприятно, честное слово.

— Можно и поваляться, — согласилась я, — но потом. А сейчас я предлагаю съездить и навестить салон «Астарта». Тебе это название что-то говорит?

— Не-а... А разве должно? — Володька не только старательно изобразил глубокое размышление, но даже и попытался это сделать в действительности.

В нашем тандеме, плевать я хотела на ложную скромность, мыслительными процессами владею только я одна. Причем в наиполнейшем объеме.

— Вряд ли ты знаешь «Астарту» по жизни, — уточнила я, — это женский салон. Но мы с тобой его сегодня посетим.

Володька посопел, только спорить не стал. Понял, что у него никаких шансов выстоять в этом споре, и занял позицию бесконечного терпения, что было очень правильно с его стороны.

Мы выбрались из дома примерно через час. Я-то собралась быстро, как всегда, но теперь я была уже не одна и приходилось ждать, когда Володька, видите ли, оденется да причешется... Мое поведение было просто блестящим с точки зрения предусмотрительности и молчаливости, но кто же это оценит в полной мере?

«Девятка» стояла там, где ей и положено было находиться. Я сама отперла ее, и мы погрузились. Руль Володьке я не доверила. После вчерашней истории с Изольдой я предпочитаю не дергаться через каждые три минуты и оборачиваться назад, а следить за наличием хвоста или отсутствием оного простым поднятием глаз.

Пока мы ехали, я очень подробно рассказала Володьке о том, как грустно я прожила без него весь вчерашний день. Что удивительно: первая половина дня, в течение которой ничего не произошло, по моему рассказу вышла гораздо более объемистой, чем та, где мне пришлось выдержать два раунда, одну мини-погоню и одну мини-посиделку. Парадокс, не иначе, но из них и состоит вся наша жизнь.

Салон «Астарта» нашелся сразу, хоть я в нем никогда и не бывала раньше. Заметив вывеску, украшенную нарисованной женской шляпкой, Володька спросил:

— А ты уверена, что это не магазин? Видишь, что намалевано?

— Ты бы текст прочитал, — посоветовала я ему, — тогда не задавал бы таких смешных вопросов.

— «Массаж... визаж...» — забормотал Володька вполголоса и, не выдержав, взвыл:

— Мой бог, Танька, ну а я что там буду делать, скажи, пожалуйста?!

— На девочек посмотришь... — предложила я, — они там наверняка в халатиках ходят. А под халатиками ничего нет. Из одежды, я имею в виду.

— По таким заведениям ползают только старые кошелки, — не подумав, выпалил Володька и заткнулся, покраснев.

— Ты что-то сказал? — переспросила я, ну абсолютно не расслышав его последней реплики.

— Я сказал: конечно же, с большим удовольствием посмотрю на девочек, — ответил Степанов. — А что у нас после «Астарты»?

— Вот ты над этим и подумаешь! — отрезала я.

Я поставила машину почти впритык к бордюру, за которым начиналась широкая бетонная лестница, ведущая в «Астарту». Позволив Володьке подождать себя на улице, неторопливо вышла из «девятки», подала ему руку, и мы поднялись по ступенькам к белой пластиковой двери, за которой скрывалось заведение мадам Поприной.

А начиналось оно с вместительного холла. Все в нем было белого цвета — и стены, и потолки, и мебель. Только полы почему-то были покрыты не белым, а голубым пластиком. Справа от двери стоял столик, разумеется, белого цвета, и за ним на белом стуле сидела девушка, между прочим, шатенка в светло-зеленом платье, а не блондинка в халате, чего логично было бы ожидать.

Широкая белая дверь, расположенная в стене практически у нее за спиной, вела куда-то в глубь салона. Слева от входной двери были еще двери, но уже почему-то не белые, а по непонятной прихоти дизайнера светло-зеленые. Заметив их, я поняла и смысл цвета платья дежурной девушки за столиком: все логично, она сюда вписывалась.

— Здравствуйте. — Девушка приподнялась из-за стола, улыбнулась и подошла к нам. — Добро пожаловать в клуб-салон «Астарта», очень рады, что вы посетили нас, — не произнесла, а как-то даже пропела она, при этом посмотрев почему-то не на меня, а на моего Степанова.

Володька смутился, покраснел и еле слышно пробормотал что-то вроде, что он не сам сюда пришел, а случайно заглянул за компанию.

— Здравствуйте. Мне нужна Изольда Августовна, — сказала я и протянула девушке свою визитку.

— Подождите минутку, пожалуйста, — ответила девушка, взяла визитку, еще раз смутила Володьку взглядом, повернулась и поплыла к широкой двери.

Я дернула друга за руку, чтобы он не пялился на других женщин, если я рядом. К нам подошла вторая девушка, почти такая же, как и первая, только полная брюнетка в голубом платье, и предложила скоротать время за журналами. Нас усадили за низенький журнальный столик, и, когда прошла минутка, нам подали не Изольду Августовну, а две чашки черного кофе и пачку журналов.

— Слушай, Танька, — прошептал мне Володька и даже не покраснел при этом, — а может быть, тут можно повизажиствовать вдвоем в одной ванне, а?

Я бросила на него очень добрый взгляд, от которого Володька вздохнул, словно его опять незаслуженно обидели, и замолчал.

Он раскрыл первый попавшийся журнал, сразу же обнаружил в нем фотографию обнаженной красотки и весь ушел в чтение. Хотя, как я заметила, букв на странице было немного и складывались они только в имя этой девицы. Однако Володька так долго читал эти два слова, что я усомнилась в его грамотности. Странно, как же он лекции писал в универе?

Я журнальчики не рассматривала из принципиальных соображений, предпочитая пить кофе и осматривать белые окрестности.

Но вот из первой зеленой двери показалась Изольда Августовна, одетая в строгий классический костюм светло-серого цвета. Она радостно улыбалась и ну совсем не была похожа на ту разъяренную грымзу, которая вчера собиралась меня убивать ударами зонтика и сумочки.

— А вот и Танечка! — воскликнула она. — Как я рада, что вы пришли! Я не ожидала вас так скоро. Но очень, очень приятно! Здравствуйте, — она кивнула подскочившему со своего стульчика Володьке и присела рядом со мной.

— Та-ак, — задумчиво проговорила Изольда Августовна, окидывая меня профессиональным взглядом парикмахера или палача, что, впрочем, почти одно и то же. — Та-ак, Танечка. Ну что ж, сейчас я вам составлю программку и — вперед за красотой. Красота, дорогая моя, требует не только жертв, но и времени. Ну ничего, это не очень надолго. А за спутника не волнуйтесь, мои девочки не дадут вашему мужчине скучать.

Мои брови сами собою вспорхнули вверх, и Изольда Августовна весело рассмеялась.

— Что такое страшное вы подумали, Танечка? — спросила она. — Я имела в виду журналы, кофе и телевизор, если вы склонны к ограниченности. Однако мы можем предложить и массаж. Вы, — обратилась хозяйка салона к Степанову, — любите массаж?

— Смотря какой, — достойно ответил Володька и почти не покраснел при этом.

— Значит, у нас вам понравится, — подвела итог Изольда Августовна и встала. — Я прошу быть вас нашей гостьей, Танечка. Я же вам кое-что должна, но пусть это останется между нами, ладно?

Я охотно согласилась, тем более что уже все рассказала Володьке.

Нас отдали на руки двум девочкам и повели к зеленым дверям, там мы и разделились на две неравные группы. В одну вошла я со своим обаянием, во вторую — Володька со своим майорским содержимым, отягощенным семейными проблемами.

Глава 5

За первой дверью меня встретила вторая, а за ней — раздевалка и контрастный душ. Великолепное дело. После него выходишь розовой, как не скажу кто, но приятно.

После душа я попала на жесткий столик, и крупная дама в белом халате принялась мять и гладить мое тело. Это было замечательно, но получить полное удовольствие мешала мысль о Володьке. Я не могла не думать о том, кто делает массаж ему. Мысль была неотвязчивой, и я даже несколько раз хихикнула, представляя, как Володька, напуская каменное выражение на лицо, пытается подглядеть за девушкой-массажисткой, особенно когда она нагибается над ним.

Не знаю, сколько времени прошло, да и знать не хочу. Встав после сеанса в блаженной расслабленности, я, заторможенно реагируя на жесты дамы-массажистки, пошла не дальше по коридору, как было указано, а почему-то вернулась в раздевалку. И тут меня ожидал сюрприз: незнакомая красотка в белом халатике стояла перед моими вещичками, держала в руках мою раскрытую сумочку и изучала ее содержимое.

Мне это очень не понравилось. Только я раскрыла рот, чтобы выкрикнуть что-нибудь вроде «держи вора», как злодейка, оглянувшись на меня, явившуюся этаким привидением в чалме и в простыне, обмотанной вокруг периметра, сказала «ой», уронила сумочку на скамейку и бросилась к выходу.

Я, разумеется, не могла оставить такое безобразие безнаказанным и рванула за ней. Но проклятая простыня, плохо закрепленная под мышкой, распахнулась и заскользила по телу к ногам. Пришлось остановиться, скрипя зубами от бешенства, ловя проклятый кусок материи, помешавший преследовать любопытную особу.

— Мадам! — окликнули меня, и я увидела свою массажистку, заглядывавшую в раздевалку. — Процедуры еще не закончены, вам нужно пройти в следующий кабинет.

Перебросив край простыни через плечо и придерживая руками это необычное одеяние, я гордо повернулась и, шлепая сланцами, бросила на ходу:

— Спасибо, я задумалась.

Пройдя в указанный кабинет, я села в кресло вроде стоматологического, которое тут же разложилось, придав мне полулежачее положение. И началось священнодействие, ради которого, видит бог, можно было потерпеть несколько ударов сумочкой и один зонтиком. На меня «напали» трое работников «Астарты». Один мальчик, напоминавший больше девочку, что-то делал с моими волосами, а две милые девочки начали проводить с моими руками и ногами изощренные маникюрно-педикюрные дела.

Теперь я уже думала не о Володьке, а о девушке, проявившей неподобающее любопытство. Очень маловероятно, что она воровка, в подобных заведениях с этими делами строго. Следовательно, хотя нельзя полностью исключать и предыдущий вариант, остается другой: она в моей сумке что-то искала.

Нужно выяснить — что и для кого.

Для себя или же по чьему-то заданию.

Для начала, разумеется, следовало эту злоумышленницу найти. Своих маникюрш и парикмахера я рассмотрела и убедилась, что среди них ее нет. Но раз на девочке, интересующейся моими вещами, был белый халат, значит, она работает сейчас, в этой смене. Уже ниточка.

— А сколько человек работает здесь сегодня, девчонки? — спросила я у маникюрш.

Пока те, задумавшись и шевеля губами, соображали, ответил мальчик-парикмахер, хотя обращалась я все-таки конкретно к девушкам. Наклонившись к моему уху, он нежно продышал:

— Семеро.

Поблагодарив его кивком головы, я продолжила оперативную разработку:

— У меня здесь работала одна знакомая, — как бы нехотя и лениво проговорила я, закрывая глаза, — забыла только, как ее зовут. Мне показалось, что я ее сегодня здесь видела. Среднего роста, худенькая, темная шатенка. У нее еще золотой тонкий браслет на правом запястье.

После минутной соображательной паузы парикмахер уверенно выдал:

— Это Ольга Скопцова, больше некому.

— Точно, — подхватила маникюрша, уставшая молчать. — Если хотите, мы ей сообщим, что вы желаете ее видеть, — предложила она.

— Спасибо, не нужно, — ответила я, прекрасно понимая, что все равно эту Ольгу предупредят. И ладно. Пусть девушка понервничает немножко, а найти ее проблем не составит.

Работать со мной закончили, и я в разомлевшем состоянии духа и тела отправилась одеваться. В холле меня уже поджидал посвежевший Володька, который нервно листал журнальчики с обнаженными девицами на каждой странице. Увидев меня, он причмокнул губами и, отбросив журнальчик, с тяжелым вздохом поднялся и спросил:

— Ну как ты, довольна?

— Весьма. Я получила немножко больше, чем рассчитывала, — ответила я. — А ты как? У тебя такое лицо, словно ты изо всех сил боролся за свою невинность и, к сожалению, устоял.

— Примерно так оно и есть, — пожаловался Володька, — только никто не покусился. Представляешь, кошмар какой?

— Свинство натуральное, — посочувствовала я ему, — придется поискать в другом месте. Ты не думал над этим?

Ответить Володька не успел — к нам подошла улыбающаяся Изольда Августовна.

— Ну как, вам понравилось у нас, Танечка?

— Все было великолепно! — честно призналась я и, взяв Изольду Августовну за локоть, отвела ее в сторону.

Володька поморщился в нашу сторону, сел обратно за столик и, вздохнув, снова взял в руки журнальчик с красотками.

— Сколько я вам должна, Изольда Августовна? — настойчиво спросила я, но Изольда в ответ с улыбкой покачала головой.

— Я очень виновата перед вами, Танечка, так вас обидела, заподозрила, что вы... В общем, была непростительно не права. Я ваша должница.

— Меня это не устраивает, — твердо заявила я, но и на этот раз была остановлена в своих наилучших побуждениях.

— Послушайте меня, Танечка. — Изольда Августовна уже сама отвела меня чуть в сторону и огляделась, следя, чтобы нас не подслушали. — Мы же можем с вами договориться по-другому. Вы же как культурный человек знаете, что люди должны помогать друг другу по мере своих служебных возможностей.

— Хм, — ответила я и на большее не решилась.

Изольда Августовна, видя мое непробиваемое непонимание, наклонилась еще ниже и сказала:

— Может быть, мы с вами встретимся где-нибудь на нейтральной территории и обговорим одно дело. Мне очень нужен ваш совет, Танечка, как специалиста по необычным ситуациям. Очень вас прошу — не отказывайтесь, пожалуйста. Договорились?

— У вас что-то случилось? — сразу же ухватилась я за ее слова.

— Да все то же и ничего новенького, — вздохнула Изольда Августовна. — Возможно, после разговора с вами я найду способ решить свои сложности. Помните, о чем я вам говорила у вас дома?

— Ну хорошо, — решилась я, — вы мне позвоните на днях, и мы вместе пойдем в какой-нибудь ресторан, где уже вы будете моей гостьей.

— Вот и отлично, я знала, что мы договоримся, — Изольда Августовна сладко улыбнулась мне, и мы расстались довольные друг другом.

Кто бы мог подумать, что эта милая женщина может быть опасной и агрессивной, особенно в ночное время на улицах? Никогда бы не поверила, если бы вчера сама не видела ее разъяренной.

Воспрявший Володька, увидев, что я освободилась, снова подскочил. Я взяла его под руку, и мы направились к выходу.

Но, проходя мимо большущего зеркала, я не смогла удержаться от искушения и затормозилась, чтобы еще раз поглядеть на красоту несказанную, которую мне зеркало показывало. А чтобы Володька не маялся зря и меня не терзала бы совесть при виде его постной физиономии, отдала ему сумку и предложила завести машину.

Володька побежал выполнять мою просьбу оскорбительно резвым аллюром. Как будто трудно было постоять рядом со мной и посмотреть в ту же сторону, что и я.

Нет, все-таки мужчины и женщины — жители разных планет. Разобраться в этих существах для нормальной женщины представляется задачкой со всеми неизвестными. Задачкой, в которой известна только одна величина — после знака «равно», где значится понятие «мужик».

Постояв около зеркала столько, сколько было нужно для поднятия настроения, я с трудом оторвалась от приятного занятия. Очень странное ощущение, между прочим: стоишь, смотришь, а настроение все повышается и повышается. Редкое лакомство, скажу честно. Такое со мной бывает только после посещения подобных заведений, каковое, при моей суетной жизни, я могу себе позволить, увы, не чаще одного раза в месяц. Салон Изольды Августовны был очень-очень неплохим, и странно, что я сама до него не добралась.

Я растворила входную дверь, оглянулась на белые внутренности «Астарты» и вышла на улицу.

Сегодня, похоже, по небесному календарю наступило бабье лето, хотя по календарю обычному его время прошло две недели назад. Но я не в претензии на погоду: нехолодно — и слава богу.

Спустившись по лестнице, я подошла к машине, которую Володька уже завел. И он очень услужливо открыл мне дверцу. На сиденье лежала моя сумка. Я села, положив ее на колени, и машина тронулась. Володька очень аккуратно ехал по центральным улицам по направлению к моему дому.

Захотелось курить. Я раскрыла сумочку и тут только вспомнила, что не проверила ее содержимое после учиненного в раздевалке «Астарты» бессовестного обыска. Хотя вряд ли что-то исчезло, я же видела, что в руках девушки, когда она убегала, не было ничего. А из ценностей в сумке лежали только пачка сигарет, блокнот да косметичка. Оружия и документов я сегодня не взяла, не видела необходимости.

На первый взгляд все на месте. Я закурила и на всякий случай перелистала блокнот. Из него неожиданно выпали два небольших ламинированных кусочка бумаги, которых там точно не было, — пригласительные гостевые билеты в клуб «Эдельвейс», расположенный во дворце культуры «Родина».

Как местный житель я прекрасно знала, что когда-то «Родину» в просторечье называли «уродиной» за излишне навороченный, помпезный стиль хрущевской эпохи. Потом название почему-то плавно изменилось на «Бородавку». А еще позже это же мало симпатичное прозвище досталось разместившемуся в «Родине» клубу «Эдельвейс».

Я с улыбкой посмотрела на Володьку, потянулась и поцеловала его в щеку. Мой лихой водитель резко свернул под знак и, пользуясь свой милицейской неприкосновенностью, заехал еще и под «кирпич», лихо срезая углы. Что-то он очень уж заторопился привезти меня домой. К чему бы это?

— Ну ты даешь, опер, — пожурила я его. — На тебя так подействовал массаж без продолжения, что ты решил посетить стриптиз? Неисправимы вы, мальчики.

— Как будто вы, девочки, поддаетесь исправлению или дрессуре, — с улыбкой ответил Володька. — Так куда же едем? И при чем здесь стриптиз?

— Как при чем и как куда? — спросила я. — Конечно же, в «Бородавку» на стриптиз. Прямо руля, капитан!

— Йес, мэм! — рявкнул Володька и снова свернул под знак.

Ему проще с этими делами, ему можно. Майор все-таки.

Глава 6

Клуб «Эдельвейс» встретил нас с Володькой двумя хмурыми жлобами перед входом, потом грохотом музыки, не раздающейся, а както даже выплескивающейся из динамиков. Эти динамики торчали не только во всех углах, но и на всех стенах основного зала клуба.

Стен было пять, потому что одна, сплошь, снизу доверху, закрытая зеркалами, углом уходила вдаль. И в этой дали вокруг хромированного металлического шеста крутились стрип-герлс.

В клубе «Эдельвейс», являющемся дорогим и только по этой причине престижным, толстые и тонкие солидные дяди обсуждали свои не менее солидные дела, услаждая взгляд лицезрением девиц в разной степени раздетости, а уши — грохотом музыки. Очевидно, в этом заключался некий гениальный замысел местных рулевых: в тишине опасно говорить о серьезных делах, поскольку вас могут подслушать алчные до ваших тайн конкуренты за соседним столиком. Среди грохота же популярных мелодий такие опасения отметаются напрочь: соседи не то что вас — и себя еле слышат. Так достигается взаимная конфиденциальность.

Опять же, если кто произнесет слово какое-нибудь, ранее называвшееся нелитературным, а теперь поднявшееся на уровень политического жаргона, это тоже мало кто заметит. Так достигается культура места.

Примерно так думала я, позволив Володьке вести меня под руку мимо столиков. Сам же Володька велся улыбчивым метрдотелем, на которого весьма глубокое впечатление произвели наши гостевые карточки. Как, впрочем, и на горилл-охранников. Те, увидев эти бумажки в руках Володьки, просто сморщились от уважения и даже постарались стать немного ниже ростом. Надо думать, что от восторга. Нас усадили за столик, ближайший к эстраде, огороженной, как уже говорилось, с тыльной стороны сплошной зеркальной стеной, и сразу же создалось впечатление, что именно нас здесь и ждали.

Разнузданный рев попсовой музыки слегка приутих, и в проигрываемых произведениях обнаружилась даже какая-то музыкальность. Потом музыка стала еще тише. Я уж обрадовалась было, что прекрасно проведу время в тишине. Но, как оказалось, тишина давалась только для затравки. На эстраду вышла девушка в блестящем купальнике, музыка рявкнула снова, и действо началось.

К нам подошел официант, Володька принял из его рук карточку меню и сосредоточенно нахмурился. Но стриптиз не только начался, но и резво стал продолжаться. Мой дорогой мужчина, совершая над собой насилие, мощным толчком воли заставлял себя хотя бы одним глазом смотреть в меню. Другой его глаз все равно косил на эстраду. Довольно быстро ему это раздвоение надоело, и он, вспомнив о собственном джентльменстве, передал меню мне со словами:

— Посмотри сама, Танька, что тебя там устраивает. Я что-то ничего не пойму. Названия какие-то странные.

Проговорив эту прелесть, Володька откровенно уставился на эстраду, где девушка, исполняя номер повышенной спортивной сложности, не только успела избавиться от верха своего купальника, но и прокрутить вокруг шеста несколько гимнастических упражнений. У меня это при моей хорошей физподготовке, скажу честно, так не получилось бы даже со второго раза. С третьего или четвертого — наверняка, в чем я не сомневалась.

— Ну ты даешь, опер, — проворчала я, — стоило

подсовывать мне эти билеты, чтобы потом так нагло кинуть меня. По-иному и не скажешь. Кинуть и променять на какую-то бывшую спортсменку.

Володька повернулся ко мне.

— Пропустишь момент, когда она потеряет трусики, — предупредила я его, — и не простишь себе этого.

— А я вообще удивился, что ты выбрала это место, — сказал он. — Мне показалось, что ты мне подарок делаешь.

— Что? — спросила я и отложила меню в сторону. — Не поняла. Разве не ты сунул билеты мне в сумку?

К нам подошел официант, и я быстренько сделала заказ, назвав первые попавшиеся на глаза в меню блюда. Мне было важно закончить разговор с Володькой. Официант ушел, я повернулась к Степанову.

— Значит, не ты? — уточнила я.

— Да нет, конечно же. Эти гостевые штучки-дрючки только для особо дорогих гостей, даются только хозяевами клуба. У меня таких знакомых нет.

Я внимательно посмотрела на Володьку, а он на меня.

— Следовательно, эти билеты мне подсунули в «Астарте», — заключила я.

— А на фига они это сделали? — спросил Володька. — Заподозрили, что ты это... того...

— Отказываюсь понимать твои грязные намеки, — отрезала я. — Еще раз повторишь эту чушь — можешь и получить, но не то что ожидаешь и не по тому месту. Понял?

— Сразу, — ответил Володька. — А еще я понял, что это взятка. От кого? От этой... как ее... изо льда сделанной?

— Может быть, — задумчиво сказала я, — но зачем

ей это нужно? Она и так уже мне сделала презент на приличную сумму.

В это время справа от меня вырос мужчина. Заметив темный костюм, я небрежно бросила:

— Можете подавать, только побыстрее, пожалуйста.

— Уже, — ответил он, отодвинул стул и сел рядом со мной.

Я подняла глаза и, конечно же, узнала его.

Это был мой вчерашний папик. Правда, в отличие от себя вчерашнего, он был трезв и солиден. И совсем было непохоже, что это он глупо приставал в зарослях кустарников к девушке, за что был ею бит и оставлен в тех же зарослях.

— Здравствуйте, Татьяна Александровна, — проговорил он, внимательно глядя на меня.

— Если не ошибаюсь, господин Поприн? — спросила я. — Как вы себя чувствуете?

— Вашими молитвами, — буркнул он.

Володька в этот момент нашел в себе силы отвлечься от стриптизерши и значительно кашлянул.

— Разрешите, я вас познакомлю, — я сделала жест руками. — Господин Поприн, — представила я нашего гостя Володьке. — Мы с ним вчера встречались в городском парке. А это господин Степанов, мой коллега и референт, в некотором роде, — представила я Володьку Поприну.

Мужчины сдержанно кивнули друг другу, и Володька полез в карман пиджака за сигаретами.

— Я пригласил вас сюда, Татьяна Александровна, для разговора, и надеюсь, он будет взаимно интересным, — сказал Поприн, и я тут же его перебила, видя, что он разогнался и дальше что-то говорить.

— Вы нас пригласили? — спросила я.

— Ну конечно же, — ответил Поприн с хитрой улыбкой, — пригласительные билеты у вас в сумочке оказались по моей личной команде. Или вы подумали, что их Дед Мороз принес? Ошибаетесь, Татьяна Александровна, сейчас не сезон.

— Их принесла девушка по имени Ольга, — небрежно сказала я, — она максимально тянула только на Снегурочку.

— Ну что ж, сильно, — признался Поприн, — не ожидал, честно говоря, что вы так быстро определите мои связи. Но это только подтверждает вашу репутацию и мое мнение о вас.

Поприн задумчиво посмотрел в сторону, очевидно, решая, как же ему продолжать разговор.

— Хорошее мнение? — уточнила я.

Поприн кашлянул и потупился.

— Ну в общем, неплохое, — пробурчал он.

В это время к нашему столику подошел официант и начал расставлять на столе заказ.

Разговор прервался, но Поприн не удержался и, когда официант удалился, небрежно сказал:

— Все угощение, Татьяна Александровна, разумеется, за счет заведения. Вы — мои гости!

— Я это уже слышала, — довольно-таки сухо произнесла я, — но пока не поняла, что означают ваши слова. Или вы думаете, что меня интересует стриптиз? Так вы ошиблись.

— Мне нужно с вами поговорить, — повторил он. — Может быть, пройдем ко мне в кабинет?

— А что нам мешает поговорить здесь? — удивилась я. — Владимир Игоревич мой постоянный консультант, член моего штаба, так сказать, и у меня от него практически тайн нет. Во всяком случае, если это касается работы. Я не думаю, что вы решили объясниться мне в любви.

Поприн покосился на Володьку, который, как бы полностью потеряв совесть и чувство приличия, откровенно пялился на эстраду и ничего не видел и не слышал вокруг. Но я была абсолютно уверена, что он не пропустил ни одного слова из разговора. А еще я точно знала, что Володька способен и все видеть, хотя внешне казалось, что он не отворачивает головы от вертлявой мерзавки, сменившей первую исполнительницу.

Кстати, если первая стриптизерша была спортсменкой с хорошей фигурой и неплохой координацией, то вторая оказалась просто вульгарной телкой с обвислым животом и неразвитой спиной. Она даже не танцевала, а откровенно кривлялась. И вот что странно: именно такие дешевые девицы привлекают в основном внимание мужчин. Увы, это не парадокс, а печальная закономерность нашей жизни.

Поприн поборолся немного со своим нежеланием говорить здесь, но так как я свое мнение однозначно высказала и явно не собиралась его менять, то он, наклонившись ко мне, произнес:

— Я думал, что вчерашняя наша встреча была случайностью...

— А теперь поняли, что это судьба? — удивилась я. — Не смешно, знаете ли.

— Вы правы, не смешно, — согласился он. — Теперь я думаю, что вы не просто так находились в парке. Говоря фигурально, в это время в этом месте. Вы ждали там меня.

— Мне кажется, что у вас мания величия, — заметила я. — Интересно будет узнать, зачем вы мне понадобились. Вы как думаете?

— А я скажу вам, зачем. — Поприн наконец-то обрел какую-то душевную уверенность и заговорил жестче. — Вы работаете на мою жену Изольду. Это доказал ваш сегодняшний визит в «Астарту». Просто так моя женушка на халяву никого обслуживать бы не стала, уж я ее знаю. Одним словом, Татьяна Александровна, какой бы крутой специалисткой вы ни были, но здесь вам не повезло, и я вас раскусил. Вы дали маху, вот так вот. Вы работаете на Изольду и пасете меня по ее заданию. Ну что, я прав?

В этот момент я прикуривала, и поэтому у меня не получилось удостоить Поприна ответом, я только взглянула на него.

Нет, мир сошел с ума, в который уж раз подумала я. Стоит только девушке выйти одной вечером погулять в город, как ее сразу начинают подозревать черт знает в чем. Причем в таких несуразных отвлеченностях, что сразу и понять ничего нельзя. Явились два Пшенникова с загадками, вынырнула Изольда Августовна с ребусом... Один Поприн сподобился объяснить суть своих претензий. Но лучше бы он этого не делал, все равно получалась ерунда какая-то.

Тут что-то дернуло меня за язык, и я спросила у своего вчерашнего знакомца, тщетно ожидающего ответа:

— А вы, господин Поприн, случайно не знакомы с Пшенниковым Григорием Ивановичем?

Володька в этот момент отвлекся от эстрады и бросил быстрый взгляд на Поприна. Ему тоже была интересна реакция на вопрос. Естественно, мой опер даже на стриптизе не терял свой профессионализм и бдил за ситуацией. Пять с плюсом ему. Умничка.

Поприн поморщился и стал пальцами выбивать по столешнице какую-то мелодию.

— Даже так, Татьяна Александровна... — задумчиво произнес наконец он. — Но меня это не касается. Однако интересно, что вы решили заняться шантажом. Это показывает, что с вами можно договориться. Меня это радует.

— Кто здесь говорит про шантаж? — Мое удивление было совершенно натуральным. — Я всего лишь задала вам вопрос, а вы кидаете такие неприличные обвинения. Будем считать, что слово «шантаж» я не расслышала, но почему у вас возникло такое мнение, узнать хотелось бы.

— Гриша тщательно скрывает свою принадлежность к этому клубу, и никто не знает, кроме самого ограниченного круга, что он здесь учредителем вместе со мной. Вы мне дали еще одно доказательство вашей слежки. Мы совсем недавно встречались с Гришей и обсуждали с ним кое-какие проблемы, тогда вы нас, очевидно, и засветили.

— Все гораздо проще, — решилась я на легкую провокацию. — Я сегодня встречалась с Григорием Ивановичем...

Я нарочно не стала заканчивать фразу, оставляя на усмотрение Поприна придумать самому ее окончание. Но он улыбнулся и погрозил мне пальцем.

— Гриша еще вчера улетел в Париж по делам своего «Потока». Не нужно так неуклюже врать. Короче, Татьяна Александровна. Давайте договариваться. Не будем касаться всех ваших отчетов. Я так думаю, а думаю я всегда правильно, что сегодня вы уже Изольде отчитались. Но перед каждым следующим отчетом, касающимся меня, вы будете приходить ко мне сюда, и мы с вами будем вместе решать, что стоит говорить моей благоверной, а чего ей знать необязательно. Платить я вам буду в два раза больше, чем Изольда. Годится?

Я промолчала.

Поприн внимательно посмотрел на меня и осторожно спросил:

— Про Ольгу вы уже ей рассказали?

Я снова промолчала.

— Значит, рассказали. Жаль, жаль. Придется придумать что-нибудь, будто она у меня секретарь, хотя все равно — не поверит.

— В чем же все-таки причина разногласий между

Изольдой Августовной и вами? — спросила я, занимаясь злостным уклонизмом от необходимости отвечать и продолжая гнуть свою линию.

— Смешная вы девушка, — улыбнулся Поприн. — К чему такие вопросы? Что мы с Изольдой, очень оригинальная пара, что ли? Да просто-напросто надоели мы друг другу хуже маргарина, и удерживают нас только взаимные финансовые расчеты да деловые связи. Без меня ей придет полный каюк. Вот она и «мечет икру», следит да устраивает мне истерики. Боится, что я уйду. А я все равно уйду. Мне с этой грымзой уже не только не жизнь, но даже и не прозябание. Геморрой один. Так, значит, мы с вами договорились?

Я покачала головой.

— Не понял вас. — Поприн откровенно вытаращился на меня. — В чем еще дело? Вам мало денег, что ли? Скажите прямо, сколько вы хотите. Я уверен, что мы договоримся.

— Дело не в деньгах, — ответила я. — Я просто не продаюсь. За деньги я выполняю работу. И честно отрабатываю эти деньги. Ни один мой клиент не может сказать, что я его кинула или подставила, а вы требуете от меня именно этого. Ничего у нас с вами не выйдет.

— Та-ак, — протянул Поприн, — та-ак. Вот, значит, как вы решаете...

Я кивнула и покосилась на Володьку, заметив, что он уже не сводит пристального взгляда с Поприна, а этот взгляд у Володьки ох какой нехороший.

— Вы можете передумать? — спросил меня Поприн.

— Никогда, — отчеканила я и затянулась сигаретой.

— Никогда не говори никогда, — процитировал Поприн, блеснув телевизионной эрудицией, и встал.—

Ну что ж, Татьяна Александровна, извините за беспокойство. Но я все-таки уверен, что у нас с вами это не последняя встреча.

Поприн сделал паузу, но, видя, что разговаривать больше я не намерена, тихо произнес:

— До свиданья, Татьяна Александровна.

Потом резким движением поднялся и ушел.

Буквально через несколько секунд подскочил наш официант и показал счет. Похоже, мы перестали быть гостями в этом заведении. А я и не огорчилась.

— Мне здесь разонравилось, — сказала я Володьке, — как я понимаю, свою функцию для меня эта забегаловка уже выполнила. Я узнала кое-что интересное, а мужской стриптиз мне здесь вряд ли покажут.

— А женским ты разве не интересуешься? — спросил Володька умильно наивным тоном и жалостливо заломил брови.

— Возможно, скоро начну, но тем хуже будет для тебя, — буркнула я и грустно повела глазами по сторонам. — Нет нормальных мужиков, куда ж мне теперь деваться, сироте горемычной?

Володька обиженно сморщился, но все-таки бросил быстрый взгляд на эстраду и ответил:

— Сейчас, по крайней мере, становится кое-что ясно. Можно предположить, что Пшенниковы, близнецы твои однояйцевые, опасались, что ты слишком много узнала про Поприна, и пытались скачать информацию.

— Не забывай, что Пшенникова нет в Тарасове, — напомнила я, — и неизвестно, кто ко мне приходил.

— Помню. Сама не забывай, что лично Пшенникову приходить было необязательно. А засланцы, причем без координации друг с другом, привалили, прикрываясь именем шефа, и ничего у них не получилось.

— Похоже, Пшенников опасался, что я узнаю о его интересах в этом бизнесе, — задумчиво проговорила я и посмотрела на новую стриптизершу.

Эта была уж наверняка хуже обеих предыдущих. Во-первых, она была не просто толстой, а толстой до неприличия. С такой фигурой в приличном обществе раздеваться нельзя. Во-вторых... А впрочем, уже и первого пункта достаточно, и говорить больше не о чем. Даже Володька стал смотреть на нее в два раза реже, чем на ее закончивших выступление подружек.

— Тебе не надоело еще? Домой хочу. — Я откровенно зевнула в пространство, однако не забыв прикрыться ладошкой, я ведь приличная дама, хоть и пришла смотреть стриптиз, как может показаться со стороны.

— Надоело, — с тяжелым вздохом сказал Володька, повертел головой и, поймав взгляд нашего официанта, махнул ему рукой.

Тот не торопясь подошел, и Володька расплатился.

— Много там вышло? — спросила я, вставая. — Твоя майорская зарплата выдержит?

Володька промолчал, и я, сделав правильный вывод, тоже промолчала, решила, что придумаю, как возместить его расходы. В пятикратном размере. Так, обдумывая возможные варианты бартера с Володькой, я подала своему кавалеру руку, и мы направились к выходу.

Неторопливо мы вышли из клуба, спустились по ступенькам, каждый думая о своем, и взяли курс на мою «девятку», стоящую почти напротив «Эдельвейса» через дорогу.

Когда до машины осталось метров пять-шесть,

вдруг... Мне показалось, что началось землетрясение, налетел тайфун или цунами, словом, произошло что-то стихийное и от людей не зависящее. Но через мгновенье все стало ясно... Вдруг моя «девятка» подпрыгнула на месте, из-под нее вырвался сноп черного дыма. Грохнул по ушам звук взрыва.

Почти сразу же раздался второй взрыв: это разорвало бензобак. Лобовое стекло и стекла дверок вылетели наружу. Передняя левая дверь — там всегда был слабоватый замок — сорвалась полностью и полетела прямо на нас с Володькой.

При первых звуках этого незаказанного фейерверка Володька оттолкнул меня влево, схватил за руку, протащил до стоящей рядом «Ауди», прижал к ее гладкому боку и сам навалился сверху. Ему, наверное, показалось, что это очень героически получилось, но вышло, разумеется, неуклюже и грубовато. Мужик, что возьмешь.

Вырвавшись из настойчивых Володькиных объятий, когда все уже отгремело и наступила сравнительная тишина, я взглянула на... ну, в общем, на то место, где только что стояла моя машина. От моей любимой «девяточки» остались рожки да ножки. Это если выражаться высоким штилем русской народной поэзии. А если говорить конкретно и современно, то перед моими глазами развернулась сюрреалистическая композиция из обгоревших стоек да еще чего-то перекрученного и обугленного.

— Ни хрена себе, — тонко заметил Володька, озираясь по сторонам.

— И я такого же мнения, опер, — зло произнесла я, принимая однозначное решение: — Ты стой здесь, жди своих, они сейчас набегут, а я пойду пообщаюсь с Поприным. Он оказался прав, засранец, нам с ним предстоит встретиться.

И быстрым шагом направилась обратно к «Эдельвейсу».

— Танька, подожди! — крикнул Володька и, догнав меня, схватил за локоть. — Что я скажу ментам? — спросил он, словно был иностранцем в стране Ментовии и не понимал ни языка, ни соображения ее аборигенов.

— Отстань, скажи что-нибудь, типа ты свидетель, — отмахнулась я, освободила руку и легко взбежала по ступенькам, ведущим во Дворец культуры.

Глава 7

На этот раз с проходом в «Эдельвейс» возникли некоторые сложности. Угрюмые охранники, с трудом ворочащие языками — надо думать, от отсутствия достаточных навыков для этого, — объяснили, что я уже использовала свои гостевые билеты и теперь мне придется платить за вход в полном объеме. Не знаю, на что они надеялись, но меня это не остановило. Только настроение ухудшилось еще больше, но это мелочи.

Действия мерзавца-Поприна требовали возмездия — и немедленного! — поэтому, сунув практически на бегу в протянутые лапы две сотки, я влетела в зал и тут же зацепила за пуговицу торчавшего в проходе метрдотеля.

— Не скажете, где тут кабинет господина Поприна? — стараясь говорить спокойно и ласково, спросила я, но, по-видимому, это у меня получилось не очень хорошо, потому что метр вздрогнул и сперва бросил взгляд влево, а потом только приклеил свою профессиональную улыбку и вежливо поинтересовался:

— Зачем вам нужен Семен Васильевич, разрешите узнать?

8 Зак. 4457

Не собираясь пускаться в бессмысленные разговоры, я улыбнулась, произнесла «благодарю вас» и пошла налево вдоль рядов столиков — в том направлении, куда бросил свой неосторожный первый взгляд метр. Там находилась дверь, покрашенная под цвет стен и поэтому не сразу заметная, особенно в мерцающем от цветомузыки полумраке.

Мне показалось, что я правильно поняла и нужное мне убежище Поприна находится именно там. Но метр не оставил меня в покое. Он бежал следом, хватая за руку и бормоча какую-то ерунду насчет того, что мне, видите ли, туда нельзя. Ага, щаз! Послушаюсь, как же.

Я быстро добралась до двери и ткнулась в нее. Дверь не подчинилась. Я повторила свое воздействие еще раз. Оказалось, что дурацкая дверь открывалась не внутрь, а наружу. Надо запомнить это на будущее. Кто знает: может, из нее будет удобно вываливаться. Тем, кто попытается мне мешать, например.

С третьей попытки я открыла дверь и влетела в нее. Передо мной был длинный коридор с несколькими такими же дверями по сторонам. Нудный метр заскочил следом. Теперь, когда посетители не видели его, он почувствовал себя свободным от приличий и, дернув меня за сумку, прошипел:

— Что вам неясно, девушка? Сюда нельзя посторонним! Или вы сейчас же выходите вон и мы заминаем все, что было, или же...

Я не дала ему возможности договорить. Он мне уже давно надоел. Когда Татьяна Александровна рассержена, ее даже бродячие кошки обходят за два квартала, но этот дядечка не был знаком ни со мной, ни с приметами на мой счет.

Я молча развернулась к нему лицом и так же молча провела хороший, прямо-таки классический хук справа. Метр прикусил свой болтливый язык и вытаращил глазки. Второй удар в живот заставил его согнуться и зашипеть змееподобно и непонятно. Потом дядя покачнулся и решил полежать. Но я не дала ему упасть, а, придерживая за галстук-бабочку, вежливо попросила:

— Где кабинет Поприна, скажите, пожалуйста.

Несколько раз открыв и закрыв рот, метр просипел:

— Прямо.

— Спасибо, — от чистого сердца поблагодарила я его, быстро оглянулась, убедилась, что в коридоре никого нет, и толкнула первую дверь.

Это оказался туалет. Очень удачное место, тихое и надежное, где уставшего от выполнения служебных обязанностей метра никто не потревожит во время заслуженного, в прямом смысле, отдыха. А вот он мне помешать может, если его оставить в коридоре. Поэтому, не отпуская черной бабочки своего пленника, я втолкнула его в туалет и резким толчком посадила на унитаз. Голова у дяди по инерции дернулась, он ударился затылком о стену и отключился.

Аккуратно заперев туалет и стараясь ступать легко и неслышно, я прошла по коридору, пробуя приоткрыть двери. Две оказались запертыми, но следующая поддалась, и я заглянула внутрь. Это была большая уютная комната, скорее похожая на гостиную в богатой квартире, чем на кабинет в солидной фирме. Подумала так и тут же одернула себя: нашла солидность в «Эдельвейсе»!

Здесь стоял стол, но он был задвинут к дальней стене и его размеры и местоположение однозначно указывали, что не он тут главный. А главными тут были широкий кожаный диван, стоящий справа, невысокий шкаф-бар рядом с ним и фонтан, украшенный фарфоровыми статуэтками полуголых женщин.

Цветные постеры с подобными же изображениями висели на стенах, а еще одна полуобнаженная девушка — на этот раз настоящая — сидела в кресле рядом со столом, держа в одной руке сигарету, а в другой рюмку с коньяком. Открытая бутылка «Варцихе» стояла перед ней.

Как только я вошла, девушка вздрогнула и повернулась. Я узнала Ольгу, которая сегодня в «Астарте» положила мне в сумку два билета в «Эдельвейс».

— О! — слабо сказала Оля и погрозила мне сигаретой. — А я вас знаю!

— Неужели? — усмехнулась я.

Она, похоже, была сильно пьяна, но интереса для меня не представляла. Мне был нужен сволочь-Поприн, решивший, что Татьяну Иванову можно запросто наказать взрывом машины. И просто необходимо ему объяснить, как он не прав.

— Я вас точно где-то видела! — объявила Ольга и качнула головой. Было заметно, что ей трудно сидеть ровно, но она почему-то продолжает старательно держаться.

— Моя фамилия Иванова, — сказала я, осматриваясь и ища вторую дверь, за которой мог бы находиться Поприн.

— А! — Девушка снова помахала сигаретой. — Семочка мне рассказывал, да... Вы шпионка... И вас перевербо-вы-ва... — Она запуталась в сложном слове и замолчала, соображая, как его закончить.

— Все правильно, — подхватила я. — Где ваш Сема, мне ему нужно сказать кое-что важное.

— Сема поехал вас пере-вы-е... — пробормотала Ольга и захихикала.

Я быстро обошла комнату, по пути распахнув даже

створки шкафа. Поприна не было, и значит, мне следовало искать его где-то в другом месте. В коридоре тем временем послышался топот, словно мчалось стадо слонов.

— Где Поприн? — вскричала я, схватив пьяную красотку за плечи и с силой тряхнув ее. — Где он? Где?

— Где, где... — улыбнулась Оля. — У себя дома его поищи, подруга. А если ты его затащишь к себе в койку, я все-все Изольде про тебя стукну, так и знай...

Дверь распахнулась от сильного удара, и в комнату ввалились двое уже знакомых мне охранников.

— Ты... Короче... — выкрикнул первый, наверное, самую длинную фразу за всю свою жизнь и, расставив руки, бросился на меня.

Делать нечего, пора начать применять меры, чтобы эти гориллы не принялись за меня. Одним прыжком вскочив на стол, я ухватила за горлышко бутылку с остатками коньяка и проделала все это вовремя: первый накачанный в спортзалах кусок мяса уже подбежал достаточно близко. Размахнувшись, я со всей силы ударила его бутылкой по голове. Потомок динозавров охнул и плавно присел, прямо подбородком на столешницу.

Ольга завизжала, вскочила с кресла, и ее халатик распахнулся. Под ним ничего не было, но это никого не заинтересовало. А мое внимание переключилось на второго охранника. Этот неандерталец, не сумев затормозить движение прямо на меня и заметив, что произошло с его более прытким товарищем, зацепил по пути кресло, на котором только что сидела девушка, и с диким криком поднял его обеими руками вверх.

Я едва успела спрыгнуть со стола, как кресло обрушилось на то место, где я только что стояла.

Тут мне резонно подумалось, что в замкнутом пространстве этой комнаты мне делать нечего, и я бросилась к выходу. Дверь распахнулась от одного моего пинка. В коридоре я сразу наткнулась на метрдотеля, уже пришедшего в себя и вызвавшего подмогу. Увидев меня, дяденька — уж не знаю, что ему привиделось такого страшного, — закрыл лицо руками, шарахнулся в сторону и даже присел на корточки. Наверное, надеялся стать незаметным при помощи такого нехитрого маневра. Мне неинтересно было с ним общаться, мы же успели все выяснить раньше, и я помчалась к выходу.

Моя миссия не удалась — если верить словам пьяной Ольги, Поприн уехал. Хотя вряд ли он направился ко мне домой — не припомню, чтобы я его приглашала в гости. Поискать же Сему тщательней мне помешали малокультурные троглодиты, врывающиеся без стука в помещение с девушками.

Перед дверью, ведущей в зал «Эдельвейса», я остановилась, наизусть поправила волосы, одернула платье и вышла. Ничего здесь не изменилось: рюмки позванивали, вилки постукивали, очередная стриптизерша поматывала... ясно чем.

Я спокойно направилась к выходу, зная, что сейчас в дверях никого из стражей нет и я выйду на улицу беспрепятственно. Так оно и оказалось.

Я спускалась по ступенькам Дворца культуры, раздираемая противоположными чувствами. С одной стороны, хорошо было то, что мне удалось вырваться из этого места без ощутимых потерь. С другой стороны, очень досадно, что Поприн не нашелся. По горячим следам я бы его хорошенько растрясла на предмет информации.

Моя бедная машинка уже и не дымила. Зато невдалеке от ее останков дымили в прямом смысле — сигаретами и в переносном — мозгами различные работники наших славных органов внутренних дел.

Среди них выделялся Володька, с озабоченным видом переходящий от одной кучки — спецов к другой кучке — экспертов.

Увидев меня, он сделал знак рукой, но не успела я отреагировать, как ко мне подскочили двое парнишек в штатском, у которых на наморщенных лобиках было четко нарисовано, что они тоже из органов, и, вежливо взяв меня под руки, попросили предъявить документы.

— А можно узнать, в связи с чем, молодые люди? — спросила я.

— Обычная проверка документов, — скороговоркой объяснил один и для честности вытаращил глаза.

— По показаниям свидетелей на этой машине приехала девушка, похожая на вас, и она зашла в это здание, — более разумно высказался другой и этим сразу мне понравился.

— Всего-то? — спросила я. — Так вы, значит, ищете бывшую хозяйку машины? Это я, здравствуйте.

— Почему же бывшую? — подозрительно спросил первый.

— Потому что это уже не машина, — отрезала я. — Еще вопросы есть или как?

Вопросов оказалось гораздо больше, чем мне хотелось. Последующий час был просто украден из жизни и безнадежно потрачен на никчемные разговоры, сводящиеся в основном к версиям, которые я сама призвана была выдвигать. По крайней мере, на этом настаивали оперативники, спрашивая меня про врагов и недругов.

Я не стала им врать, что меня все любят и весь мир ходит у меня в друзьях, — эти скучные люди все равно бы не поверили. Они привыкли не доверять людям. По этой причине я отвечала односложно: «нет», «не знаю», «не понимаю» и имитировала глубочайшие дамские переживания, прикладывая к глазкам платочек. Весь макияж стерла во время этого спектакля.

Все закончилось неожиданно по причине всеобщего изнеможения: ребята отбили языки, а мне уже и стирать стало нечего. Получив приглашение посетить завтра РОВД, где, скорее всего, та же тягомотина начнется с начала, причем с того же самого, я наконец-то освободилась и, мило попрощавшись с заслуженными работниками языка и мозгов, в раздражении пошла прямо по проезжей части — подвезти никто не догадался, поэтому оставалось надеяться, что мотор поймается сам.

Меня нагнал запыхавшийся Володька, раздраженный не менее меня.

— Слишком быстро идешь, Тань, я не успеваю, — пропыхтел он.

— Наверное, у меня ноги длиннее, — блеснула я наблюдательностью, а Володька, пробурчав что-то непонятное, взял меня под руку и вывел на тротуар. Потом он остановил проезжающий мимо «жигуленок», и на нем мы благополучно доехали до моего дома.

Я вышла из машины первой и в задумчивости остановилась на тротуаре, задрав голову вверх.

— О чем грустишь? — спросил Володька, подходя сзади и кладя обе руки мне на плечи. — Если о «девятке», то она не стоит того. Радуйся: сама жива осталась.

Я закурила и, не отвечая Володьке, произнесла как бы сама себе:

— Сегодняшний день для всех нормальных людей уже закончился, а для меня, похоже, он еще будет длиться и длиться. Судьба такая.

— Ну-у, — глубокомысленно протянул Володька, — в общем, оно, конечно же, и так, но все зависит от вас, девушка. Может быть, он и быстро закончится. Я про день. Честно говоря, я себя тоже чувствую усталым. Немножко.

Я взглянула на Володьку.

— Мне кажется, что ты меня не понял, опер, — сказала я, — или, возможно, я тебя неправильно поняла, что, впрочем, вряд ли.

— Танька, — как-то вдруг мгновенно озлился Володька, — ты прекращай свои шуточки, а? Тоже начала загадками говорить, как эти... как их там... посетители твои. В чем проблемы?

— В электричестве, — ответила я.

— Что? — Володька взглянул на меня как на дуру и с легким постаныванием отвернулся, давая понять, что он пошел на второй заход терпения.

— В моей квартире горит свет, — монотонно объяснила я, не дожидаясь, когда он начнет ныть, — а я не имею привычки забывать выключать его.

— Та-ак. — Володька тут же мобилизовался, задрал голову и начал, шевеля губами, пересчитывать этажи и окна дома.

— Прекрати смешить людей на ночь глядя, опер, — сказала я. — Что я, свои окна не знаю, что ли? Пошли. Если нам оставили свет, значит, хотят, чтобы мы его видели.

Володька пощупал у себя в карманах пистолет, сотовик и удостоверение, выпрямился, расправил грудь и сосредоточенно взглянул на меня.

— Тебе лучше подождать здесь, — сурово произнес он. — Я сам во всем разберусь.

— Щаз, — вяло ответила я и пошла к подъезду.

Нажимая кнопку вызова лифта, Володька, оглядываясь и прислушиваясь к тишине подъезда, шепотом спросил:

— Кто это может быть? Есть соображения?

— Ольга, любовница Поприна, сказала, что он

поехал ко мне домой, — ответила я. — Правда, она была немного не в себе и вполне могла перепутать.

— А когда ты ее видела? Это та самая Ольга, что подкинула тебе билеты? — спросил Володька.

Лифт приехал, мы зашли в него, и мой опер продолжил допрос:

— Так когда ты ее видела?

— Господи, ну что пристал! — не выдержала я. — Когда, когда... Когда второй раз заходила в «Эдельвейс», тогда и видела. Кстати, я там еще побила двоих хамов, а от третьего просто убежала. Что тебя еще интересует?

Володька промолчал, а тут и лифт остановился.

Выйдя из него, мы подошли к моей квартире.

Осторожно и внимательно Володька осмотрел входную дверь. Мне показалось, что он даже обнюхал ее.

— Давай ключи, — скомандовал он, и я молча протянула ему связку, думая, что второй взрыв за сегодняшний день был бы пошлым перебором.

Однако, с другой стороны, ожидать от Поприна чувства меры и вкуса не приходилось — дядя зарекомендовал себя несдержанным хамом еще в первую нашу встречу.

Володька отпер входную дверь моей квартиры, и я, дотронувшись до его плеча, жестом попросила отойти в сторону.

— Ну что еще? — пробурчал он.

Я оттянула его вправо и, дернув за ручку двери, распахнула ее, отпрыгнув почти на Володьку. Ему немного не повезло при этом: локтем я задела его по носу. Володька крякнул, потер ушибленное место и нудно сказал, что он все понимает — это страсть.

— Пошел к черту, — вежливо пожелала я и заглянула в квартиру.

А там все было нормально.

В этот момент Володька, вспомнив, что он мужчина и в принципе хоть когда-то должен взять верх, плечом оттеснил меня и ворвался в квартиру, держа свой пистолет обеими руками и поводя стволом влево-вправо, точь-в-точь как в дурацких голливудских фильмах. Я неторопливо шла за ним.

Изучив ванную, туалет и кухню, Володька рванул в комнату. Через секунду оттуда послышался нелитературный его вскрик:

— ...Твою мать!

— Она-то здесь при чем? — заметила я и зашла следом.

Когда я увидела то, что вызвало такую его реакцию, мне тоже захотелось сказать что-то неприличное: перебор все-таки состоялся. В моей комнате на полу лежал Сема Поприн. Его поза и лицо не оставляли сомнений: мертв.

— Застрелен, однако, — заметил Володька, показывая на пулевое отверстие в голове хозяина «Эдельвейса».

Я подошла ближе и посмотрела внимательнее.

— Именно это я хотела проделать с ним час назад, — проговорила я, — а вот теперь не знаю, что и подумать.

— Я вызываю ребят, — сказал Володька и потянул из кармана свой сотовый телефон.

— А не хочешь ли вначале убедиться, что здесь больше ничего нет? — спросила я.

— Ты ждешь еще и поздравительную открыточку к этому подарочку? — попытался пошутить Володька.

В ночной тишине было слышно, как лифт, привезший нас на мой этаж, поехал вниз.

— Люди отдыхают, а я как самая распоследняя сирота уже второй день бегаю по непонятным делам, — вздохнула я. — Пойду посмотрю в кухне, нет ли там каких следов.

В кухне не было ничего интересного. Посмотрев на чайник, я поняла, что и кофе пить не хочется. Пусть такими делами балуются судмедэксперты — они привычные ко всему, а у меня соседство с мертвым папиком вызвало некое, как бы это сказать, чувство неуютности, что ли.

Я вышла с кухни и направилась в комнату.

В это время на лестничной клетке послышались быстрые шаги, не запертая нами дверь распахнулась от мощного удара и в квартиру влетели несколько милиционеров с пистолетами наготове.

— Всем на пол, суки! — проорал первый из них — коренастый коротко стриженный сержант с придурковатыми белесыми глазами.

— Минуточку, ребята! — Володька выглянул из комнаты, словно забыл, с кем и в какой ситуации имеет дело. Он сунул руку в карман пиджака и тут же получил и по руке, и по пиджаку, и, кажется, по физиономии тоже. За последнее не ручаюсь, не заметила, но мне кажется, что не обошлось: обстоятельства диктовали ментам поступить именно так, а не иначе.

Я оказалась умнее моего дорогого опера. Не скажу, что я тут же рухнула на пол носом вниз, а задницей вверх, как того требовали эти кретины в погонах, находящиеся при исполнении. Но я просто и изящно улеглась, предоставив событиям развиваться по их собственным законам жанра.

Через секунду рядом со мною рухнул и Володька, шепотом матерясь по адресу всех славных внутренних дел. Сразу забыл, голубчик, что он сам среди них обретается в немалом майорском звании. От неожиданности, надо полагать.

— Ну ни хрена себе, — послышались возбужденные голоса из комнаты, куда промчалась половина прибывших ментов.

— Ты глянь...

— Завалили его прямо в лобешник!

— Я думаю, что телка — проститутка, а жлоб — ее сообщник, сутенер хренов, — поддержал рабочую версию другой голос.

Володька нервно задергался на полу, за что и получил еще раз сапогом в бок.

— Лежать, сука! — рявкнул над ним все тот же крепыш.

— Я майор Степанов из Волжского РОВД, — зло пролаял Володька, не выдерживая больше такого унизительного положения. — У меня во внутреннем кармане пиджака лежит удостоверение.

— Поговори еще, майор, — прогремел над ним недовольный голос.

Володьку обступили несколько человек, ощупали и выудили из его карманов все их содержимое. Между прочим, на пол рядом со мной упала упаковка презервативов. Володька бросил на меня быстрый взгляд, но я сделала вид, что не вижу ничего дальше своего носа, который, как уже говорилось, уткнулся в пол.

Кстати, я обратила внимание еще кое на что — подумала, что полы можно было бы мыть и почаще. Но это уж как с временем получится.

— Смотри-ка, вроде настоящая ксива, — вражеским уголовным жаргоном проговорил один из сержантов другому, показывая ему Володькины корочки.

— Есть такое впечатление, — проговорил второй милиционер, наверное, самый умный, а может быть, самый главный, но это разные вещи в нашем мире, как я не раз замечала.

— Можете встать, товарищ майор, — после этого приглашения Володьке даже подали руку.

Он моментально вскочил на ноги и помог подняться мне. Два сержанта хмуро посмотрели, как я поправляю платье. Похоже, что у них у обоих одновременно мелькнула мысль о том, что перед тем как выяснить с майором, следовало бы сначала обыскать меня. Ну что ж, ребята, кто не успел — тот опоздал.

Из комнаты вышли еще двое. Наконец-то я разглядела всех своих новых гостей. По их незамысловатым лицам было ясно, что милиционеры это настоящие и ничего опасаться больше не стоит. Моя милиция меня бережет.

— От кого был получен сигнал и когда? — суровым командирским голосом, призванным вытрясти из памяти сержантов образ его, только что лежавшего на полу, спросил Володька, нахмурившись и делая очень-очень умное лицо.

— Пять минут назад, — взглянув на наручные часы, доложил один из сержантов — высокий тощий, похожий на суслика, — от дежурного поступила команда проверить этот адрес по причине сообщения о выстрелах. Сигнал получен от соседей.

— Лихо сработали, — пробормотал Володька. — Значит, так, это наш район, и я сейчас вызываю нашу оперативную группу из убойного отдела.

Он взял из рук крепыша свой телефон и набрал номер.

Сержанты переглянулись и промолчали. Я подняла с пола свою сумку и вынула из нее пачку сигарет.

Если я хоть что-нибудь понимаю в этой жизни, то мне предстояло прободрствовать всю оставшуюся ночь. И что за дурацкое слово: бодрствовать?

Глава 8

Все, в общем, произошло так, как я и сказала. Достаточно быстро в мою квартиру понаехали оперативники убойного отдела из Володькиной конторы. Я, махнув рукой на все, засела в кухне, пила кофе, курила сигареты и не видела в жизни никакого просвета еще по крайней мере часа на два. Это в лучшем случае.

Присутствие Володьки, надо признаться, здорово облегчило мне жизнь. Хотя какая уж тут легкость: взрыв машины, свежий труп Поприна...

Неприятности начались через полчаса после прибытия оперов и экспертов. Хотя они, считаясь с чувствами своего коллеги, проявили максимум такта и внимания, на который только были способны.

Понятыми при обязательном в таком случае обыске явились мои соседки тетя Маша и Анна Петровна — обе пенсионерки и сплетницы. Разница между ними если и была, то только в том, что тетя Маша работала когда-то уборщицей в школе, в которой Анна Петровна трудилась библиотекаршей. Пенсия их уравняла, хотя Анна Петровна была очень не прочь иной раз подчеркнуть свой более высокий образовательный уровень. Им высиживать на моем диване понятыми было не впервой, и, удобно устроившись, они громко переговаривались между собой, обсуждая подробности этого обыска. Обе были глуховаты и поэтому говорили довольно-таки громко.

— А в прошлый раз ты помнишь чего было-то? — спросила тетя Маша. — Тоже труп, что ли?

— А как же, помню... — подхватила Анна Петровна.

Опера бросали косые взгляды сперва на них, потом на меня, потом молча переглядывались между собой, но старушки не обращали на присутствующих никакого внимания. Они считали себя настолько важными персонами, что плевать хотели на реакцию окружающих. В принципе они, конечно же, были правы: без понятых нормального обыска не проведешь, в будущем проблемы начнутся.

Бравые ребята-опера принялись за дело так шустро, что почти сразу обнаружили мой пистолет, достать который из шкафа у меня не было возможности: помешала толпа сержантов. Впрочем, лазать по шкафам было бы делом бесполезным. Как только Володька мне сообщил, что под диваном найден пистолет, из которого недавно стреляли, я сразу присвистнула, причем в буквальном смысле.

— В чем дело? О чем ты подумала? — быстро прошептал Володька, наклоняясь ко мне.

Ну о чем еще я могла подумать?

Разумеется, о своем пистолете и о том, что Поприна убили именно из него. Все это я быстрым шепотом и проговорила Володьке. Он даже посерел, когда это услышал, но постарался внешне остаться невозмутимым, если, конечно же, перекошенную мину на его физиономии можно считать признаком невозмутимости. Володьке казалось, что можно, а я великодушно не стала его разубеждать.

Мой пистолет, аккуратно уложенный в полиэтиленовый пакетик, был представлен пред мои очи одним из оперов.

— Вы узнаете этот пистолет? — спросил он у меня.

Я посмотрела на номер и кивнула:

— Мой, сейчас покажу документы.

— Не нужно, не беспокойтесь, мы сами найдем, если они у вас есть, конечно.

Я пожала плечами. Мне оставалось только обкуривать саму себя и терпеливо ждать, когда все это закончится.

Закончился же обыск, когда заалел восток, как было написано в каком-то стишке, выученном в школе.

Я подписала кучу бумажек, меня предупредили, что мне не стоит покидать город впредь до беседы со следователем, и дружной толпой все мои гости удались с двумя старухами в арьергарде.

Надо признаться: не будь со мной Володьки и не будь его твердого заверения, что мы с ним весь вечер были вместе, ночевать бы мне на нарах — слишком уж сильно пах порохом ствол моего «макарова». И ни у кого не было сомнений, в том числе и у меня, что Поприна уговорили именно из него.

Я закрыла входную дверь, выждала паузу, когда, по моим расчетам, оперативники отойдут подальше, и громко выматерилась на все четыре стороны.

— Ты совершенно права, — с тяжелым вздохом сообщил мне Володька, сбрасывая пиджак в кресло и расстегивая рубашку. — Однако справедливости ради должен заметить, что положение достаточно хреновое.

Я мрачно взглянула на него и спросила:

— Ты хочешь прямо сейчас уехать домой? Я угадала?

— Не-не-не-не, — замахал Володька руками, — тебе померещилось. И хреновей бывали ситуации. Подумаешь: труп в квартире... Один же, вот если бы их было пять и...

— Пошел вон!!! — заорала я и вышла из комнаты, только потом сообразив, что показала классический пример женской логики поведения: сама послала и сама вышла.

Ну да и черт с ними со всеми!

В совершенно невменяемом состоянии — или в почти невменяемом — я приняла душ, легла, напоследок высказав что-то Володьке, и попыталась уснуть. Пять минут я усиленно боролась с бессонницей, а что было потом — не помню, но скорее всего я победила. А иначе и быть не могло.

Как ни странно, но разбудил меня не будильник, а Володька Степанов. И сделал он сие самым практичным и приятным способом. Не скажу, каким.

Пока он старался, я даже подумала, что эта метода будет получше обычного будильника и не стоит ли произвести культурный обмен? Володькиной жене — мой будильник, а мне — ее мужа.

Окончательно проснувшись, я подумала, что она вряд ли согласится. К тому же у будильника есть один немаловажный плюс: дашь ему пальчиком по кумполу — и он замолчит до следующего утра, разбудивший же меня механизм успокаиваться не желал, а перевел свою энергетику в вербальную плоскость.

— Итак, начинаем действовать! — провозгласил Володька, соскакивая с дивана. — Щемить и колоть! Вот так!

— Ага, — подтвердила я его тезис, — ты уже кофе поставил?

— Что? А при чем здесь кофе? — оглянулся на меня Володька. — Ты, Танька, меня не поняла. Значит, так: пока наши ребята не наехали на Изольду, мы должны наехать на нее. Кроме того, срочно вылавливай своего дежурного адвоката, пусть начинает шустрить. Так, — Володька пятерней пригладил волосы на затылке, — это я сказал, это я упредил... что же еще?

— Ты кофе поставил? — снова спросила я, вставая и оглядываясь в поисках халата.

Вот что значит бессонная ночь, переживания и нестандартное пробуждение: пока я выискивала халат, Володька бродил в нем передо мной и развивал планы действий, а я и не заметила.

— Из всех заинтересованных людей только она

была у тебя дома, и в принципе, если она человек опытный, могла примерно прикинуть, где ты прячешь пистолет, — выдал Володька умозаключение.

— Вчера были еще двое непохожих близнецов, которые позавчера улетели в Париж, — напомнила я.

— Точно! — вскричал Володька и хлопнул себя по лбу. — Фотографию Пшенникова должны достать!

Развернувшись, он умчался в коридор, потом оттуда промчался в кухню, затем так же резво влетел в комнату,

— А ты не видела.. — начал было Степанов, но я уже протягивала ему телефон.

— Ага, спасибо, — сказал он и набрал номер.

Я поняла, что кофе мне не дождаться, раз у Володьки начался приступ деятельности, и побрела в кухню заниматься хозяйством лично. Это еще один моментик к счету, который я предъявлю мерзавцу, подкинувшему мне вчерашний подарочек.

Завтрак прошел бы совсем скучно, если бы Володька не взялся усиленно меня развлекать. Он говорил много интересных и занимательных вещей. Например, порадовал тем, что если следователь попадется чересчур нудный, то меня могут задержать прямо сегодня: пистолет — улика довольно-таки тяжелая. Не скажу, с каким чувством я это выслушала.

— Сейчас едем в управление, — заявил Володька, еле успев дожевать бутерброд, — там мне уже приготовлена фотография Пшенникова. Посмотришь.

— А ты догадался узнать адрес Поприна? — вяло поинтересовалась я, размешивая сахар в кофе.

— Морг при мединституте, — быстро ответил Володька и хмыкнул.

— Не смешно, — сказала я. — Я имею в виду его домашний адрес.

Володька состроил некрасивое выражение лица и нехотя пробурчал:

— По дороге я еще разок позвоню, если ты так настаиваешь.

Володька дозвонился до своих коллег, пока мы спускались в лифте. Выходя из лифта, он уже заканчивал свой разговор.

— Хорошие патроны ты используешь в своем «макарове», — недовольным тоном произнес он.

Я насторожилась и повернулась к нему, четко и однозначно формулируя свой вопрос:

— Ты хочешь сказать, что, используя современные патроны, я начисто лишена оправдания в убийстве с помощью технических средств, таких, как смыв, позволяющий определять, не стреляла ли я в последние сутки?

— Во-во, — ответил Володька, — понимаешь же, так за каким хреном, позволь тебя спросить...

Он замолчал, не договорив фразу, и опустил голову, о чем-то задумавшись.

Около подъезда нас встретили уже поднявшиеся и проводящие первую пресс-конференцию мои постоянные понятые тетя Маша и Анна Петровна. Три слушательницы, их подружки, внимали новостям, раскрыв рты и приговаривая обязательное «да ну?» для поощрения ораторов.

Увидя нас, они все резко замолчали и уставились на нас с Володькой с откровенным любопытством. Я кратко поздоровалась со всеми и прошла мимо без особых переживаний. И не такие взгляды выдерживала, подумаешь...

— Ты глянь, в тюрьму, что ли, повезли? — услышала я сзади нетерпеливый вопрос.

— Да не-е, это ее адвокат или хахаль. Вишь, глаза-то прячет, кобель, — прокомментировала тетя Маша.

Володькино лицо из красного стало пунцовым. Я, несмотря на мерзкое настроение, все-таки не выдержала некоторой комичности ситуации, улыбнулась и зашагала быстрее.

Не увидев на привычном месте своей машины, я в недоумении остановилась, а вспомнив вчерашние события, едва не сплюнула с досады.

— Транспорта-то у меня теперь нетути, — проговорила я в растерянности. — Бли-ин, опять моторы ловить придется.

Володька взял меня под руку, и мы пошли на трассу.

Вчера вечером я, уверенная, что это Поприн лишил меня металлической подруги, ругала его почем зря. А теперь даже не знала, по какому адресу послать свое недовольство.

— Володь! — обратилась я к своему спутнику, чтобы не скучать и поделиться ценными мыслями. — А так может быть, что если я послала мощный астральный заряд ненависти Поприну, то мой пистолет взял и сам выстрелил?

Володька покосился на меня и уточнил:

— А твоя квартира перед этим его в себя всосала, да? Сразу предупреждаю: косить под дурочку не выйдет, только все испортишь.

Я надулась, понимая, что культурные разговоры не для этого общества.

Мы остановили какую-то замазанную шпатлевкой иномарку с гордым знаком «Пежо» на капоте, Володька суетливо распахнул заднюю дверь и усадил меня.

— Куда едем? — спросил водитель, молодой парень с прической а-ля Кульков.

— Волжский РОВД, — заказал Володька, и мы поехали.

— Где то, что ты мне обещал? — спросила я у друга.

— М-м-м... — глубокомысленно протянул Володька и захлопал глазами, изображая сценическое раздумье.

— Имеется в виду домашний адрес Изольды, — напомнила я нудным тоном и закурила.

— Да, да, — недовольно проворчал Володька и снова достал свой сотовик.

Пока он названивал по разным телефонам, я, не ожидая результатов переговоров, заказала водителю курс на клуб-салон «Астарта», вполне резонно рассудив, что местный персонал, безусловно, должен знать домашний адрес своей начальницы. В том, что она сейчас не на работе, я почему-то не сомневалась. И кроме того, если честно, в РОВД мне совсем не хотелось. Даже как посетительнице. Мой опер спорить не стал, и это было умно с его стороны.

Мы подкатили к «Астарте», отпустили водителя, и Володька, оторвавшись от телефона и выругавшись по адресу вечно куда-то исчезающих в нужное время нужных людей, осмотрелся и спросил:

— Ты что же, думаешь, она прямо здесь и живет?

— Это, наверное, ты так думаешь, — спокойно ответила я, — а я рассчитываю на что-то другое.

В «Астарту» мы поднялись вместе, а потом, оставив Володьку у журнального столика, я подошла к дежурному администратору. А когда, все выяснив и позвонив пару раз по телефону, повернулась, мне вдруг показалось, что сегодня — еще не сегодня, а продолжается день вчерашний. Так же, как вчера, Володька сидел за столом и перелистывал журнальчики с картинками.

— Знаешь, что я подумал... — начал он, приподнимаясь мне навстречу, — ты после взрыва куда пошла?

— А что? — спросила я.

— Я так подозреваю, что хулиганить. Кого-нибудь побила?

Мне вопрос не понравился своей прямолинейностью: ну как можно со мной разговаривать как с какой-то хулиганкой? Однако, понимая, что, похоже, у Володьки начался приступ профессионализма, я постаралась ему не хамить. Еще успею, еще не вечер.

— Мне кажется, я сейчас кого-нибудь побью, если от меня не отстанут, — ласково пообещала я, не забыв при этом сладко улыбнуться.

— Это ты запросто, — согласился Володька. — Так кого била-то, не помнишь точно?

— Ой, — отмахнулась я, — там был какой-то нудный дядя, что-то вроде главного распорядителя. А потом еще в кабинете Поприна, когда мы беседовали с его Ольгой, на меня напали два качка-переростка. Маньяки, надо думать, их там почему-то охранниками называют.

— Как же ты их побила? — заинтересовался Володька. — Их же было трое в сумме.

— Места надо знать, — уклончиво ответила я, но Володька почему-то сразу же меня понял.

— Ну и прекрасно, — сказал он. — Я уже сообразил.

Я подозрительно посмотрела на него.

— Если собираешься выговаривать мне всякую чушь вроде того, что не нужно было этого делать, так я сама уже раскаиваюсь. Почти. Имей в виду.

— Почему не нужно? — натурально удивился Володька. — Может быть, как раз и нужно. Кто знает, кто знает...

Я взглянула на него, ничего не поняв, поправила на плече сумку, и мы вышли из «Астарты».

— Ты, кстати, узнала что-то новенькое? — спросил меня Володька, останавливаясь на тротуаре.

— Узнала только адрес, — ответила я. — Звонила Изольде домой, но не дозвонилась — невезуха. Сейчас поедем туда. Может быть, она отключила телефоны и переживает. И такой вариант возможен, все-таки у нее мужа убили.

— Я не поеду, — вдруг удивил меня Володька неожиданным сообщением, — мне нужно на работу. Так что, девушка, навещай Изольду без меня.

— Ты же не собирался в свою контору еще полчаса назад! — сказала я, озадаченная его решимостью бросить меня одну посреди города. — Что это еще за фокусы?

— Изменились обстоятельства и возникли кое-какие идейки, — туманно ответил Володька и поспешно добавил: — Я заеду к тебе сегодня обязательно. Если примешь, конечно.

Володька выжидательно затих, а я стервозно промолчала. Вот пусть и подумает теперь: приму или шиш. Будет знать в следующий раз, как без подготовки меня так удивлять. Засранец в погонах.

Сделав ему ручкой, я тут же уехала с этого места на первой же подвернувшейся машине, чтобы у него не было времени передумать. Потому что, с другой стороны, то, что Степанов меня сейчас бросил, совсем даже и неплохо. Ведь если Изольды не окажется дома, значит, прокатились бы мы бесполезно, и тогда Володька стал бы мне просто мешать. Он же не может постоянно сидеть статистом, вот и начал бы лезть в руководящие работники в нашем маленьком сплоченном коллективе, где все вопросы я решаю самостоятельно и абсолютно верно. И если что-то и не получается, то это просто фатум, а не мои ошибки в расчетах. Вот так, и никак иначе.

Дом, где жила Изольда Августовна, стоял на достаточно престижном месте: на пересечении двух красивейших улиц нашего старого спального района — Некрасовской и Соборной. Я отпустила машину и, войдя в уже ободранный подъезд нового дома, не стала подниматься в лифте на третий этаж, а пошла по ступенькам пешком. Так и для здоровья полезней, и подумать еще время выкраивается.

Встав перед квартирой с нужным мне номером «двенадцать» на металлической двери, отделанной под английский дуб, я позвонила в мелодичный звонок и прислушалась. После довольно-таки продолжительного ожидания в квартире послышались шаги и дверь отворилась. Изольда Августовна, собственной персоной, стояла передо мной, плохо причесанная, одетая в бледно-зеленый китайский шелковый халат, расшитый райскими птицами.

— О! — произнесла она и улыбнулась. — Спасительница моя дорогая пришла! Милости прошу, Танечка, в этом доме вы всегда самая желанная гостья. Я знаю, что вы в курсе моих вдовьих новостей.

Немного удивленная приемом, я прошла в помпезную квартиру Поприных, где все сверкало, а также кричало об очень больших деньгах и совсем маленьком вкусе.

Изольда Августовна по настроению никак не походила на убитую горем супругу по поводу убитого супруга, милль пардон за слабенький каламбур. От нее немного пахло вином, а широкая улыбка на ее лице говорила, что жизнь явно уже начала налаживаться.

Изольда Августовна провела меня в холл с псевдокамином, занимающим почетное место у торцовой стены, и жестом показала на глубокое кожаное кресло, стоящее справа. Сама же она с ногами забралась на диван по соседству и, глубоко вдохнув, зычно прокричала:

— Ирина! Принеси нам кофе!

Посмотрев на меня, Изольда Августовна извиняющимся тоном произнесла:

— С тех пор, как я смогла позволить себе иметь прислугу, только забот прибавилось: нет кадров, Татьяна, нет кадров, представляете себе!

Я продолжала молчать, наблюдая за сменой сцен спектакля, разыгрываемого передо мной. И, естественно, не могла не заметить некоторую нервозность, которую хозяйка пыталась скрыть за нарочито веселыми манерами. Например, Изольда Августовна запустила руку в широкий карман халата, вынула из него нитку жемчуга и, теребя ее, очевидно, для того, чтобы я обратила внимание на эту прекрасную вещь, что-то вполголоса промурлыкала. Все было ненатурально. Даже для сельской самодеятельности.

Мадам явно всячески давала понять, что ей очень хорошо живется на свете. Хотя, по моему мнению, можно было бы и скукситься парочку раз — не повредило бы. Все-таки муж погиб вчера, каким бы он ни был.

Откуда-то из глубин квартиры послышались шаги. Появилась пожилая женщина, одетая скромно, но со вкусом, и вкатила сервировочный столик, уставленный чашками, кофейником и вазочками с печеньем. Там же стояла хрустальная пепельница и лежала пачка сигарет «Вирджиния Слим».

— Спасибо, Ирина, — Изольда Августовна снисходительно кивнула головой и жестом показала, куда нужно этот столик поставить.

Подождав, когда Ирина выйдет, я собралась сказать о цели своего визита, но только я открыла рот, как Изольда Августовна, рассмеявшись, погрозила мне пальцем.

— Частный детектив! Частный детектив! — пропела она и затараторила: — Я считаю, Танечка, что мне повезло, да. Подумать только: трястись от бешенства, следить за этим козлом. Сначала один кабак, потом другой, потом по парку ему захотелось погулять... Вы знаете, Танечка, а ведь я подумала, что вы с ним там встречались по делу. — Изольда Августовна снова рассмеялась и, достав из длинной белой пачки сигарету, закурила, а потом продолжила: — Не сразу подумала, нет, не сразу. Сперва я про вас подумала совсем нехорошо, каюсь. Подумала, что вы девушка из неприличных, так сказать. А когда узнала, что вы детектив, решила, что вы опасная, что Сема нанял детектива, чтобы следить за мной, например. А мне этого не хотелось. А кому захочется?!

Изольда потянулась и разлила кофе из кофейника по чашкам.

— Угощайтесь, — предложила она.

Я взяла чашку больше из приличия, чем имея желание пить кофе в компании с ней. Поток слов, который обрушивала на меня Изольда Августовна, требовал внимания и осторожности. Мне казалось, что я что-то начинаю понимать, но логическая нить во всей своей целостности пока ускользала от меня. К тому же, оставив сумку в коридоре, я лишилась доступа к своим любимым сигаретам, а курить «Вирджинию» мне не хотелось. Цвет и длина этих сигарет, пардон, дисгармонировали с моим костюмом. Да и с настроением тоже.

Изольда Августовна тем временем, попыхивая сигаретой и попивая кофе, продолжала развивать свои мысли:

— А потом, Танечка, мы с вами поговорили, познакомились, чуть-чуть выпили, я вам пожаловалась на свою печальную жизнь, и вроде все на этом закончилось. Но... — тут Изольда покачала пальчиком в воздухе и снова схватилась за свой жемчуг, — прошел день-другой — и Семы нет. Есть человек — есть проблема, нет человека — нет проблемы!

У меня совершенно не было возможности вставить хоть реплику в великолепную речь хозяйки, но не очень-то я и старалась. Изольда рассказывала свое видение ситуации, а ведь именно это мне от нее и было нужно.

Ее разглагольствования прервал звонок в дверь. Изольда Августовна замолчала и, вытянув шею, напряженно прислушалась. Не буду лукавить, я сделала то же самое, но не настолько явно.

Через несколько минут вошла уже виденная мной Ирина и доложила:

— Изольда Августовна, к вам приехал этот...

— Да поняла я, поняла, — пожалуй, слишком быстро, даже торопливо проговорила Изольда Августовна, явно стараясь заставить замолчать Ирину, — портной приехал, я поняла, пусть ждет, я прямо сейчас и освобожусь... отведи его в кухню, что ли...

Ирина вышла, и Изольда Августовна, подойдя ко мне, наклонилась и произнесла:

— Вы здорово выручили меня, Танечка, здорово, и я ваша должница. А я в должниках оставаться не люблю. Хотя, между прочим, мне немного и интересно, как вы собираетесь справиться с этой ситуацией. Ведь Сема был обнаружен у вас дома? Скажете, что он был вашим любовником и произошла сцена ревности?

Так как я промолчала, продолжая слушать весь этот бред, то Изольда Августовна понимающе покачала головой:

— Секрет фирмы, понимаю. Как говорится у промышленников, «ноу-хау». Все ясно, Танечка, вопросов нет. Я оставлю вас на минутку, ладно? Сейчас извинюсь перед человеком и снова подойду.

Изольда Августовна вышла, а я осталась сидеть в настроении не очень веселом. Мне совершенно не нравилась ее убежденность в том, что именно я убила Поприна, да еще то ли по ее просьбе, то ли из чувства женской солидарности.

Я встала с кресла, поняв, что мне не хочется больше здесь оставаться и что разговаривать с Изольдой не имеет смысла, по крайней мере до тех пор, пока с нее не слетит это непонятное настроение, которое я списывала все-таки на внутренние переживания — пока не находила иного объяснения. Она не дура, это очевидно. Однако ее логику я понимать отказывалась. Ну а курить лучше всего на нейтральной для меня территории, например — на улице. Там я буду себя чувствовать точно уютнее.

В этот момент вошла Изольда Августовна.

— Уже уходите, Танечка? — спросила он. — Искренне жаль, честное слово, но вы знаете, наверное, это и к лучшему. И хоть я благодарна вам, конечно же, но давайте договоримся так, — в голосе Изольды Августовны впервые за все время нашей с ней встречи прозвучали твердые требовательные нотки: — Пока не пройдут все эти напряжения с похоронами и прочее, лучше не приходите ко мне, ладно? Но я все равно очень рада вас видеть.

Я молча кивнула и направилась к выходу, сопровождаемая хозяйкой. В коридоре взяла свою сумку, накинула на плечо и, попрощавшись с еще более повеселевшей мадам Поприной, вышла на лестничную клетку.

Во дворе, направляясь к трассе, я на ходу нервно расстегнула сумку, чтобы достать из нее пачку сигарет — курить хотелось давно и сильно. И тут моя рука нащупала в сумке незнакомый сверток. А память, хранившая житейский опыт, подсказала: сюрпризы редко бывают приятными.

Глава 9

Остановившись, я осторожно заглянула в сумку. Пакет был из темного полиэтилена, небольшой, плоский и мягкий. В принципе на взрывное устройство не похоже, но радоваться я не спешила.

Я снова пошла к дороге, чтобы не торчать перед подъездом, завернула за угол и только там снова остановилась. И развернула сверток осторожными, быстрыми движениями, предусмотрительно зажмуриваясь и будучи готовой при первых же непонятных явлениях, при малейшей опасности отбросить сумку в сторону.

Но увидев, что лежит внутри свертка, я едва не выругалась: сюрприз мог быть и неплохим, но тогда его надо было по-другому преподносить. В пленку была завернута небольшая аккуратная пачка американских дензнаков. Навскидку — тысяч на десять долларов.

Неплохо для получасовой беседы.

Сомнений в происхождении денег не оставалось: Изольда Августовна положила мне эти деньги как плату за работу, которую, по ее мнению, я совершила, убив ее мужа.

Правда, веселенькая история?

В этот момент затрезвонил мой мобильник, и я задергалась, как фокусник, у которого в неподходящий момент вдруг катастрофически стало не хватать рук. И все-таки выбрала из двух решений самое простое: бросила пакет в сумку и вынула из нее телефон. Но прежде чем ответить, на всякий случай оглянулась — не попасть бы мне под провокацию с этими деньгами. Например, вдруг деньги окажутся мечеными и сейчас меня возьмут за филейные части ребятки из «шестерки» с обвинением в вымогательстве. Изольда Августовна вела себя настолько непредсказуемо, что никакой гадости с ее стороны исключать нельзя.

— Это Степанов, — официально произнес Володькин голос из моего телефона и нашел зачем-то нужным уточнить: — Из Волжского РОВД. Вы не забыли еще, Татьяна Александровна?

— Давно уже, целых минут пять или шесть не вспоминала. Как вы сказали — Сте-па-нов? — по слогам повторила я и, тут же закончив с шуточным приветствием, спросила: — Что тебе, золотая рыбка? Давай быстро, мне некогда.

— Я приглашаю вас посетить наше РОВД в ближайшее же время, — сухо произнес Володька, и я наконец поняла, что он звонит из своего кабинета и почти наверняка его верная секретарша, которую я ни разу еще не видела, не сводит глаз со своего вновь обретенного шефа.

Обычно секретарши, я замечала это уже не раз, проработав на одном месте какой-то период времени, начинают смотреть на шефа как на свою собственность. Эгоистки и жадины, теряющие понятия о реальности. Им кажется, что за пределами рабочих помещений и жизни никакой нет. Для шефов, я имею в виду.

— Что-то случилось? — осторожно прозондировала почву я, понимая, что просто так Володька не станет мне звонить и вызывать в свою контору. Он, конечно же, может пошутить, но только не на такую неинтересную тему.

— Да, Татьяна Александровна, случилось, и для вас это станет не совсем приятным сюрпризом, — все так же мерзко-официально высказал Володька, и я задумалась.

— Ты сейчас там? — спросила я.

— Нет, но постараюсь подъехать одновременно с

вами. В случае моей задержки подождите меня немного в приемной.

Володька отключился как-то внезапно, надо думать, из трусливого опасения, что я могу начать с ним спорить. Но я и не собиралась.

Я прикинула, что если сейчас к Изольде Августовне приехал ее портной, то дело почти наверняка пойдет о проблемах похоронных. В том числе о том, как прилично выглядеть вдове. А это проблема не из простых: нужно быть скромной, но не убогой, грустной и чуть-чуть соблазнительной. Пардон, я хотела сказать — привлекательной. При этом очень важно выбрать такой туалет, чтобы он, оставаясь все-таки по возможности максимально черным, не старил, а, наоборот, подчеркнул все что нужно и скрыл все что следует, то есть недостатки фигуры. Значит, это дело должно занять у Изольды Августовны ну никак не меньше пары часов.

Имея такой запас времени, я сумею выяснить все, что случилось, и предположить все, что может случиться. Не арестует же меня Володька! А если и арестует, то, я думаю, не надолго. Ну и в случае такого возмутительного исхода он точно даст мне возможность связаться с адвокатом. Прикинув таким образом имеющиеся «за» и «против», я отъехала от дома Изольды Августовны на такси, держа курс на Волжский РОВД.

Помимо всех прочих соображений, меня, безусловно, интересовал вопрос: зачем же я понадобилась так срочно и внезапно? Какие еще сюрпризы ждут меня сегодня? По крайней мере, вчерашнего набора, будем надеяться, хватит надолго. Но, видимо, жизнь решила, что она недостаточно еще пощелкала меня по носу.

Волжский РОВД располагался почти на перекрестье улиц Московской и Астраханской. Отпустив машину, я вошла в вестибюль, рассеянно огляделась, словно ни разу здесь не была, и подошла к выглядывавшему из-за застекленной стойки дежурному сержанту.

— Моя фамилия Иванова, — с независимым видом произнесла я, — майор Степанов не оставлял мне сообщения?

— Второй этаж, кабинет номер двадцать шесть. Ждите, вас вызовут, — автоматически ответил он, катастрофически быстро потеряв ко мне интерес, и я, поблагодарив, направилась к лестнице.

Нужный кабинет располагался посередине коридора справа. Дойдя до него, я постучала и приоткрыла дверь.

— Вы к кому, девушка? — обратился ко мне краснолицый высокий капитан, кушающий пирожок возле окна рядом со столом.

— Меня пригласил майор Степанов, — немного обалдев от встречи, которую я представляла себе совсем не так, ответила я и вошла, прикрыв за собой дверь.

— Вы из подставных? — спросил капитан, заметно увеличивая скорость работы челюстей и стараясь проглотить пирожок как можно быстрее.

— Вряд ли, — ответила я и добавила: — Да не спешите вы так, кушайте нормально.

Капитан отвернулся. По движению его плеч я поняла, что остаток пирожка он проглотил буквально не жуя. Повернувшись ко мне обратно с еще более покрасневшим лицом, капитан просипел:

— Фамилия.

— Иванова, — так же резко ответила я.

— А-а-а, — понимающе протянул он и посмотрел на меня непонятным взглядом, — та-ак, хорошо, Владимир Игоревич предупредил меня... Что ж, пойдемте, Иванова...

— Куда? — спросила я, не понимая ничего.

Володька, конечно же, молодец, этого вождя краснокожих предупредил, а про меня, как всегда, забыл.

— В подвал, куда же еще, — хамоватым тоном объяснил капитан и, аккуратно обойдя меня, раскрыл дверь кабинета. — Прошу, девушка, не будем воровать друг у друга времечко.

— Не будем, — пробормотала я, выходя в коридор и продолжая пребывать в глупейшем неведении.

Что еще за подвал приготовил мне Володька и, главное, зачем?

Загруженная под самый воротничок озадачивающими мыслями, я шествовала в сопровождении капитана по служебной лестнице вниз. В подвале, увидев дверь с надписью «Тир», я решила, что дело будет как-то связано с моим «макаровым», и уже приготовилась войти в этот тир, но капитан, поддержав меня под локоть, указал на дверь напротив, на которой вообще никаких надписей не было.

— Если там тир, то здесь, наверное, просто расстреливают? — спросила я, оборачиваясь.

— Не волнуйтесь, это не здесь, — ответил капитан, очевидно, полагая, что он достаточно прояснил ситуацию.

Он отворил передо мной дверь, и я вошла в еще один коридорчик, покороче всех предыдущих. Справа стоял ряд уже не новых стульев, слева стол, за которым играли в нарды двое мужчин, одетых в обыкновенную человеческую одежду, а не в милицейскую форму.

— Это она? — спросил один из них у моего капитана.

Тот, кивнув, ответил:

— Ну!

Тот, что спросил — парень примерно тридцати лет,

в коротенькой кожаной куртке коричневого цвета, — встал и, подойдя ко мне, задал уже звучавший вопрос:

— Фамилия?

— Иванова, — огрызнулась я. — А в чем, собственно, дело, я могу узнать? Или это самый секретный секрет в вашей конторе?

— Если покажете документы, подтверждающие вашу личность, я отвечу на все ваши вопросы и задам еще свои, — улыбнулся мне этот оперативник.

А то, что он именно оперативник, сомнений не было. Я достала из сумки водительские права и протянула ему.

— Этого достаточно?

Полистав документ и сверив мою фотографию с моей же личностью, опер задал совсем уж глупый вопрос:

— А где ваша машина?

Я вздохнула:

— Ее нет с нами.

— Я заметил, — хмыкнул парень, — вы ее поставили во дворе? Она нам, возможно, понадобится.

— Она мне целый день нужна, — подразозлилась я. — Но, увы, когда ее вчера взрывали, моего мнения на этот счет не спрашивали.

Второй опер, все еще сидевший за столом и не принимавший участия в разговоре, после этих моих слов произнес:

— Ух ты, — и, встав, подошел к своему товарищу, все еще державшему мои права в руках.

— Проверил, что ли? — спросил он.

— Ага, — ответил первый опер и, обращаясь ко мне, произнес: — Татьяна Александровна, сейчас мы с соблюдением всех необходимых формальностей произведем опознание по заявлению нескольких граждан, подвергшихся вчера вечером хулиганскому нападению в клубе «Эдельвейс». Вы не против?

Я настолько обалдела от его слов, что нашла в себе силы только инфантильно кивнуть и промолчать. Мои чувства понять можно: в довесок ко всему нагромоздившемуся на мою несчастную психику за вчерашний ненормальный день получить еще и обвинение в хулиганстве! Нет, мир точно сошел с ума и хочет то же самое сделать и со мной.

Краснорожий капитан, приведший меня в этот сумасшедший подвал, ушел и не закрыл за собой дверь. Через несколько секунд в нее вошли три женщины.

Взглянув на них, я смогла только прицокнуть языком и закатить глазки. Ну посудите сами: меня поставили в один ряд с двумя какими-то бомжихами, подобранными у ближайшего ларька, и местной абоcensoredригенкой весом в сто пудов и с явно казенной физиономией. Боже мой! Если кого и выбирать в хулиганки из такого набора, то только меня, несчастную, остальные были недостойны даже взгляда мало-мальски приличной жертвы.

После того как меня с моими «подельницами» перетасовали и поставили в рядок, начали по очереди заходить «жертвы».

Первым был нудный метрдотель из «Эдельвейса», державшийся с необычайным достоинством. Он поздоровался за руку с обоими сотрудниками РОВД, присутствующими на этом спектакле почетными зрителями, и, пройдя мимо нашего ряда, молча указал на меня.

— Пожалуйста, — обратился к нему оперативник в куртке, — скажите конкретно — кто.

— Вот эта девушка в плаще. — Дядька совершенно хамским образом ткнул в меня пальцем.

— Когда вы с ней встречались и как зовут эту девушку? — подскочил к нему второй оперативник.

— Не знаю, как ее зовут, а увидел я ее вчера впервые в жизни, — начал метр и со слезой в голосе рассказал душещипательную историю о том, как он вчера не покладая рук выполнял свои нелегкие обязанности по контролированию порядка в большом зале «Эдельвейса», и вдруг невменяемой фурией промчалась мимо него я. Он так и сказал — «невменяемой фурией». Поэт, блин! Так вот я и промчалась и, схватив его за настоящий французский галстук, протащила в административный коридор, а там!..

В общем, он нарисовал портрет маньячки, которой, я и сама не поняла, что было нужно. Потому что, по словам бедного потерпевшего, в туалете он совсем не был. А как ему удалось позвать охрану, если, как он выразился, я не оставляла его ни на минуту, дядька внятно объяснить не смог.

Наконец он ушел, и я подумала, что на этом все закончится. Я оглянулась на соседок и была удивлена изменением их настроения. Обе бомжихи смотрели на меня почти влюбленно, многопудовая же мадам, услыхав рассказ о моей порочной натуре, бочком-бочком постаралась отойти подальше и косилась на меня очень даже нехорошим взглядом.

— Приглашается следующий потерпевший, — провозгласил опер, тренирующийся, очевидно, в амплуа конферансье, и к нам вошел один из охранников. Тот самый динозавр с горошинкой вместо мозга, у которого эту горошинку я вчера так хорошо потрясла бутылкой коньяка.

В отличие от метрдотеля, парень чувствовал себя здесь неуютно. Было заметно, что с гораздо бо́льшим удовольствием он бы лично поговорил со мной, чем добивался бы моего наказания с помощью милиции. Динозавр неуверенно мычал, пыхтел и говорил односложными словами. Но ребята-опера сумели-таки из него вытрясти, что вчерашней хулиганкой была именно я, что особых претензий он ко мне не имеет и что произошедшее вчера было ерундой на постном масле, о которой и говорить неудобно.

После него вошел второй охранник и повел себя примерно так же. Можно было ожидать еще и Ольгу, которой я не дала спокойно допить коньячок, но ее почему-то не было.

После окончания опознания всех моих соседок отпустили. Я же, подойдя к столу, где была прервана увлекательная партия в нарды, принялась подписывать всякие бумажки.

— Что ж вы так себя неадекватно ведете, Татьяна Александровна? — спросил меня опер в коричневой куртке. — Характеристики у вас замечательные, никогда никаких претензий к вам не было. И вдруг — такая неадекватность!

— Вы уверены, что это была неадекватность? — хмуро пробормотала я и, подписав последний листок, спросила: — Ну что, теперь меня посадят в тюрьму?

— Это решит суд! — провозгласил опер.

И тут дверь снова отворилась и в наше уютное помещение влетел Володька Степанов.

— Уже? — выкрикнул он на ходу.

— Ага! — на том же языке ему ответил опер, и Володька, не обращая на меня внимания, подошел к столу, взял со стола все подписанные протоколы.

— Та-ак, — протянул он, внимательно читая все, что там было написано, — та-ак. Ну что ж, Татьяна Александровна, за хулиганство надо отвечать по всей строгости, чего я вам и желаю, извините за выражение.

Я, плотно сжав губы, промолчала, решив про себя, что месть моя будет ужасна и растянется во времени и пространстве. Что Володька не просто пожалеет об этой подлости многократно, но я доведу его до того, что в каждую годовщину этого безобразного события у него будет непроизвольное мочеиспускание, и никакие Кашпировский с Чумаком не вылечат его от этого.

Володька сгреб все протоколы и предложил мне проследовать за ним. Мы поднялись к нему в кабинет, он запер бумаги в сейф и показал мне на стул для посетителей.

— Присаживайтесь, Татьяна Александровна, — сказал он мне с непонятной радостью на своей ментовской физиономии, — я вас сейчас кофейком угощу. Честное слово вам даю, ни один хулиган еще не удостаивался такого приема у меня. Вы — первая и единственная.

Я села с гордым и независимым видом, а Володька засуетился с кофеваркой. Глядя на этот предмет производства фирмы «Дюпон», я подумала, что какой-то там майор не может позволить себе такую роскошь, наверняка это взятка. Одним словом, у меня пошел сильнейший приступ ненависти, и я еле сдерживалась. Ну, понять меня можно, я думаю.

— Ну, ты что грустишь, Танька? — обратился ко мне Володька, отойдя от своего коррупционного механизма.

Я пожала плечами:

— А чему мне радоваться, засранец? Ты мне только что навертел хулиганскую статью, и я не понимаю, почему у тебя такое прекрасное настроение. Кто придумал всю эту ахинею? Почему ты не пресек с самого начала заявления этих жлобов?

— Ну ни фига себе! — воскликнул Володька. — «Пресек»! Да знаешь, каких мне нервов стоило заставить этих двух качков подать на тебя заявление? У меня чуть чердак не слетел от напряжения, я охрип, устал как сволочь и вообще... Я ожидал от тебя прямо-таки выплеск благодарности, а ты сидишь и смотришь на меня, как сержант на вошь. В чем дело-то? Чем ты недовольна?

— А чем я должна быть довольна? — пока тихо, но уже начиная разгоняться, спросила я. — Какая тут может быть благодарность? У тебя случайно головка не бо-бо, опер?

— С утра было, — признался он, — и все из-за тебя.

— Да?

— А между прочим! — Володька наклонился над своим столом и извлек из нижнего ящика две треснутые чашки, одно блюдце и банку из-под майонеза с насыпанным в нее сахаром. — Условия походные, не обессудь и не побрезгуй, — сказал мой майор и пожаловался: — Секретарша у меня в отпуске за свой счет, приходится все делать самому, даже кофе заваривать.

— Кошмар, — согласилась я. — Так ты мне наконец объяснишь что-нибудь или так и будешь хныкать и жаловаться на жизнь?

— Я хныкаю! — возопил Володька. — Ну ни хрена себе, прошу прощения! Да ты что, не понимаешь, что ли, ничего?

И так как я продолжала упорно молчать, озадаченная Володькиными словами, он продолжил:

— Я нашел целых троих свидетелей, даже лучше, чем свидетелей — потерпевших, которых нельзя заподозрить в желании отмазать тебя, которые подтверждают твое вчерашнее алиби! Ты понимаешь это слово? А-ли-би! Они подтверждают, что на момент убийства тебя просто не было в твоей квартире, потому что время смерти Поприна определяется довольно-таки точно: мои ребята нашли одного твоего соседа, который точно слышал выстрел. А тот козел, что ментов вызвал, скорее всего, сам Поприна и грохнул...

— Это и так было ясно, — не выдержала я своего собственного молчания.

— Это нужно было обосновать, и теперь обоснование есть, — пояснил Володька. — Время вызова наряда не согласовывается с выводами экспертизы о времени смерти. Ведь тот, кто звонил, сказал, что слышал выстрел, а Поприн был убит раньше и...

— Я все поняла, — призналась я. — Если ты считаешь, что это необходимо, то я могу принести тебе свои искренние благодарности.

— Во множественном числе приносят только соболезнования, — упрекнул меня Володька.

— Ну хватит выпендриваться, — оборвала я его, — давай свой кофе, вон шумит уже.

Кофе мы пили в молчании. Каждый думал о своем. Володька наверняка все обсасывал мысль о том, какой он молодец, а я решала, когда мне лучше всего будет встретиться с Изольдой Августовной и вернуть ей деньги. Получалось, что чем раньше, тем лучше...

— А большой срок тебе не дадут, — выпалил вдруг Володька, и мне пришлось отвлечься и посмотреть на него.

— Да, — энергично кивнул он головой, — все эти три кадра с точки зрения нормальных граждан очень даже не положительны. Распорядитель еще в советское время сидел по экономической статье, он тогда был директором чебуречной. А братки, вообще...

— Ты на колесах? — перебила я Володьку.

— ...В лучшем случае получишь штраф, в худшем — условно... — все-таки закончил Володька свою речь и озадаченно посмотрел на меня. — Да, я на машине, а куда тебе надо?

— Вот отвезешь и посмотришь, — ответила я и отодвинула от себя чашку. — Кстати, поимей в виду, мне не нужен ни штраф, ни условный срок. И если ты сумел уговорить этих ребят прийти в милицию, то теперь уговори их, чтобы они согласились на полюбовное соглашение: я готова заплатить им за моральный ущерб... в размере одной минимальной зарплаты.

— Эх, ничего себе! — присвистнул Володька, но спорить не стал, заметив, что я к этому не расположена.

Он быстро убрал посуду обратно в ящик стола, и мы вышли из РОВД.

На служебной стоянке стояла темно-зеленая Володькина «семерка» — предмет его непонятной гордости. Подумаешь, «семерка», а вот у меня вчера была целая «девятка», и то я молчу!

Мы сели в машину, Володька, прослушав мои указания, взял курс на дом Изольды Августовны и после первого же светофора не выдержал. Похвалил себя несколько раз, а потом начал заводиться на целую речугу.

— Нет, Танька, ты должна оценить, какой я умный и предусмотрительный, — наверное, уже в пятый раз повторил Володька, очевидно, считая, что моего «мерси» ему маловато.

Я только зевнула на его слова и ничего не ответила. Надоело уже.

— Ты почему молчишь? — забеспокоился Володька, нагибаясь вперед и стараясь заглянуть мне в глаза. — Я сделал что-то не так? Ты скажи!

Эта фраза означала, что он зашел за похвалой уже с другой стороны, поэтому пришлось максимально ровным тоном ответить ему:

— Все так, ты молодец, я очень рада.

— Хм, — Володька подумал и решил, что сейчас самое время надуться и обидеться.

— Стараешься, стараешься, — с театральным страданием проговорил он, — и никакой благодарности.

Э-эх, жисть-жистянка!.. Черт знает что, честное слово.

Выслушав его надрывное «э-эх!», я сама уже не выдержала и спросила:

— Ну ты какую хочешь получить от меня благодарность и где? Прямо в машине, что ли?

Володька вздрогнул и бросился в отступление:

— Ну почему сразу в машине. В машине только первую часть, а продолжение гм... гм... можно провести и у тебя в квартире...

Я промолчала и подождала, пока он свернет прямо к нужному мне дому. Увидев, что оказался в неизвестном для него месте, Володька забеспокоился и сразу заподозрил неладное.

— А куда мы едем? Ну-ка колись, какие у тебя планы? Ты не забывай, что мы оба безоружные.

— Я и не собираюсь стрелять, — ответила я, — мне просто нужно пообщаться с одним моим знакомым.

— У тебя все начинается с этого, — проворчал Володька, поняв, что и вторая часть благодарности откладывается на неопределенное время. Ему оставалось только одно, что он мог сделать: смириться и терпеливо ждать, когда я решу все свои дела.

Он это и сделал, не переставая вздыхать и строить страдальческие рожи в ветровое стекло.

Мы подъехали к дому Изольды Августовны и, как оказалось, вовремя. Она как раз вышла из подъезда и направилась в сторону дороги. Сперва она не обратила внимания на Володькину «семерку» и отступила на тротуар, чтобы пропустить нас. Но потом, взглянув в машину и увидев меня, вздрогнула и нахмурилась. Я сказала Володьке остановиться и вышла из машины, держа в руке сумочку.

— Еще раз здравствуйте, Изольда Августовна, —

сказала я, — видите, снова пришлось встретиться. Мне бы хотелось разрешить с вами один вопрос.

— Извините, Танечка, мне очень некогда, — с каким-то внутренним вызовом произнесла Изольда Августовна, — я очень спешу. Давайте отложим наш разговор на потом, как мы с вами уже условились.

— Изольда Августовна, — настойчиво повторила я и достала сверток с деньгами, — после того как я ушла сегодня от вас, я обнаружила в своей сумке...

Я не успела досказать. Изольда Августовна, широко раскрыв глаза, отступила на шаг назад и потянула меня за рукав плаща.

— Вы что же, Танечка, собираетесь прямо на улице обсуждать эти вопросы? — шепотом спросила она меня, бросив из-за моего плеча взгляд на Володьку, сидевшего в машине.

— Мне кажется, что здесь какая-то ошибка, — произнесла я, пребывая в твердом желании вернуть деньги, объясниться раз и навсегда и закончить с этим делом.

— Ну знаете, Танечка! — Изольда Августовна внезапно выпрямилась и с неприязнью взглянула на меня. — Ну, знаете что, — повторила она, — в конце концов, мы с вами не уславливались ни на какую конкретную сумму. Я вообще могла ничего вам не давать, согласитесь.

Я удивленно взглянула на нее.

— Ну да, — с резким кивком головы повторила она, — вы просто вошли в мое положение, и я вам за это очень благодарна, поверьте мне. Я не отказываюсь от того, что вы совершили работу, сложную, да и опасную. Но все же имеет свои пределы. Я не могу заплатить вам больше, поверьте мне. Даже если бы очень хотела.

Она быстро осмотрелась по сторонам еще раз и почти прильнула ко мне:

— И вообще, я считаю, что десять тысяч долларов вовсе не такая уж и плохая сумма за то, что произошло. Как я вижу, для вас все это кончилось без последствий, вы на свободе, то есть еще раз вы блестяще продемонстрировали ваш профессионализм. Мне говорили совершенно разные люди, что вы умеете выходить «сухой» из самых сложнейших положений. Теперь я это вижу сама.

Я покачала головой, намереваясь сказать, что все это не так и я не собираюсь брать деньги за то, чего не делала, тем более — за якобы совершенное мной убийство. Мою реакцию Изольда Августовна поняла неверно: увидев, что я с нею не согласна, она моментально напряглась и кривя губы выдала:

— Я не могу заплатить больше, и не будем об этом. В конце концов, если вы собираетесь настаивать, то мне ничего не остается делать, как написать заявление в милицию о вымогательстве. Да-да! Ведь согласитесь: напрямую я вам ничего не заказывала и никаких доказательств против меня у вас нет. А откуда вы знаете, может быть, у меня сейчас в кармане лежит диктофон, а?

Произнеся этот бред, Изольда Агустовна независимо вздернула голову, что смотрелось довольно-таки смешно, и, обойдя меня, быстро пошла в сторону дороги.

Я посмотрела ей вслед и вернулась к машине.

Володька сидел за рулем и курил с постоянным для себя в последнее время кислым выражением лица. Я хлопнула дверкой и села на переднее сиденье, не спуская глаз с удаляющейся Изольды Августовны.

— Ну что, пообщалась? — спросил меня Володька. — Мне показалось, что она на тебя наехала. А за что, можно узнать? Ты пожаловалась, что тебя плохо причесали, что ли?

Я молча смотрела вслед Изольде Августовне до тех пор, пока она не скрылась за поворотом.

— Куда едем? — спросил Володька, заводя машину, и осторожненько намекнул на интересное для себя: — Что-то кофейку захотелось... А твой дом не очень далеко отсюда.

— Едем пока на улицу, а там посмотрим, — сухо сказала я. — Неплохо было бы проследить за ней. Только жаль, что она запомнила машину.

Володька ничего мне не ответил и повел свою «семерку» прочь со двора этого негостеприимного дома.

— Какие будут предложения, опер? — спросила я. — Как нам замаскироваться, чтобы она нас не заметила?

— Давай-ка сначала ее найдем, а там видно будет, — разумно ответил Володька, и я промолчала, потому что говорить в самом деле пока было нечего.

Мы выехали на дорогу.

Глава 10

Изольду Августовну мы заметили издали. Она стояла на обочине дороги и нервно оглядывалась, однако не на свой дом, откуда должны были выезжать мы, а на проезжающие мимо машины.

Володька тут же отреагировал правильно и с резким поворотом спрятал «семерку» за стоящий на приколе «КамАЗ», правда, лишив себя таким образом всяческого обзора. Однако мне было видно все.

— Ну что там? Стоит еще мадам? — спросил Володька, вынимая сигарету из пачки и катая ее в руках.

— Стоит, — проговорила я, старательно вытягивая шею, — и не поймешь сразу, то ли просто смотрит по сторонам, то ли машину ловит.

— Это хорошо, — Володька закурил и развалился на сиденье, — пусть лучше ловит.

— Тебе так нравятся погони? — фыркнула я. — Нам нужна незаметная слежка, а не ковбойские игры.

В это время Изольда Августовна, стоявшая до этого почти без движений, если, конечно, не считать широкоамплитудные упражнения для мышц шеи, проявила вдруг активность. Она шагнула на проезжую часть дороги и замахала рукой.

— Ловит машину, — прокомментировала я ее действия.

Володька молча достал из кармана пиджака сотовик.

Я увидела, что рядом с Изольдой Августовной затормозила синяя «БМВ», и она, быстро распахнув заднюю дверку и еще раз осмотревшись, села в машину. «БМВ» тут же поехала вперед.

— Синяя «БМВ», — резко сказала я, — выводи свой «Феррари» на исходную!

— Номер диктуй, — приказал мне Володька.

С удивлением посмотрев на него, я вытянула шею еще дальше и быстро произнесла:

— М 946 АВ.

Володька лихо набрал номер на телефоне и, подождав, когда ему ответят, произнес:

— Привет, Саша, это Степанов тебя беспокоит... Ну да, да... Слушай, тут такое дело... нашему отделу нужна ваша помощь... прямо сейчас, да... синяя «БМВ» номер М 946 АВ... Едет по Московской в направлении Волги, сейчас она уже около угла Трахова, наверное... Само собой... обязательно причитается, ты же меня знаешь... О’кей!

Отключившись, Володька торжественно посмотрел на меня.

— Теперь ее пасут все гаишники по городу. Можно ехать к тебе домой и просто получать информацию по телефону. Круто?

— Обычная коррупция, — заявила я, решив из принципа не хвалить Володьку, — превышение полномочий в личных целях. Сколько за это дают, не помнишь?

Володька открыл рот, чтобы разораться, но я быстро наклонилась к нему и чмокнула прямо в этот открытый рот, спугнув весь его гнев, и тут же выпрямилась обратно. Он шумно выдохнул и повернулся к рулю вполне успокоенный, по крайней мере внешне.

Я всегда знала, что у меня замечательные способности в дрессуре и воспитании. Кто еще может вот так, одним мановением, уничтожить разгорающийся конфликт в самом зародыше, а? И я тоже не знаю.

Володька сидел и наигрывал пальцами какую-то мелодию на руле, а я, скучая, глазела по сторонам. Ехать пока было некуда, и нужно было хоть как-то провести время. Видя, что Володька все-таки продолжает немного нервничать, я решила его развеселить. Заманчивыми движениями я раскрыла свою сумку и покосилась на Володьку. Он совершенно по-свински не обратил на это никакого внимания.

Я сделала вид, что тоже не замечаю его. Вынув из сумки пакет с деньгами, я медленно рассмотрела его со всех сторон, хотя мне это было без надобности, но мне хотелось, чтобы этот зараза, сидящий слева от меня, хоть как-то, но отреагировал. Однако Володька всем своим надутым видом показывал, что он мужчина нелюбопытный.

Ну и черт с ним. Закурив сигарету, я развернула пакет и извлекла доллары на свет божий. Разложив деньги веером, взяла часть пачки в руку и начала их пересчитывать.

Краем глаза я заметила, что Володька, искренне наплевав на свою невозмутимость, откровенно повернул голову ко мне и, кажется, даже снова приоткрыл рот. Но не для того, чтобы глупо по-солдафонски орать, а чтобы задать какой-нибудь каверзный оперский вопрос. А я продолжала пересчитывать, шевеля губами и не обращая внимания на всяких там ментов, сидящих рядом.

Володька откашлялся и спросил:

— Откуда у вас, девушка, такие деньги? Вы когонибудь ограбили?

Я промолчала.

Володька поерзал, покосился в разные стороны и уже более настойчиво спросил:

— Та-ань, откуда бабки? Там, где ты их надыбала, еще нет? А то я бы тоже... того...

— Тихо, я же считаю, — оборвала я его, но тут же, махнув рукой, сгребла деньги обратно в пакет и небрежно кинула его в сумку. — Ну их к лешему, — вполголоса пробормотала я и повернулась к Володьке: — Ну что, почему не звонят твои подельники, коррупционер?

Володька похмурился, соображая, о чем идет речь, и задумчиво ответил:

— Нигде не засветились еще, надо понимать. Так откуда, говоришь, баксы? Клад нашла?

— Не занимаюсь такими делами, — пренебрежительно ответила я. — Эти десять штук мне выплатила Изольда за убийство ее мужа Семена Поприна. Мы с ней сейчас поругались. Она мне сказала речь на тему, что считает эту сумму вполне достаточной, и если я буду требовать прибавки, то она заявит на меня в милицию. Представляешь, какая нахалка?

Произнеся все это максимально доверительным

тоном и не поднимая глаз, в конце фразы я посмотрела Володьке прямо в лицо. М-да-а... Назвать лицом то, что я увидела, было затруднительно. Глаза вытаращены, рот приоткрыт, лоб весь в многомудрых морщинах... А общее выражение этой маски весьма даже, прошу прощения, дурацкое.

— Господи, да что с тобой, Володенька? — с беспокойством спросила я. — Тебе нехорошо? У тебя давление?

— Ты что такое сказала? — зловещим шепотом спросил Володька, пронзая меня сверкающим взглядом. Если честно, то это ему казалось, что взгляд сверкающий, на самом деле он был просто ошалевшим.

— Я спросила, что с тобой, — пролепетала я, изображая полнейшую растерянность. — Да что с тобой случилось-то?

— Со мной ничего! — взревел Володька. — А вот что с тобой, дорогая моя?!

— Как ты меня назвал? — счастливо разулыбалась я и потянулась, чтобы поцеловать своего галантного кавалера в носик. Ну или куда попаду. Но Володька так резко шарахнулся в противоположную сторону, что ударился затылком о закрытое стекло дверцы.

— Так. Все, спокойно, — самокодируясь, проговорил Володька, с трудом справляясь с дрожью в голосе. — Давай сначала, ладно?

— Ты про что, Володенька? Про наши отношения? — продолжала я искренне валять дурочку, наслаждаясь своими артистическими талантами и воздействием их на аудиторию.

— Я про все, — коротко отрезал Володька и уже собрался выставлять все точки над «i» в возникшей красивой ситуации, но тут звякнул его сотовик. — Момент, — сказал он и, вынув его, прорявкал: — Степанов слушает! — Тут же у него лицо растянулось в лицемерную улыбку, и он почти просюсюкал в трубку: — Спасибо, Кириллыч, буду тебе должен... Нет, не долго. Спасибо.

Володька завел свою «семерку», резко сдернув ее с места, объехал наш маскировочный «КамАЗ» и помчался по дороге.

— Ты куда так несешься? — спросила я. — У тебя же нет в кармане этой мигающей хреновинки с сиреной, как показывают в фильмах. Еще ДТП спровоцируешь...

— Где наша не пропадала, — пробурчал Володька и резко подрезал какую-то иномарку, отчего та шарахнулась в сторону и разразилась истошными сигналами.

Ну никакой культуры поведения на дорогах у наших водителей, честное слово.

— Твоя Изольда сейчас на Горького в пяти шагах отсюда — сидит в «бээмвухе» около скверика, — коротко доложил Володька, старательно не смотря на меня.

— Точно она там сидит, или машина стоит пустой, а Изольда уже испарилась неизвестно куда? — засомневалась я.

— Должна быть там. Ребята сообщили, что в машине двое и они беседуют.

Володька еще раз свернул с легкими нарушениями и, резко сбросив скорость, поехал чинно и спокойно, как и подобает законопослушному гражданину, особенно когда он не хочет привлекать ничьего внимания.

— Так, значит, говоришь, это все-таки ты замочила Поприна? — совершенно равнодушным тоном спросил Володька, не смотря на меня. Словно даже и не спросил, а просто подумал вслух. Наверное, он таким тоном в своем кабинете с уголовниками общается.

Я выдержала паузу и с несказанным потрясением в голосе переспросила:

— Что?! Что ты такое сказал?

Потом, резко сбросив интонацию, я спросила почти шепотом — эх, какая великая актриса умирает во мне! — словно ужасаясь услышанному:

— Ты с ума сошел, Володька? У тебя крыша съехала?

«Семерка» вильнула влево, потом вправо, справа на нас снова засигналил какой-то неврастеник — и как таким права дают, понять не могу, наверное, за деньги и по блату.

— Кто из нас сошел с ума?! — завопил Володька, брызгая слюной на переднюю панель и на ветровое стекло. — Кто?! Из нас?! Сошел с ума?!

— Ты, я думаю, — спокойно ответила я. — И незачем так орать, я и без повторов хорошо слышу. Как ты мог подумать, мерзавец, что я убила Поприна? Сейчас вот выйду из твоей гребаной машины к чертовой матери, и поедешь один, псих оперный или опер психованный, не знаю, как правильно. Ты что, совсем заработался, что ли? Уже всякую чушь начал пороть...

Все это я произнесла тоскующим голосом, а затем легкими движениями обеих рук вспушила волосы.

Володька резко нажал на педаль, «семерка», видимо, привычная уже к нраву своего хозяина, только еле слышно обиженно взвизгнула и затормозила.

— Вон они, — прошептал Володька, кивая на прижавшуюся к заборчику сквера синюю «БМВ».

Я увидела синюю машину, но разглядеть, кто находится внутри нее, пока не удавалось.

— Проезжай мимо, только не очень быстро, — попросила я Володьку.

Откинувшись назад на сиденье, я постаралась стать маленькой и плоской, чтобы меня не заметили из «бээмвухи». А когда мы проезжали мимо нее, бросила быстрый взгляд внутрь машины.

Рядом с водителем сидела Изольда Августовна и что-то говорила, активно жестикулируя и играя мимикой. Человека, сидящего за рулем, я узнала: вне всяких сомнений, это был Пшенников-первый, тот самый джентльмен, который застал меня в халате и умудрился ничем не высказать своего отношения к этому.

Володька провел машину дальше и поставил ее недалеко впереди.

— Ты видела ее? — спросил он, оглядываясь на меня.

— Ага, — ответила я, — и ее, и его.

— Ну и прекрасно, а теперь, подруга дней моих суровых, ну-ка давай объясняй все. И подробно!

— «Подруга дней моих суровых»! — в полном восторге повторила я. — Володенька, милый, это ты сам придумал для меня, правда?

— Прекрати немедленно! — в полной невменяемости заорал Володька так громко, что мне показалось, будто проезжающая мимо «Газель» даже присела немного от испуга. — Хватит трепаться! Что это за гнилая история с деньгами и убийством?! Отвечай немедленно!

Я поняла, что нужно рассказывать все и не шутить при этом, а то у Володьки, похоже, начинает кружиться голова, если его собеседник, не дай бог, обнаруживает чувство юмора. Тиран, как и все они, мужчины.

— Изольда Августовна, не зная, кто убил ее мужа, подумала, что это сделала я, — монотонно и уныло, как идиоту, начала объяснять я. — Потому что когда мы с ней встречались у меня дома, она мне пожаловалась на плохую жизнь с мужем. Потом было посещение ее «Астарты», а потом почти сразу появился и труп Поприна у меня в квартире. Вот она и подумала, что это моя работа.

— А на самом деле это не ты сделала? — задал Володька дурацкий вопрос, и я с полным правом ответила ему:

— Пошел к черту!

— И я сам так же подумал! — обрадовался Володька, и я взглянула на него с недоумением: о чем это он?

— Смотри, смотри! — Володька обернулся назад к заднему стеклу. — Вон твоя Аделаида, или как ее там, наконец-то сообразила, что приехала, выходит, — Володька еще толкнул меня локтем, надо думать, от избытка чувств, нагнулся над рулем и спросил: — Ну что, пасем?

— Не-а, — ответила я, наблюдая, как Изольда Августовна вышла из машины, слащаво помахала ручкой оставшемуся в «БМВ» мужчине и легкой походкой заспешила на противоположную сторону улицы.

Глядя ей вслед, я подумала, что в ее потрепанном возрасте, наверное, нелегко сохранять такую свежесть движений, определенно, кошелка, за углом прижмется к стене и будет дышать ртом с хрипом.

— А почему мы не поедем за ней? — занедоумевал Володька. — Ты же как раз этого и хотела.

— Перехотела, значит, — небрежно ответила я, — сейчас мне уже не очень интересно, куда она пойдет. Мне больше интересен дяденька. Знаешь, это кто?

Володька покачал головой:

— В первый раз вижу.

— Ну а я во второй. Это один из моих знакомых Пшенниковых, — ответила я и, заметив, что синяя «БМВ» отъезжает от своего места, скомандовала: —

По коням! Я имею желание ближе познакомиться с этим милордом!

— Бу-сде! — ответил Володька, мягко стронул машину с места, пропустил «БМВ» и поехал за ней.

Водитель «БМВ» ехал по направлению к Ленинскому району и вел машину ровно и спокойно. Либо он не хотел замечать за собой хвоста, либо это ему было безразлично. Правда, оставалась еще третья возможность: заметив за собой погоню, он только делал вид, что его ничего не колышет. В таком случае в конце пути нас могла ожидать какая-нибудь неприятность вроде засады.

Чинно и не спеша, не нарушая никаких правил, «БМВ» свернула к станции Тарасов-Товарный и после еще нескольких поворотов остановилась перед высокими металлическими воротами. Над ними, бросая золотые блики во все стороны, горели буквы ООО «БУРНЫЙ ПОТОК».

Посигналив два раза, водитель подождал немного, и ворота открылись. «БМВ» въехала, и ворота стали так же медленно закрываться за ней.

Володька не успел. Войдя в роль сыщика, следящего за опасным преступником и потому вынужденного прикрываться каждым кустиком, он подкатил к воротам, когда они плотно закрылись. Да все равно бы нас охрана не пустила. Нужно было или ждать, когда Пшенников выедет назад, или придумывать легенду для въезда.

— Ну и что будем делать дальше? — спросил Володька, поглядывая почему-то вверх на буквы, а не влево на будку охраны, откуда неторопливой развалистой походкой выполз громила в камуфляже и раскачивающейся походкой побрел к нам.

— Будем напрашиваться на свидание, — сказала я. — Кстати, извини, конечно, но по твоим самым надежным источникам Григорий Иванович Пшенников должен находиться в Париже или в Киле...

— А ты уверена, что это он? — спросил Володька.

— Нет, — ответила я не смутившись, — но он первым мне так представился.

— Железная логика! — похвалил меня Володька и сказал: — Нечего хаять мои источники. Пока они меня еще ни разу не подводили.

Охранник подошел к нам и, наклонившись, заглянул в машину, постучав пальцами по крыше. Володька опустил стекло.

— Ну чо? — спросил охранник.

— Мы приехали к Григорию Ивановичу, — поспешно ответила я, видя, что Володькины уши начали стремительно краснеть, что всегда с ним бывает перед приступом громкого крика. Отвык, опер, от простых народных вопросов вроде «ну чо», разбаловался субординацией и чинопочитанием. Оторвался от народа, можно сказать.

— Он на месте? — спросила я, намеренно не называя фамилию.

Охранник задумчиво посмотрел на меня, потом на Володьку, очень медленно кивнул, пробормотал «щаз» и, развернувшись, побрел к себе в будку.

— Что это такое? — потрясенно спросил Володька, повернувшись ко мне: — Ты понимаешь хоть что-нибудь?

— А что?

— Он даже не спросил, кто мы, зачем мы... А может быть, мы киллеры?

— Ты давно о себе начал говорить во множественном числе? — поинтересовалась я, откидываясь на сиденье. — Глядя на меня, никто бы и не подумал, что я похожа на киллера.

— Ну тогда интересно, что он о тебе подумал? — с тихой ехидцей спросил Володька, а я хлопнула ресницами, пытаясь поймать потаенную мысль, высказанную в его вопросе. Но тут ворота дрогнули и начали медленно открываться. Так что я не успела понять, что Володька имел в виду, но запомнила, что он попытался мне нахамить.

— Какая-то халявная контора, — пробурчал Володька, — впускают неизвестно кого... Бардак российский.

Ворота распахнулись, и мы медленно въехали во двор ООО «Бурный поток».

Слева расположился двухэтажный домик из белого кирпича с черной рубероидной крышей, а справа огромная площадь была отдана под металлические ангары с разными службами. Здесь же стояли два длинномера «Рено» с тентованными кузовами.

Мы остановились напротив входа в белый домик, и я первой вышла из машины. Володька задержался, суетливо дергая за ключи, но я-то знала, что он просто решил перестраховаться и посмотреть, не случится ли со мной чего-нибудь опасного, чтобы потом выскочить со своим майорским удостоверением наперевес.

Хлопнула входная дверь, и на крыльцо домика вышла девушка в голубоватом плаще, накинутом на плечи. Из-под плаща выглядывал белый костюм.

— Здравствуйте, — произнесла она, обращаясь ко мне, — вы по какому делу к Григорию Ивановичу?

Тут ко мне подошел Володька и, услышав вопрос, покосился на меня, а я молча достала из сумки свою визитку и передала ее девушке.

— Вам назначено Григорием Ивановичем? — уточнила девушка, прочитав, что было написано в визитке. При этом ее брови удивленно вскинулись, и она посмотрела на меня более благосклонным взглядом, чем прежде.

Я кивнула и сказала «а как же», не уточняя, впрочем, что не на сегодня.

Пригласив нас войти, девушка поднялась на второй этаж, а мы с Володькой остались стоять около первой ступеньки лестницы рядом с охранником — пожилым дядькой в очках, но с дубинкой в руках. Через пять минут раздалось цоканье каблучков и та же девушка, но уже без плаща, свесилась сверху через перила и позвала нас к директору.

Я впереди Володьки миновала миниатюрную приемную и вошла в гостеприимно раскрытую дверь кабинета. Он был небольшим и простым, без излишеств: прямо напротив двери стоял рабочий стол не самого последнего дизайна, перед ним еще один — для сотрудников, тут же четыре офисных кресла. В одном углу — кадка с пальмой, в другом — телевизор. Вот и весь интерьер кабинета директора далеко не самой последней фирмы в городе, как я понимаю.

Григорий Иванович, оказавшийся настоящим Пшенниковым, сидел за столом и перекладывал какие-то бумаги. Увидев меня, он привстал со своего кресла и показал жестом на стол-приставку, стоящий перед его столом.

— Здравствуйте, Татьяна Александровна, — поприветствовал меня Пшенников.

— Здравствуйте, — ответила я и расположилась в крайнем кресле. Володька просто кивнул и, пройдя дальше, сел справа от меня, получилось — ближе к Пшенникову.

Откашлявшись, Григорий Иванович произнес:

— Охранник на воротах мне доложил, что приехало крупное начальство из райотдела. Знаете, как в анекдоте? Кто в машине — не знаю, но за рулем был генерал. Так и мне доложили, что за рулем майор, а в машине, наверное, следователь из прокуратуры, никак не меньше. — Пшенников помолчал, а потом обратился к Володьке, причем в его голосе прозвучало некоторое беспокойство: — Вы на самом деле из райотдела?

— Да, но здесь я не по делам службы... почти, — туманно объяснил Володька и скучающе посмотрел в сторону.

Еще раз скупо улыбнувшись, Пшенников сел в свое кресло и негромким голосом сказал:

— Я вынужден вас огорчить, Татьяна Александровна, прошло время, и свершились некоторые события, о которых вы, безусловно, знаете, так как стали... — Пшенников опустил голову и немного подумал, — да, стали свидетелем некоторых из них, и поэтому вынужден вам сказать, что вы запоздали со своим демаршем. Предложение, которое я вам делал несколько дней назад, утратило свою актуальность.

Директор пожал плечами и улыбнулся. В переводе на человеческий язык с канцелярита это наверняка означало: прием окончен и не мешайте мне работать. Однако я приехала сюда вовсе не затем, чтобы внимательно выслушать то, что наметил мне сказать Пшенников, и за сим откланяться. Я собиралась коечто выяснить и не желала уходить, пока этого не сделаю.

— Я хотела бы вам сказать несколько слов, — сказала я, — если у вас есть еще несколько минут и вы согласитесь меня выслушать.

— Несколько минут у меня есть, — ответил Пшенников, бросив осторожный взгляд на Володьку, который сидел с таким видом, словно у него припасено двенадцать чемоданов с компроматом на Григория Ивановича. Не знаю, как это у Володьки получалось, но на его лице было написано именно это, и Пшенникову такое положение уверенности не добавляло.

— Григорий Иванович, я хотела задать вам всего

лишь два вопроса, на которые надеюсь получить адекватные ответы, — начала я. — Дело в том, что, как вы правильно заметили, произошло несколько событий, а именно: был убит некий гражданин Поприн, и я опасаюсь, что вы как-то оказались замешанным в это. Пока я могу сказать, что тоже в ранге свидетеля.

— Не понял вас, — сказал Пшенников и впервые взглянул на Володьку с откровенным беспокойством.

Володька оттренированно сохранил невозмутимое выражение лица и выдержал взгляд Пшенникова. Ни один мускул не дрогнул у него на лице, и от этого у Григория Ивановича заметно прибавилось беспокойства.

— Пожалуйста, разверните ваш тезис, — попросил меня Пшенников. — Я не совсем понимаю, о чем идет речь.

— С удовольствием, — ответила я, усаживаясь поудобней и показывая этим, что располагаюсь надолго.

Пшенников это понял, натянуто улыбнулся и предложил:

— Чай, кофе?

— Благодарю вас, не нужно, — за двоих ответила я, — а вот курить у вас можно?

— Конечно же, Татьяна Александровна, — живо ответил Пшенников и поставил передо мной пепельницу.

Повисла пауза, в ходе которой каждый достал свои сигареты. Я прикурила сама, опередив Володьку с его вечной тормознутостью — никогда он не успевает вовремя предложить даме зажигалку, ну и, разумеется, Пшенникова, который бы просто не смог дотянуться.

— Итак, госпожа Иванова? — было видно, как

Пшенникову не терпится, наконец, услышать от меня, в чем, собственно, дело. Но я не торопилась.

— Григорий Иванович, меня интересуют два вопроса, как я уже сказала выше, — повторила я, с удовольствием затягиваясь сигаретой. — Я предполагаю задать их последовательно, если вы, конечно же, не против. Во-первых, не могли бы вы более подробно рассказать о цели вашего визита ко мне. Дело в том, что последние обстоятельства просто настоятельно требуют объяснений. — Я немножко слукавила, снова сделав вид, что давно уже все поняла, на самом же деле я просто хотела узнать, в чем же заключалась суть непонятного появления Пшенникова в моей квартире.

— Ну-у, — протянул Григорий Иванович, и покосился на Володьку, сидящего с лицом скифской каменной бабы. То есть в данный момент было совсем неясно, есть на лице моего опера хоть какое-то выражение или нет. Да и существует ли у него лицо в принципе? Ну, это я, конечно же, пошутила.

Пшенников откашлялся, извинился и, осторожно подбирая слова, начал говорить:

— Я уже довольно-таки давно знаком с семьей Поприных, отношения у нас дружеские, приятельские, и ничего более...

— Простите, пожалуйста, — улыбнулась я, перебивая, — учредительство в клубе «Эдельвейс» входит в понятие приятельских отношений?

Пшенников неожиданно густо покраснел, его взгляд метнулся на закрытую дверь кабинета, он дернулся в кресле и, протянув руку, нажал кнопку селектора:

— Ниночка, меня нет ни для кого, — резко сказал он и, не дожидаясь ответа, отключил селектор.

— Нет, безусловно, были и деловые отношения, — морщась, словно от желудочного спазма, сказал Григорий Иванович. И у него при этом был такой вид, будто он признавался в чем-то ужасном. — Почему были? Потому что Семена уже, к сожалению, нет. — Григорий Иванович скорбно вздохнул, что ему надо было бы сделать минут на пять раньше, и продолжил: — Придется выстраивать деловые отношения с Изольдой Августовной, чего раньше у нас с ней не бывало.

— А что у вас с ней бывало? — вдруг прервал молчание Володька, остро взглянул на Пшенникова, и Пшенников, плотно сжав губы, опустил голову и, как мне показалось, покраснел гуще прежнего.

Мы с Володькой переглянулись. Я отметила про себя, что нужно будет у него узнать, по каким же, интересно, признакам он узнает мужиков, изменяющих своим женам с чужими женщинами.

— Да, — признался Григорий Иванович, — мы с Изольдой Августовной давно уже... как бы это... близки... Но понимаете, Татьяна Александровна, — обращаясь почему-то ко мне, словно я была обязана понимать таких, как он, — у меня с супругой сложные отношения, и, в общем, мы с ней уже давно чужие люди...

Я нахмурилась: что-то подобное мне уже приходилось слышать и вроде совсем недавно... Повернулась к Володьке, а этот мерзавец устремил взгляд в потолок и что-то внимательно там разглядывал. Решив отложить свою разборку с ним на очень сладкое, я великодушно произнесла:

— Это, можно сказать, ваше личное дело и никого, кроме вас, интересовать не может, если, конечно, не мешает людям жить. Меня интересует другое: объясните, наконец, просто и понятно, какова была ваша цель, когда вы пришли ко мне. Тогда вы говорили намеками, но теперь я хотела бы услышать все как есть.

— Намеками? — удивился Пшенников и проделал это так естественно, что я ему даже поверила. Или почти.

— Мне казалось, что я высказался достаточно определенно и ясно. Но если вы, Татьяна Александровна, настаиваете, то я готов повторить, это мне не трудно. Дело было вот в чем: я встретился с Изольдой Августовной, как раз после вашей вечерней встречи с ней.

— Секундочку, — остановила я Григория Ивановича, — мы... расстались с Изольдой Августовной достаточно поздно...

Пшенников снова покраснел, и я удивилась: взрослый же человек, ну как ему это не надоедает?!

— Она приехала в «Эдельвейс», надеясь найти там своего мужа.

— А нашла вас, — не удержавшись, закончил за него Володька и словно поперхнулся, напоровшись на мой взгляд.

— Ну да, — пожал плечами Григорий Иванович, — Семена не было, и мы с ней попили чайку и поговорили. Она мне рассказала о своих подозрениях относительно вас. Дело в том, что ей по здравому размышлению показалось, что ваша встреча с Семеном все-таки была неслучайной, вы, как бы это сказать, получали задание и отчитывались о проделанной работе. Изольда волновалась: ведь выходило, что вы уже давно следите за ней...

— Не факт, — заметила я.

— После разговора с ней я и решил съездить к вам и купить вас. У меня это, увы, не получилось.

— Вам посоветовала это сделать Изольда Августовна? — спросила я.

— Ну что вы! — воскликнул Пшенников. — Когда в тот же день я рассказал ей об этом, мы с ней даже немного поругались... Вот, собственно, и все...

— А ваша поездка в Париж? — спросил Володька, не простивший мне замечания по поводу его информаторов. — Вы ездили туда или нет? И почему так быстро вернулись?

Пшенников поджал губы и посмотрел на Володьку с таким выражением лица, словно хотел ему сказать: ну она-то ладно, а ты что, совсем ничего не понимаешь, что ли? А еще мужик называется...

— Вы поймите меня правильно, когда встречаешься с замужней женщиной, то постоянно душа как бы не на месте, не узнал ли муж, не встретили бы знакомые... Одним словом, я решил всем сказать, что улетаю на две недели, а сам планировал провести... какую-то часть этого времени с Изольдой... Вот, в общем, и все.

Я переварила услышанное, и пока оно возражений не вызвало. Потом посмотрела на Володьку, он на меня.

— Хорошо, господин Пшенников, — сказала я, — тогда следующий вопрос. Понимаете ли, в чем дело... Почти сразу после вашего ухода ко мне пришел еще один посетитель, и он тоже, как и вы, представился Григорием Ивановичем Пшенниковым. Более того, он оставил мне такую же визитную карточку, как и вы, и тоже сказал, что скоро уезжает.

Пшенников удивленно раскрыл глаза, потом принужденно улыбнулся:

— Вы шутите?

— Если бы, — ответила я, — какие уж тут шутки. Сначала два Пшенникова, потом убивают Поприна...

— Вы подозреваете меня?! — шепотом произнес Григорий Иванович, и это был такой жуткий шепот, что мне показалось, даже пепельница звякнула от него.

Я покачала головой:

— Разговор об этом не стоит. Я просто хочу узнать: вы были в курсе этого второго визита?

— Ни в коем случае... А это на самом деле случилось? И карточка была моя? Удивительно...

— В общем, обычное дело, — неизвестно зачем пробурчал Володька, и я даже немного разозлилась на него.

— И как же он выглядел? — спросил Пшенников.

Я описала второго визитера с максимально возможными подробностями, но Григорий Иванович только пожимал плечами:

— Трудно, трудно, Татьяна Александровна, понять, кого вы имеете в виду. Если бы была фотография...

— Увы, не успела, — грустно пошутила я и встала. — Ну что ж, Григорий Иванович, извините за беспокойство, нам уже пора ехать.

Володька вскочил быстрее, чем того требовали приличия, — засиделся, наверное, — и мы направились к дверям кабинета. Пшенников не остался сидеть за своим столом, нагнал меня у выхода.

— Если что узнаете об этом... мгм... двойнике, — проговорил он, — был бы вам очень благодарен...

— Что ж, сообщу вам, — ответила я.

Глава 11

Три последующих часа у меня дома пролетели как двадцать минут, а я даже отдохнуть не успела.

Повеселевший Володька, фальшиво напевая «Эх, раз, да еще раз, да еще много-много раз!», жарил яичницу. А я, вооружившись пультом и перелистывая каналы, смотрела в телевизор, как в наскучивший калейдоскоп, и думала о том, что ничего-то я не понимаю в этом деле.

Появление Поприна в моей квартире было самой наименьшей из загадок. При наличии необходимых навыков можно без ведома хозяев вскрыть замок любой сложности, это совершенно ясно. Но непонятно, зачем кому-то нужно было убивать Поприна именно в моей квартире. Мало, что ли, для этого других мест, гораздо более привлекательных?

В дверях комнаты появился Володька, обутый в мои тапочки и прикрывший живот моим кухонным фартуком. Я в который раз уже обратила внимание, что эта униформа идет ему больше, чем майорский китель и фуражка.

— Кушать подано, мадам, — возвестил он, и я, занудно поправив своего солдафона: «Между прочим, мадемуазель», встала с дивана и повлачилась в кухню.

На улице уже начало смеркаться — октябрь ненавязчиво намекал, что скоро зима и уже совсем не за горами время, когда как ни глянешь на улицу, там будет темно. Или — уже темно, или — еще, и так до весны. Кошмар! А есть же люди, которые всю свою жизнь живут на Лазурном берегу, видят снег только в фильмах ужасов и еще чем-то недовольны.

Я села за кухонный стол, и Володька, сияющий как самовар в Рождественскую ночь, поставил передо мной тарелку с яичницей и бутылку соуса «Чили».

— И так жизнь по вкусу, как этот соус, — проворчала я, обильно поливая яичницу красным раствором, — а ты еще горечь подсовываешь...

— Метод компенсации, — улыбаясь, выдал Володька половину умной мысли, и я взглянула на него, ожидая вторую половину.

Он уже открыл рот, чтобы выдать и ее, но тут зазвонил мой телефон.

— Да! — ответила я, с тоской думая, что это не

кстати проклюнулся какой-нибудь новый клиент, в то время как настроения работать у меня нет, а есть зато в душе кризис, на улице осень, и на тарелке — яичница недожаренная.

— Танечка! — услышала я знакомый голос в трубке и от неожиданности укусила вилку. Вилка промолчала, а я молчать не стала.

— Блин! — в сердцах воскликнула я и тут же извинилась: — Прошу прощения, Изольда Августовна, я это не вам, тут у меня досадная неожиданность случилась...

— Да? — переспросила она. — Ну совсем как у меня, Танечка. Вы уж извините меня за беспокойство, но не могли бы вы ко мне приехать?

Я молча обдумала услышанное, а потом задала закономерный вопрос:

— А зачем, можно узнать?

— Есть причина, и очень важная. Я вам все расскажу при встрече, только, если можно, приезжайте одна... Вы приедете?

Я задумчиво повозила вилкой в тарелке, и Изольда Августовна, правильно истолковав мое молчание как требование дополнительной информации, зачастила жалобным тоном:

— Танечка, я прекрасно понимаю, что вы, наверное, обижаетесь на меня. Ну простите, пожалуйста... Но мне очень-очень нужна ваша помощь, я просто в растерянности. Мне, кажется, угрожают... Да, впрочем, что такое я говорю: мне на самом деле угрожают, и я опасаюсь за свою жизнь!

— А что милиция? — спросила я, уже решив про себя, что обязательно поеду и выясню все и окончательно. Но не могла же я согласиться легко и сразу после того, как Изольда Августовна так откровенно нахамила мне.

— Это не то дело, которое можно доверить милиции, оно достаточно щекотливое... Ну вы приедете,

Танечка? — уже откровенно заныла Изольда Августовна и применила, как ей показалось, самую растяжелую артиллерию: — Я хорошо заплачу вам, очень хорошо заплачу. Мне необходима ваша помощь!

— Вы сейчас дома? — спросила я, честно говоря, ожидая услышать, что Изольда находится где-нибудь у черта на куличках и вокруг нет никого на тысячи километров, по крайней мере именно такой вывод можно было сделать из ее жалостливых интонаций. Но она ответила быстро:

— Конечно же, дома, где же мне еще быть? Так вы приедете? Правда?

— Да, ждите, — нехотя ответила я и отключилась.

— И что ей было нужно? — спросил меня Володька с хитрым прищуром глаз.

— Ты же слышал, — ответила я, — вроде ей кто-то там угрожает. Будем надеяться, что не тень Семы Поприна. Просит меня приехать, но без тебя.

— Хм. — Володька состроил рожу, показывая, что ему эта идея не нравится.

— Если она хочет, чтобы я ехала без тебя, значит, я поеду без тебя... на лифте, — твердо сказала я. — Поставишь машину за углом, а там видно будет.

Я оделась на удивление быстро — причина, очевидно, была в том, что мое не находящее удовлетворения любопытство и накопленное от всех несуразиц раздражение подстегивали меня в каждую секунду сборов. Между прочим, я надела туфли даже раньше, чем Володька влез в свои ботинки. И чего этот опер так долго возился с посудой в кухне? Мужчина, что с него возьмешь.

Мы выехали молча и молчали всю дорогу, каждый думая о своем. Когда добрались до дома Изольды, Володька, покрутившись в отдалении, нашел укромное место и поставил там свою «семерку».

Выходя из машины, я задала ему только один-единственный вопрос:

— Твой сотовик при тебе?

— Конечно! — отозвался он и полез в карман.

Я поморщилась:

— Не нужно мне показывать, верю на слово. Если понадобится, будь на связи.

— Обязательно! — пообещал Володька, и я, кивнув ему на прощание, направилась к дому Изольды Августовны.

Она ждала меня, и дверь ее квартиры открылась почти сразу же после звонка. Увидев, что Изольда Августовна одета в темный брючный костюм, я подумала, что не слишком далеко ушла в своих предположениях от действительности — возможно, предстоит путешествие на ночь глядя. Интересно узнать, с чем все это связано...

В отличие от прошлой встречи Изольда Августовна пригласила меня не в зал с помпезной имитацией камина, а в кухню. Для наших людей разговоры в кухне подразумевают большую степень доверия и открытости, что ли.

— Танечка, у меня проблема, — сказала Изольда Августовна, как только был наскоро совершен минимальный ритуал гостеприимства: «чай-кофе-спасибо-курите-пожалуйста». — Я даже не знаю, как вам сказать, — продолжила Изольда Августовна, закурив, — но положение действительно угрожающее. Я боюсь.

— Расскажите с самого начала, пожалуйста, — попросила я, не зная, какой новый сюрприз подсунет мне мадам «Астарта», вдруг еще десять тысяч баксов. А вспомнив про эти деньги, быстро опустила глаза, не в силах сдержать усмешку: интересно, кого еще, по мнению Изольды Августовны, я убила.

— С самого начала? — неуверенно переспросила

мадам Поприна и, вздохнув, призналась: — Понимаете, Танечка, я изменяла своему мужу, вот!

— Неужели? — спросила я.

— Да. — Изольда Августовна покаянно опустила голову, но тут же гордо вскинула ее. — А куда мне было деваться? Вы же видели это животное, прости господи, которое было моим мужем! Разве с ним можно было жить? Нет, Танечка, вы мне скажите как женщина: разве можно было жить с этим быдлом? Да он ни одной юбки не пропускал мимо! Последняя шлюшка, которую он нашел себе, это работница моего салона, абсолютно серенькое существо, ничего из себя не представляющее, у которой только два преимущества по сравнению со мной: возраст и глупый открытый рот. Этого было достаточно, чтобы у моего муженька уже задрожали все поджилки и он начал вилять хвостом. Тьфу, сволочь, хоть и нельзя о покойном говорить плохо. Но не могу удержаться, столько он мне крови попортил, наверное, ни капли не осталось не отравленной!

Изольда Августовна, разволновавшись, вскочила со стула и забегала по кухне, нервно притопывая ногами. Наконец успокоилась, вернулась к своему месту и, тяжело дыша, села обратно, постукивая ладонями по столешнице.

— У меня есть человек, которого я люблю, — объявила она.

— Рада за вас, — искренне произнесла я и едва не зевнула: стоило ради этого отрывать меня от яичницы и Володьки! Просто свинство какое-то.

— Но понимаете, — нахмурилась Изольда Августовна, — любовь моя — печаль моя. И здесь мне нет покоя. Даже сейчас, когда я уже свободная женщина. Вот она, наша печальная женская судьба, Танечка, и я вам искренне желаю не повторять мои ошибки и не попасть в такую историю, в какую вляпалась я.

Я посмотрела на нее, ожидая, когда же мадам Поприна приступит к делу, ради которого я сама испытала достаточно печали, уезжая из своего дома. Поняв, что с преамбулами пора заканчивать, Изольда, наклонившись вперед над столом, сказала:

— Меня шантажируют, Танечка, мне угрожают, и я боюсь.

— Чем вас шантажируют и кто? — спросила я, обрадовавшись, что, похоже, дело дошло до дела.

— Не знаю, — растерянно развела руками Изольда Августовна. — Правда — не знаю! Это началось несколько месяцев назад. Мне прислали по почте фотографии с... — Изольда Августовна поджала губы и тише произнесла: — Ну-у, на них были я и мой мужчина. Потом мне позвонили и потребовали деньги, угрожая, что все расскажут Семену. Я заплатила. Деньги были небольшие, я подумала, что черт с ними, ничего страшного. Потом это повторилось.

— То есть, если я вас правильно поняла, за те же фотографии с вас потребовали плату еще раз? — спросила я.

— Нет, фотографии были другие, просто удивительно даже, — ответила Изольда Августовна и нахмурилась.

— А что сейчас? — все еще не понимая, спросила я.

— А сейчас с меня потребовали уже совсем огромную сумму и... Я решила заплатить, но твердо — понимаете? — очень твердо заявила, что это будет в последний раз. Но он и сам понимает, что больше шантаж не пройдет, просто по времени не получится.

— Не поняла, — сказала я, — вы же сейчас, извините, вдова, чем теперь-то вам можно угрожать? Кого вам сейчас бояться?

Изольда грустно усмехнулась:

— А свекровь? А брат мужа? Он завтра прилетает из Нижневартовска. С делами Семена оказалась полная путаница, с учредительскими документами — тоже. Если все будет нормально, как сейчас, то проблем не возникнет. Просто было другое время, когда мы организовывались, я имею в виду. И «Астарту», и «Эдельвейс», и другие фирмы Семен, перестраховываясь, записал частично на брата, частично на мать. Ну, понимаете, как все это делали. На самом деле все принадлежало ему, я — прямая наследница. Но чтобы мне переоформить документы, нужно лояльное отношение его родственников, а эта сволочь, шантажист, грозит показать какие-то новые фотографии. Если их увидит свекровь, то это конец. Она сумеет убедить своего второго сына отнять у меня все. Они способны на это, поверьте мне!

— Что вы хотите от меня? — спросила я.

— Танечка, — голос Изольды Августовны стал просящим, на глазах у нее даже блеснула слезинка, хотя, может быть, мне показалось, — пойдемте со мной, а? Я отдам ему деньги, а вы выследите негодяя. Вы же специалист. Я заплачу вам столько же, сколько и... — Изольда Августовна сделала паузу и, полуотвернувшись, быстро закончила: — Сколько и в прошлый раз. Ну пожалуйста!

Я помолчала, соображая, что же это за новый поворот раскрывается в запутанном деле Семена Поприна, и спросила:

— Сколько он просит?

— Двадцать тысяч! — воскликнула Изольда Августовна. — Двадцать тысяч долларов, сволочь ненасытная. Будто денег у меня пруд пруди и я не знаю, куда их девать! Вот! — Изольда Августовна снова вскочила и бросилась к холодильнику «Самсунг», огромным танком возвышающемуся в углу кухни. Раскрыв дверку, затем вторую — в морозильную камеру, — она достала оттуда полиэтиленовый пакет и, захлопнув холодильник, аккуратно положила его на стол.

— Вот, уже приготовила. А встреча, — тут она посмотрела на настенные часы с двумя маятниками, висящие над столом, — через полчаса за городом.

— Успеем? — деловито спросила я.

— Так вы согласны? — воскликнула Изольда Августовна и, кажется, собралась расцеловать меня от радости, но я успела отстраниться. — Ах, извините, — забормотала она, — это был порыв. Извините.

Я потрогала пакет, лежащий передо мной. На ощупь в нем могли быть деньги, но следовало в этом убедиться: надоели сюрпризы и хотелось прожить без них по крайней мере оставшуюся часть дня. Я начала разворачивать пакет.

— Что вы делаете, Танечка? — удивленно спросила Изольда Августовна, глядя на мои действия.

— А вы не забыли пересчитать деньги? — равнодушным голосом спросила я, сняв полиэтилен полностью и разглядывая пачку долларов. Это действительно были доллары и действительно двадцать тысяч, по крайней мере на глазок. Пересчитывать я не стала, мне это было ни к чему. В пакете были деньги, и это главное.

— Вы не доверяете мне, — грустно сказала Изольда Августовна.

Я не стала отвечать ей: что это за частный детектив, который верит всем подряд? Помнится, сегодня я даже Володьке не поверила, и ничего, он не обижается.

— Нам пора выезжать? — вместо ответа спросила я.

Изольда бросила взгляд на часы:

— Давно уже, — сухо ответила она, и я встала.

В коридоре, ожидая, когда Изольда Августовна

наденет свой плащ, я опустила руку в сумку и нажала несколько кнопок на сотовом телефоне. Чтобы Володька не заорал в трубку, как придурок, «алло, алло!», я закашлялась, давая ему понять, что я здесь и связь работает, и спросила, заранее приглушая его крики:

— Мы на чем едем, Изольда Августовна?

— А вы на чем приехали, Танечка?

— На такси, на чем же еще? Машины у меня нет.

— Тогда поедем на моей, — предложила мадам Поприна, и мы вышли из квартиры.

Встреча с шантажистом была назначена действительно за городом — сразу за объездной дорогой среди какого-то, советского еще, долгостроя. Вернее будет сказать, что уже в советское время это был долгострой — то ли курятник, то ли свинарник, а может быть, и санаторий возводить начали, не знаю. А сейчас брошенное здание превратилось просто в руины и развалины, служащие местным дачникам каменоломнями. Так и древнеримский Колизей для той же цели использовали жители средневекового Рима. Правда, на этом аналогия и заканчивалась.

Изольда Августовна, лихо управляя своей «десяткой-премьер», подъехала к развалинам со стороны города и выключила фары.

— Он велел положить пакет под двумя деревьями, растущими сразу же за первыми стенами, — задумчиво проговорила она. — Как вы думаете, где это?

— Понятия не имею, — ответила я. — Я здесь впервые.

— Я тоже, — вздохнула она и призналась: — Денег жалко.

Мы сидели и продолжали всматриваться в сгущающийся полумрак. Наконец мне показалось, что слева я различаю очертания двух высоких деревьев, как раз за первой полуразрушенной стеной.

— Вероятно, там, — сказала я, показывая пальцем в том направлении.

— Вы выйдете здесь? — спросила меня Изольда Августовна.

— Да, наверное, — задумчиво ответила я, внимательно оглядываясь по сторонам.

— Вы, конечно же, взяли с собой оружие? — задала Изольда Августовна простецкий такой вопрос.

Вместо ответа я кивнула и, предварительно отключив освещение салона, чтобы лампочка не осветила меня, когда дверца откроется, быстро выскочила наружу и тихо-тихо прикрыла дверцу за собой. Заурчал мотор, и «десятка», переваливаясь на неровной дороге, вдрызг разбитой тракторами и размытой дождями за прошедшие годы почти до самого грунта, поехала по направлению к деревьям.

Я, стараясь ближе прижиматься к нагроможденным друг на друга бетонным блокам, пошла немного в стороне, ища удобный и незаметный проход для себя. Пару раз едва не упав носом в грязь, я все-таки сумела подкрасться с противоположной стороны к растущим среди обломков двум высоким тополям.

Успела как раз вовремя. Когда расстояние стало достаточным, чтобы можно было что-то услышать и увидеть в темноте, Изольда Августовна уже стояла под деревьями, причем не одна. Рядом с ней находился мужчина, и они разговаривали на довольно-таки повышенных тонах, так что мне не приходилось даже вслушиваться, чтобы понять, о чем речь.

— Это просто подло! — произнесла Изольда Августовна дрожащим голосом. — Мы же обо всем договорились, почему ты требуешь еще?

— За риск, малышка, за издержки... А ты как думала? Мне тоже хочется кушать белый хлеб с маслом и делать себе маникюр-педикюр. Что я, не имею права на это, что ли?

— Свинья, — с презрением произнесла Изольда Августовна и протянула мужчине пакет. — На, и подавись! Последние деньги тебе отдала, ничего уже не осталось!

— А ты мне тут не плачь! — весело ответил мужчина, принимая пакет. — Ты поплачься своему хахалю, он еще выдаст, ты же себе богатенького нашла, еще покруче, чем твой муженек, верно?

— Не твое дело.

— Не мое, точно. А деньги-то мои.

Мужчина сунул пакет в карман пальто, огляделся и быстро проговорил:

— Ну пока, значит, теперь уже точно все, и мы с тобой в расчете. Я тебя не знаю, ну и ты меня не знаешь. Привет.

Отступив на шаг назад, мужчина развернулся и быстро пошел прочь, в темноту развалин. Изольда Августовна тоже повернулась и пошла по направлению к машине, но гораздо медленнее, тщательно выбирая дорогу.

Подождав, когда мужчина скроется из виду, я, ориентируясь на звуки его шагов, неслышно пошла следом за ним. Ввязываться в какие-либо разборки сейчас не стоило, достаточно было просто посмотреть, на какой машине он приехал, и сообщить об этом Володьке, торчащему где-нибудь тут, невдалеке. Ну а потом мой майор поднимет свои коррупционные связи, и там будет видно.

Не успела я додумать эту ценную мысль до конца, как, ступив неосторожно на какую-то валявшуюся доску, споткнулась об нее и, чтобы не упасть, протянула руку и оперлась на стену. Точнее говоря, мне это только сначала так показалось, что я оперлась на стену. На самом деле рука моя, скользнув сверху вниз, оказалась кем-то захваченной. Среагировала я, к сожалению, поздно, и моя левая рука тут же была вывернута назад и поднята вверх.

— Вот это сюрпризец! — весело проговорил надо мной мужской голос. — Я так и думал, что эта сучка подкинет мне какую-нибудь подлянку. Но тебя никак не ожидал. Ты ведь Иванова, да?

Я повернула голову и узнала того самого парня, который вторым приходил ко мне под именем Пшенникова.

— Жаль, не удалось подвести тебя под монастырь с мокрухой. Кстати, не обессудь, сама напросилась! — продолжил откровения парень, но тут мне совсем надоело стоять в той неудобной позе, в которой он меня держал, и я резко прыгнула вперед и пнула моего противника левой ногой в бок. Он меня, естественно, отпустил и тут же присел от боли, получив еще вдобавок очень неплохой удар по колену.

— Вот сука, — зашипел он и задергал своей рукой в кармане пальто, стараясь вытащить оружие, но не успел.

— Не шевелиться! — послышался справа резкий голос, так неожиданно, что мы с ним оба замерли и посмотрели в ту сторону.

А справа стояла Изольда с пистолетом в руке.

— Оба попались! — радостно улыбаясь, сказала она. — А то я уж думала, что мне опять не повезет!

ЭПИЛОГ

Я потрясла в ладони свои магические косточки и высыпала их перед собой на стол. Они подумали и выдали мне многозначительный прогноз: 21-26-3. «Ваши начинания будут чрезвычайно успешны».

Посмотрев расклад, я подошла к сидящему на диване Володьке, отобрала у него книжку и сказала:

— Значит, так. Давай подведем итоги.

— Да? А надо? — как-то мерзко спросил Володька, стараясь максимально затянуть блаженное безделье, протяжно зевнул в пространство и отстранился от меня.

— Ну что еще? — спросила я у него, присаживаясь рядом. — Опять ленишься?

— Да никогда! Ты же меня знаешь! — соврал Володька и пошел в наступление с другой стороны: — Нет, это ты мне скажи — как ты поняла, что там что-то не то?

— Ты про включенный телефон, что ли? — переспросила я. — Да это же ясно и ежику. Что ж за шантажист такой, у которого каждый раз оказывались все новые и новые материалы для шантажа? Изольда ведь не стала бы встречаться с Пшенниковым на виду у всех. И он сам сказал, что старался делать это под максимальным секретом. Сие было первым звоночком, и я начала сомневаться, что дело в шантаже. Ну а потом, когда увидела встречу на развалинах, окончательно поняла, что дело еще более нечисто, чем мне казалось с самого начала.

— Изольда оказалась бабой с умыслами и замыслами, — подхватил Володька, садясь удобнее, — надо же было так закрутить с этим киллером! Вот голова, а?

— Ничего особенного, — ответила я. — Заварилось все на случайности. Если бы Поприн не сделал первый шаг и не начал бы искать киллера, чтобы избавиться от жены, ничего бы и не произошло. А когда он нашел Колю этого, тот сообразил, что сможет заработать в два раза больше, и «вложил» Поприна его жене. Та и решила прокрутить дело похитрее, чем можно было представить с самого начала.

— Ну да, — втянулся в «разбор полетов» Степанов, — так и завертелось. Коля начал пудрить Поприну мозги, говоря, что подыскивает более удачный момент, а сам действительно искал момент, но только для того, чтобы убить его самого. Вот тут и ты подвернулась. Потом произошли эти накладки: Изольда пожаловалась Грише, своему любовнику, на то, что Семен послал за ней детектива, и Григорий приперся к тебе по собственной инициативе. А в это время мадам уговорила Колю сходить к тебе под видом Пшенникова и купить информацию.

— Машину жалко, — вздохнула я, — завтра куплю себе такую же. В кредит, если денег не хватит. Но, надо признаться, это было самым удачным моментом их плана. Коля подорвал мою машину, чтобы задержать меня около «Эдельвейса», а сам с Поприным поехал ко мне домой, якобы для поиска отчетов — он сумел убедить Поприна, что я на самом деле следила за ним. Пока они аккуратно обыскивали мою квартиру, очень кстати нашелся мой пистолет. Как там на допросе Коля сказал? Ах да: появился повод сэкономить и не засветить свой собственный «ствол».

— Ага, действительно неплохо было придумано, — согласился Володька. — А когда Изольда увидела, что тебя не арестовали, она откровенно запаниковала и решила бросить тебе взятку, подумав, что ты на самом деле крутая и сумела отмазаться от следствия. Хотя алиби вам, девушка, предоставил ваш покорный слуга.

— Ну ладно, — сказала я, — твои заслуги уже отмечены, нечего еще напрашиваться.

— А я что, я ничего, — заулыбался Володька. — И потом еще разок я пригодился.

— Это когда я по развалинам ковыляла с включенным телефоном в сумке, так что ли? Кстати, там моя идея сработала.

— Ну безусловно, — быстро произнес Володька, снова берясь за книжку, — я так и сказал.

— С Колей получился классический случай, когда жадность фраера сгубила, — решила я все же закончить подведение итогов, — ему показалось мало денег, полученных от Поприна за убийство жены, от нее за убийство Поприна, он еще и прибавку стал требовать. Тут-то Изольда, назначив встречу в развалинах, и решила избавиться от него и от меня заодно. Все-таки она меня боялась, кошка драная. Ну ты, конечно, вовремя подоспел и отнял у нее пистолет. Хотя еще раз повторю: всю операцию разработала я, а твоя заслуга здесь только исполнительская.

— Конечно, конечно, — ответил Володька совсем уже рассеянно, перелистывая страницы и явно собираясь снова углубиться в чтение.

— Изольда-то меня побаивалась, а вот ты, опер, тоже, что ли, боишься?

— Не понял? — вскинулся Володька, подняв брови.

— Так чего же тогда от меня за книжку прячешься, зараза! — рявкнула я и прыгнула на него.

Володька только крякнул, но ничего не сказал — решил вытерпеть и это испытание.

А куда он денется?

Ошибка Купидона

ПОВЕСТЬ

Глава 1

Просто никакого сладу с этими соседями. То все как один вдруг заводят себе собак, и по собственному подъезду приходится передвигаться, как по минному полю. С той небольшой разницей, что, вляпавшись в собачье дерьмо, не отправишься на тот свет.

То вот теперь один за другим они принялись заменять двери. И ведь не на какие-нибудь, а на самые что ни на есть металлические, с разными премудрыми замками.

Можно подумать, в подъезде проживают одни миллионеры и у них в квартирах хранятся золото и бриллианты на баснословные суммы. Так ведь нет! Уж кому-кому, а мне-то прекрасно известно, что большая часть моих прекрасных соседей живет от зарплаты до зарплаты и эти самые двери — самая дорогая вещь, приобретенная ими за всю жизнь.

Но уж коли один дуралей поставил себе эту громадину, то теперь они не успокоятся, пока не отгородятся от мира железными монстрами.

А меня они точно доконают своими дрелями и отбойными молотками. Такое ощущение, будто живу на строительной площадке. Причем — перед сдачей объекта, когда работа ведется в три смены, а иногда и сутками напролет. Весь дом трясется, как Помпея в последний день, и уши закладывает от грохота.

Не то что выспаться — в ванную сходить невозможно. А в такой обстановке я мыться не люблю. Поэтому не моюсь уже две недели. Я имею в виду — по-человечески.

И если до сих пор я чудом жива, то только потому, что редко бывала дома.

Работа у меня такая. Мягко говоря — необычная. Поскольку зарабатываю я себе на жизнь, трудясь в качестве частного детектива. Уже несколько лет я занимаюсь этим полезным во всех отношениях делом и ничуть об этом не жалею. Хотя иногда чувствую себя такой загнанной клячей, что впору бросить все эти погони и обыски и заняться, как советуют подруги, чем-нибудь скромненьким, «чисто женским».

Будто мое дело «грязно женское».

Хотя, конечно, как посмотреть. В переносном смысле иной раз приходится копаться в таком... Да, в прямом смысле «непыльной» мою работу назвать довольно сложно.

Зато пока она у меня была, соседские прихоти — обзаведение собаками и особенно громогласное возведение металлозаграждений — меня мало касались. Тем более что вообще-то соседи — люди неплохие, и сама я вовсе не ворчливый или неуживчивый человек, как раз наоборот. Просто вот уже неделю я безвылазно сижу дома, потому что в делах наступил неожиданный перерыв. Сижу я и слушаю, как стены трясутся и посуда на кухне дребезжит.

Тут и у ангела характер испортится. Честное слово.

Я всегда так мечтаю о «дне без выстрела»... А тут как назло — клиенты не звонят, не приходят.

Может, дать объявление в газету? «Молодой, но очень опытный частный детектив возьмется за любую работу. Обращаться круглосуточно».

Нет. До этого я не опущусь.

В поисках причины простоя в работе я начала терять голову.

«Видимо, во всем виновата жара, — размышляла

я. — Последние дни термометр на балконе стабильно показывает за сорок, даже удивительно, как до сих пор не лопнул. Поэтому, наверное, преступникам лень выходить на улицу, а пострадавшим, если таковые имеются, неохота идти за помощью. Но как только станет чуточку прохладнее — клиенты толпой побегут ко мне и встанут в очередь километровой длины...»

Таким образом успокаивая себя, я в пятый раз за день под аккомпанемент отбойных молотков отправилась в душ, потому что жара, несмотря на плотно закрытые шторы и работающий на полную мощь вентилятор, изматывала не меньше строительных шумов. И только я встала под упругую прохладную струю, как услышала телефонный звонок.

— Черта лысого! Ни за что не подойду, — гордо заявила я вслух. — Раньше надо было звонить...

И как была, мокрая и голая, рванула к телефонной трубке, оставляя на горячем паркете следы тридцать шестого размера.

— Добрый день, — как можно спокойнее ответила я в трубку, лишь только услышала приятный мужской баритон, интересующийся, действительно ли он говорит с частным детективом Татьяной Ивановой. — Да, это я. Постараюсь вам помочь.

* * *

Неделю назад я отказалась бы от этого дела под любым благовидным предлогом. Скорее всего сослалась бы на хроническую занятость.

Дело в том, что адюльтер меня мало интересует. Следить за похотливыми женушками «новых русских» не доставляет мне никакого удовольствия. Ни человеческого, ни профессионального.

Но теперь не до капризов. На безрыбье и супружеская измена сгодится — лишь бы не сидеть дома, слушая строительную музыку трудолюбивых соседей.

История, судя по всему, самая незатейливая, можно сказать, банальная. Не очень молодой супруг подозревал в неверности свою красавицу-жену и готов был заплатить любые деньги, чтобы вывести ее на чистую воду, и в два раза больше, если я раздобуду доказательства ее невиновности.

На двойной гонорар рассчитывать не приходилось. Сколько у меня ни было таких дел, чем богаче клиент, тем больше вероятность того, что он украшен рогами. Видимо, за богатых выходят женщины не слишком щепетильные в этом отношении. Или брак по расчету хорош по всем статьям, но иной раз хочется и любви. И всегда находится какой-нибудь «красавец-мужчина», контрабандно пользующийся расположением скучающей красавицы.

Одним словом, богатые тоже плачут.

А может быть, у бедных просто не хватает денег на частного детектива.

Скорее всего второе. «Каждая несчастливая семья несчастлива по-своему», как писал Лев Николаевич. А он в этом деле разбирался.

Но пока я не знала никаких подробностей. Разговор был совсем коротким, клиент не хотел ничего объяснять по телефону и просил о встрече через полтора часа.

Я пригласила его домой, хотя обычно этого не делаю. Но, во-первых, мне совершенно не хотелось в такую жару торчать на солнцепеке, а во-вторых, нужно было привести себя в порядок.

За неделю вынужденного отшельничества я немного потеряла форму, поскольку совершенно не занималась своей внешностью. А встречают, как известно, по одежке. Поэтому при первом свидании с клиентом я должна выглядеть безукоризненно.

Мне едва хватило часа, чтобы вымыть, высушить и оформить голову, переодеться и накраситься в соответствии с моими представлениями о респектабельности и выпить чашечку кофе.

Результатом я осталась довольна. Эффектная, но без вызова, молодая, но не «сопливая». Тот самый имидж, к которому я пришла методом долгих проб и ошибок и который производил на окружающих неизгладимое впечатление.

У меня еще оставалось несколько минут, чтобы кинуть кости.

Дело в том, что я никогда ни с кем не советуюсь по поводу своей работы, за исключением магических костей. А к их помощи я прибегала неоднократно и настолько успешно, что с некоторых пор не начинаю ни одного дела, пока не получу от них благословения. При том, что ни кофейной гуще, ни картам я не верю и к гороскопам отношусь скептически.

Да, косточки — это совсем другое дело. Я отношусь к ним как к живым, каковыми они и являются, по моему глубокому убеждению. Поэтому я не только гадаю, но и просто разговариваю с ними, а иногда мы даже ссоримся.

Именно это произошло дней пять назад, когда они из вредности три или четыре раза подряд выкинули одно и то же сочетание чисел: 36 + 20 + 2, что означает: «Выходите замуж при первой предоставившейся вам возможности». Если первый раз я приняла это за шутку (а у моих костей удивительно тонкое и своеобразное чувство юмора), то на третий раз серьезно разозлилась и несколько дней не брала их в руки.

Два дня назад я решила, что пора помириться. Попросив у них прощения, протерла кости тряпочкой и кинула на стол с максимальной бережностью. В ответ получила: 25 + 6 + 17. И еле сдержалась, чтобы не вышвырнуть двенадцатигранники в окошко. А как бы вы отреагировали на такое высокомерие? Ведь это сочетание означает следующее: «Поймите, принести извинения недостаточно! Надо исправлять совершенные вами ошибки». Ни больше, ни меньше!

После этого мы снова два дня «не разговаривали».

Но теперь мне было не до мелких обид. Как можно быстрее я хотела узнать, что сулит мне новое дело, и, сделав вид, что между нами ничего не произошло, с нетерпением кинула кости на кухонный стол.

Иногда после подобных ссор они отказываются отвечать на прямо поставленные вопросы, пока я не вымолю у них прощения, и показывают, например, такое: 25 + 8 + 17, то есть — «Вы способны несправедливо обидеть любящих вас людей». Но на этот раз кости не пожелали помнить зла и ответили вполне по делу: 26 + 7 + 14. В переводе это вот что: «Ожидаются переживания, связанные с вашим согласием участвовать в деле, от которого вы не ждете ничего хорошего».

Это было уже интересно.

Не всегда «слова» магических косточек надо понимать буквально. За ними иногда кроется нечто большее. За время нашего общения я научилась читать между строк и, может быть, поэтому получаю от них действительно важную для меня информацию.

На этот раз, кроме прямого значения фразы, я увидела в ней и неожиданный для меня интерес, и столь же неожиданное его завершение. Косточки предупреждали меня, что нужно избавиться от предвзятого отношения к новому делу. Иногда, если хочешь уточнить рекомендацию костей, можно бросить их еще раз. Только я собралась это сделать, как прозвенел звонок в дверь. Поблагодарив своих помощников (это необходимая часть ритуала), я пошла открывать.

Передо мной стоял человек, по внешности которого я бы никогда не сказала, что он принадлежит к зажиточному классу. Более того, он настолько не был похож на богатого человека, что это сразу вызвало у меня интерес.

Ко мне редко обращались люди бедные. И лишь тогда, когда совсем, что называется, нужда припрет. Но в основном мои клиенты — люди, для которых двести долларов в день (а у меня именно такая ставка) — не деньги.

— Вениамин Зеленин, — протянул он мне руку через порог, но из суеверия сразу же спрятал ее за спину.

— Татьяна Иванова, — ответила я с улыбкой, поскольку мужичок показался мне забавным. — Проходите.

Вениамин снял у порога ботинки и поискал глазами тапочки. Нет, он совершенно не походил на традиционного клиента.

Я подала ему свои старые тапочки, в которых он сразу же стал похож на холостяка со стажем, трогательного и беззащитного. Для полноты образа ему не хватало только газеты с кроссвордом в руках.

Я пригласила его в комнату и усадила в глубокое мягкое кресло. Но он и в нем умудрился выглядеть неуверенно. Сел на самый край, положив руки на колени.

— Сколько в моем распоряжении времени? — спросил он, посмотрев на часы, и этим еще больше расположил меня к себе. Люди, умеющие ценить чужое время, — редкость в наши дни.

— С этой минуты я работаю на вас, — ответила я ему, и он приободрился. Уселся поудобнее, откинулся на спинку кресла и приготовился к долгому разговору.

Как обычно, я включила диктофон, на который он покосился с недоверием, но ничего не сказал.

— Расскажите немного о себе, — попросила я, чтобы понять, с кем имею дело.

— Да-да...

Вениамин передохнул и сосредоточился. Эта небольшая пауза позволила мне как следует его рассмотреть.

Около сорока, довольно симпатичный брюнет, одет недорого, но со вкусом, хотя и немного неряшливо. Средний палец правой руки с характерным желтым пятном заядлого курильщика.

— Можете курить, — предложила я и поставила перед ним пепельницу.

— Спасибо, — кивнул он головой и достал из сумки сигареты и зажигалку.

Сумка у него была из натуральной кожи, каких я не видела в продаже у нас. Я привезла себе похожую из Америки, заплатив за нее бешеные деньги.

Глубоко затянувшись дешевой сигаретой, Вениамин приступил к рассказу.

— Я веду довольно необычный образ жизни... Дело в том, что я цирковой режиссер...

«Вот оно что, — подумала я, — наградил же бог профессией». Я уже начала голову ломать — к какой категории граждан отнести моего посетителя. Можно было перебирать профессии до вечера, но эту не вспомнить.

— Редкая профессия, — ответила я с самым невозмутимым видом.

Профессия действительно была редкой. А для меня еще и загадочной. Мы много слышим о кинорежиссерах, чуть меньше — о режиссерах театра, но про режиссеров цирка почему-то не слышим никогда.

Я, например, в жизни не видела цирковой афиши, на которой бы крупными буквами было написано: «Программа поставлена режиссером таким-то». То ли это не принято в цирке, то ли по какой другой причине, но цирковые режиссеры для большинства публики как бы и не существуют. И я до сих пор не знаю, кто ставил номера Никулину или Енгибарову. Или они сами репетировали их перед зеркалом.

— Я много езжу и иногда неплохо зарабатываю. Хотя по нынешним меркам не так много... — продолжил Вениамин.

— А жена у вас тоже в цирке работает? — уточнила я, чтобы до конца представлять себе картину.

— Ну что вы, — впервые улыбнулся мой новый знакомый, — Светлана — искусствовед и в настоящее время не работает, то есть нигде не состоит на службе. Иногда в газетах появляются ее статьи...

— Она моложе вас? — поинтересовалась я, поскольку в его голосе мне послышалась та доля умиления, с которой стареющие мужчины обычно говорят о своих молодых подругах.

— Да, и намного, — кивнул он головой и посмотрел на меня с подозрением и затаенной болью, видимо, боясь обнаружить на моем лице насмешку.

— И вы подозреваете, что она вам изменяет?

Вениамин покачал головой, будто бы я допустила бестактность.

— Я бы не стал торопиться с выводами, — деликатно поправил он меня. — Но что-то с ней происходит неладное. И это меня беспокоит.

«Боже мой, какие мы ранимые, — мысленно вздохнула я. — «Что-то происходит...» Понятно, что происходит. Иначе не побежал бы к частному детективу».

— Вы хотите, чтобы я последила за ней, за ее... контактами? — спросила я, подбирая максимально тактичные выражения.

— Я хочу знать, что с ней происходит, — твердо ответил Вениамин. И достав из сумки конверт, немного демонстративно передал его мне. — Это аванс.

Ну что же, в каком-то смысле он прав. Мое дело — выполнить задание клиента, принимая все правила его игры. Именно за это мне и платят.

— В таком случае, расскажите мне как можно подробнее, что в ее поведении вызывает ваше беспокойство.

Произнеся эту фразу, я поняла, что вполне могла бы стать дипломатом. И чувство гордости наполнило меня до краев. Ведь я приготовилась слушать подробности, заранее предвидя традиционный «джентльменский набор»: подозрительные запахи, поздние возвращения домой, ночевки у «подруг» и так далее.

Скучно. Подобная информация, безусловно, развлекла бы старушек на лавочках у подъездов. Да и то на часик-другой, не больше. В конечном итоге все эти истории однообразны, как порнографические фильмы. Так как ничего нового в этой области человеческих отношений придумать невозможно.

Поначалу все звучало именно так, как я и предполагала.

Вениамин встретил свою будущую жену чуть больше года назад, и через месяц с небольшим они зарегистрировали свои отношения. Ему было сорок, ей — двадцать пять, роман был бурный и привел к счастливой развязке, если свадьбу считать непременным и достаточным условием happy end. Шесть месяцев с небольшими перерывами на время постановок цирковых программ в других городах продолжались их медовые восторги, но потом...

А вот потом фраза за фразой в рассказе Вениамина стали проскальзывать странные, я бы сказала, не очень уместные в этом сюжете мотивы.

Прежде всего меня удивила такая интимная в устах щепетильного в этом отношении Вениамина информация: Светлана с некоторых пор стала ненасытной в любви. То есть она и раньше не была холодной, но теперь... Вениамин употребил странное выражение: «Она каждую ночь как будто прощается со мной перед смертью». Согласитесь — не самая обычная фраза для характеристики отношений с женой. Даже если делать скидку на принадлежность моего клиента к «людям искусства».

А сам этот взрыв чувственности после полугода регулярной половой жизни... Традиционной я назвала бы прямо противоположную ситуацию. Заводя молодого любовника, женщина начинает избегать «исполнения супружеских обязанностей».

Вениамин волновался и курил одну сигарету за другой. В его рассказе не прозвучало ни одного слова осуждения или злобы по отношению к Светлане. Хотя он и допускал (я добилась от него этого признания), что у нее, возможно, появился другой мужчина. Но признание это настолько потрясло его, что минут пять мне пришлось буквально приводить его в чувство, потому что Вениамин сидел, уставившись в одну точку, с выражением ужаса на лице и не откликался на мои обращения.

Я решила напоить его кофе и оставила ненадолго одного. Вернувшись, застала в той же позе с очередной сигаретой в зубах.

Решив перевести разговор на другую тему, я из любопытства задала, как мне казалось, безобидный вопрос:

— А до Светланы вы были женаты?

Но вопрос произвел на Вениамина странное впечатление. Я могла поклясться, что он испугал его. И мне почудилось что-то неладное.

— Нет, — торопливо ответил он и начал прикуривать зажженную сигарету. — Вернее, был, хотя мы не были расписаны... Она погибла.

— Извините, — опешила я. — Давно?

— Шесть лет назад.

Я пожалела, что заговорила об этом, потому что его предыдущая жизнь имела минимальное отношение к моему заданию.

— Вы принесли фотографию Светланы? — уже с опаской спросила я.

— Конечно. Вот...

На фотографии было очаровательное юное существо, сочетающее в себе красоту и интеллигентность. С первого взгляда было понятно, что Светлана, как говорится, из хорошей семьи.

— Сколько ей тут? — поинтересовалась я, поскольку на фотографии она выглядела не старше двадцати.

— Двадцать пять... с половиной. Это сразу после свадьбы.

— Совсем девчонка, — искренне удивилась я. Тем более что, услышав слово «искусствовед», представила себе высокомерное создание в украинской кофте, в очках и с длинной косой.

— Ей никто не дает ее возраста, — улыбнулся Вениамин, и выражение отчаяния наконец исчезло с его лица.

Он взял в руки чашку с остывающим кофе и отхлебнул с явным удовольствием.

— Очень хорошо, — по достоинству оценил он напиток и ни разу не опустил чашку на стол, пока не выпил все до последней капли.

Я заметила, что руки у него дрожали, хотя по его виду не сказала бы, что он злоупотребляет спиртным.

— Может быть, рюмку коньку? — все же предложила я.

— Спасибо, не хочу, — ответил он не задумываясь, что лишний раз подтвердило мои наблюдения. Даже умеренно пьющий человек делает паузу, прежде чем отказаться от алкоголя. А по-настоящему пьющий — никогда не отказывается.

Может быть, благодаря кофе, а может, потому что самая сложная часть разговора была позади, Вениамин начал понемногу приходить в себя и оглядываться по сторонам.

— А у вас хорошо, — подвел он итог наблюдениям.

— Спасибо.

— Нет, правда, цирковые люди умеют ценить домашний уют. В вашу квартиру хочется возвращаться.

— А бывают квартиры, в которых и появляться не стоит? — рассмеялась я.

— Мне кажется, таких — большинство.

— Тем более — спасибо.

Я выключила диктофон, чтобы мой гость совершенно расслабился, и задала ему еще несколько необходимых вопросов.

Мы договорились, что я начну работать с завтрашнего дня. Тем более что Вениамину нужно было срочно уехать на несколько дней, а в его отсутствие, как он сказал, Светлана вполне могла предпринять что-нибудь такое, на что не решилась бы, останься он в Тарасове.

Я не стала уточнять, что именно «такое», чтобы лишний раз не травмировать своего клиента, но ситуация складывалась классическая. Муж уезжает в командировку... Почти как в анекдоте. С той небольшой разницей, что в большинстве анекдотов муж из командировки как раз возвращается.

Я попросила у Вениамина ключ от его квартиры, и, после некоторого колебания, он согласился отдать его мне перед отъездом.

Прощаясь, он извинился за прокуренную квартиру и еще раз поблагодарил за кофе.

Оставшись одна, я прослушала запись нашего разговора и еще раз как следует рассмотрела оставленную Вениамином фотографию. Светлана выглядела на ней такой счастливой. А ведь вскоре, судя по всему, у нее кто-то появился. Воистину женская душа — загадка. И не только для мужчин.

Мне пришли на ум слова предсказания: «Ожидаются переживания, связанные с вашим согласием участвовать в деле, от которого вы не ждете ничего хорошего». Час назад вторая часть этого утверждения казалась совершенно справедливой. Я действительно думала о будущей работе почти с отвращением. Но теперь поймала себя на мысли, что приступаю к ней с интересом. Меня заинтриговали эти люди, их странные отношения и сильные чувства.

Может быть, косточки и назвали все это «переживаниями»?

В таком случае — они были правы.

Как знать...

Во всяком случае, у меня снова есть работа.

Глава 2

Накануне я пораньше легла спать, чтобы утро рабочего дня встретить во всей полноте нерастраченной женской красоты и здоровья. Мысли мои были настолько заняты предстоящим расследованием, что, ей-богу, я даже не заметила — работали или нет в тот вечер дрели и отбойные молотки.

Не успев открыть глаза, я улыбнулась предстоящему дню. И день в ответ возликовал, устроив в мою честь грандиозный салют. Небеса разверзлись, и за какие-нибудь полчаса на город выпала месячная норма осадков.

Несмотря на кратковременность, дождь был поистине благотворен, потому что все мертвое воскресло, а живое прослезилось от счастья. Одним словом, жара уже не столь изнуряла. И можно было рискнуть выйти на улицу, не боясь расплавиться. Хотя одежда моя все равно состояла лишь из пары бретелек на плечах и кусочка материи на теле. Приоделась я таким образом, чтобы не выделяться из толпы, поскольку большая часть молодых женщин Тарасова была скорее раздета, чем одета. Пресыщенные бесконечным лицезрением женских прелестей мужчины похудели и выглядели затравленно.

Наполеоновских планов на сегодняшний день я не строила. Вениамин, по моим сведениям, находился дома. Светлана наверняка не станет искушать судьбу до его отъезда, если у нее окончательно не поехала крыша от любви. Для начала не мешало прогуляться по их району, посмотреть, в каком доме они живут. В конце концов, я могла встретить на улице Светлану, а как известно, лучше один раз увидеть человека вживую, чем просмотреть целый альбом с его фотографиями. Себя, например, на фотографиях я узнаю с трудом. И путаю со знаменитой «супермоделью».

Тарасов — огромный город, но центральная часть его настолько компактна, что при желании ее можно обойти за полчаса. Мне же понадобилось вдвое меньше времени, чтобы очутиться у нужного подъезда, ведь дом, где проживало «святое семейство», находился неподалеку от моего.

Это была старая, основательно выстроенная «сталинка». В прежние времена получить здесь квартиру мог лишь представитель партийной знати. На худой

11 Зак. 4457

конец — народный артист, да и то — за особые заслуги. Теперь дом был уже не столь престижным, но квартиры в нем остались прежними — «широкоформатными» и с высокими потолками, поэтому вполне могли конкурировать по комфорту с самыми дорогими новостройками. А после евроремонта могли выглядеть и покруче.

Перед домом давал немного тени аккуратный «старорежимный» скверик с гипсовой скульптурой на самом видном месте. Теперь уже трудно понять, была ли это «женщина с веслом» или «герой Гражданской войны», но, потерявшая в борьбе со временем форму и позеленевшая, она придавала дворику некоторую итальянскую изысканность. А в сочетании с пожелтевшими от жары каштанами напоминала о Южной Франции.

Мое воображение разыгралось, так что, присев на лавочку и закурив сигарету, я небрежно, совершенно по-французски закинула ногу на ногу и поймала себя на том, что смотрю на окружающих сверху вниз с неотразимо-чувственным прищуром, как, по слухам, умеют смотреть только француженки. Если честно, в Париже я ничего такого за француженками не заметила, но стереотипы удивительно живучи. В театре, во всяком случае, их изображают именно такими.

Мое лицедейство не осталось без внимания, к тому же воспринято было совершенно превратно. Буквально через пару минут из стоявшей поблизости машины вышел необъятных размеров молодой человек и, истекая слюной, предложил предаться с ним восторгам любви. Проще говоря, меня приняли за проститутку. Какой позор.

Мой чисто русский ответ его слегка обескуражил, но, по-моему, не обидел. Извинившись, он вернулся в машину и задремал.

Докурив сигарету, я собралась уже покинуть гостеприимный скверик и вернуться домой, но в этот самый момент из подъезда вышла... моя школьная подруга. Зная ее разговорчивость, я вздохнула обреченно.

У частного детектива должно быть много знакомых во всех слоях общества. Это прописная истина. Но как сделать так, чтобы эти знакомые появлялись в нужный момент и не появлялись в самый неподходящий? Ответа на этот вопрос я не нашла ни в художественной, ни в специальной литературе.

— Привет, — нараспев произнесла бывшая троечница, и ее уставшая от косметики кожа покрылась мелкими морщинками. — Тебя и не узнать...

Это было неправдой. Я почти не изменилась с нашей последней встречи. Но в тот момент я бы дорого заплатила, чтобы время действительно не пощадило меня и превратило в чудовище, в котором разглядеть Таню Иванову было бы абсолютно невозможно.

— Кого дожидаемся? — скорее пропела, чем проговорила она с таким подтекстом, словно застала меня за непристойным занятием. — Он богат и красив? — продолжила она свою арию, а я все никак не могла придумать ответ достаточно страшный, чтобы на всю жизнь отбить у нее желание встречаться со мной.

Меня спас тот самый безразмерный молодой человек, который за пять минут до этого набивался ко мне в секс-тренеры. Он напомнил о своем существовании настойчивым «бибиканьем» своей навороченной тачки, и моя школьная подруга вспыхнула, как девочка.

— Извини, меня ждут, — прошептала она, вытворяя со своим лицом что-то невообразимое. Я вспомнила, что в школе она мечтала стать актрисой и играла в самодеятельности. — Бай-бай, — снова пропела подружка, подмигнув сразу обоими глазами. А в довершение сцены она послюнявила указательный пальчик и прикоснулась им к моему лицу, изображая поцелуй.

Мое лучезарное настроение отъехало быстрее машины ее хахаля. Не знаю, кто из них вызвал у меня большее отвращение, но эти двое были созданы друг для друга.

Мысленно пожелав обоим «сибирского здоровья и кавказского долголетия», я опять собралась было уйти, но на этот раз из подъезда вышла Светлана, изменив мои планы окончательно и бесповоротно. Забавно — благодарить за эту встречу я ведь должна одноклассницу: если бы не ее картинное появление, меня бы здесь давно уже не было.

Светлану я узнала с первого взгляда. Она почти не изменилась за полгода. Только на фотографии она, казалось, светилась от счастья, а теперь ее тонкие черты были подпорчены выражением озабоченности и печали. Мне даже показалось, что она не совсем здорова.

Мне ничего не оставалось делать, как отправиться следом за ней. Ах, как жаль, что я не перекусила перед выходом из дома. Чашка кофе с утра — явно недостаточный запас калорий. А кто мог теперь сказать, до каких пор мне придется за ней мотаться? Ее костюм ничего не мог подсказать в этом смысле: по нынешним временам и при сегодняшней погоде он вполне мог сойти и за вечерний туалет, и за пляжный ансамбль.

Настроение мое упало окончательно, когда я призналась себе, что допустила серьезный просчет. Нет, два просчета. Первый — с едой, а второй... Дело в том, что Светлана видела меня и, думаю, запомнила.

Этого бы не случилось, будь одна из нас дурнушкой. Но красивые женщины всегда машинально выделяют в толпе возможных соперниц. Запоминание тоже чаще всего происходит на подсознательном уровне. Мы встретились со Светланой взглядами, и оценка ею моей внешности была слишком выразительна, чтобы спутать ее с чем-то другим.

— SOS! — кричало ее подсознание. — На твоей территории опасная соперница!

Я почувствовала это, несмотря на то, что мысли Светланы в это время были далеки от меня и от окружающей ее действительности. Но мой опыт женщины и сыщика позволяет распознать мощный голос инстинкта под тонкой пленкой разума.

Как бы то ни было, нужно было сопровождать ее, куда бы она ни отправилась в столь ранний час. И я начала свое преследование, соблюдая все меры предосторожности, неизменные со времен Древнего Рима. Я не приближалась к ней ближе двадцати метров, срочно находила себе занятие, как только ее взгляд обращался в мою сторону, причем старалась это делать как можно натуральнее, используя по максимуму отведенные мне актерские способности.

К счастью, Светлана не обращала на меня внимания. Но в этом не было моей заслуги. Она не замечала ничего вокруг себя, полностью сосредоточившись на своих мыслях, по всей видимости — печальных.

У меня создалось ощущение, что вышла она из дома безо всякой цели. По крайней мере, первый час нашей «прогулки» не обнаружил в ее передвижениях никакой конкретной цели. Сначала Светлана посидела на лавочке в городском сквере, потом прошлась до набережной. Долго стояла у парапета, задумчиво курила, сбрасывая пепел в воду.

Все это напоминало мне какой-то старый — опять же французский — фильм. Да и сама Светлана в своих голубых джинсиках и с распущенными волосами очень напоминала героинь фильмов времен увлечения экзистенциализмом и темой человеческой некоммуникабельности.

В юности мне нравилась книжка «Здравствуй, грусть». Одно время я даже немного подражала ее героине. Фотографию сегодняшней Светланы вполне можно было поместить на ее обложке.

Французские ассоциации преследовали меня на каждом шагу.

Я вынуждена была повторять за Светланой не только ее маршрут, но отчасти и ее действия. Что еще можно делать, сидя или стоя на берегу реки, как не смотреть на пароходы. А вот курить одну сигарету за другой, как моя подопечная, мне вовсе не хотелось. Я вообще в последнее время стараюсь курить поменьше. Тем более — на голодный желудок. Поэтому вместо очередной сигареты я купила себе мороженое с орехами и ела его теперь с забытым с детских лет удовольствием. И если бы не умопомрачительная жара, еще более невыносимая после утреннего дождя, можно было бы сказать, что время пролетало незаметно и не без приятности.

Казалось, что, помотавшись таким образом еще часик-другой, Свелана вернется домой. Но она вдруг вздрогнула и посмотрела на часы. После чего быстрым шагом направилась на троллейбусную остановку.

Я чуть было не подавилась своим мороженым и еле успела вскочить на подножку того же троллейбуса. Кто мог предполагать такую неожиданную смену темпоритма? А ведь именно так опытные люди уходят от «хвоста».

В троллейбусе было немноголюдно: кроме нас и кондуктора, я насчитала семь человек. И по всем правилам сыска мне не следовало в нем ехать. Но, во-первых, я не успела этого сообразить, а во-вторых — менять что-то было уже поздно.

Поездка в троллейбусе стала настоящей пыткой. Наверное, приблизительно так чувствовал себя Иванушка-дурачок в печке у Бабы Яги. А что храбрился и веничек просил — так это от молодечества и удальства. Париться в сауне без бассейна и элементарного душа — уже не удовольствие, а изощренный мазохизм. И все пассажиры вкупе с окончательно одуревшей и позабывшей про свои служебные обязанности бабулькой-кондуктором проклинали на чем свет стоит и троллейбус, и жару, и всю свою несчастную жизнь.

Одна Светлана, казалось, ничего не замечала. Она по-прежнему сидела у раскаленного окна, поглощенная неведомыми мыслями. У нее явно что-то не в порядке с теплообменом. На ее месте я бы обратилась к врачу.

Я мечтала о моменте избавления от пытки и не чаяла, когда же, наконец, моя «железная леди» соблаговолит покинуть это пекло на колесах. И лучше в районе хладокомбината. Я бы залезла в холодильник и не вылезла бы оттуда до самой старости.

По закону подлости мы покинули троллейбус лишь на конечной остановке. У меня перед глазами плыли фиолетовые круги, и мысль о том, что еще вчера у меня были какие-то претензии к своей жизни, показались мне нелепыми и противоестественными. Оказаться сейчас в собственной ванной под ледяной струей даже под грохот дюжины отбойных молотков — казалось мне несбыточной мечтой и пределом желаний.

Я даже не сразу поняла, куда занесла нас нелегкая, тем более что в этом районе я бываю не часто. А в последнее время город меняется так стремительно, что за пару недель даже знакомые с детства улицы могут преобразиться до неузнаваемости. Это где-нибудь в Европе можно всю жизнь ходить в одну и ту же булочную и покупать у знакомого с детства продавца одни и те же фирменные пирожные. Мы этой радости лишены. И, может быть, к счастью. «Катящийся камень мохом не обрастает», — пели на заре своей юности бравирующие нонкомформизмом «Rolling Stones». Только по названию бывшего универмага, а ныне супермаркета я сообразила, что нахожусь в так называемом заводском районе.

«Какого лешего ей здесь понадобилось?» — невнятно прозвучала в голове ленивая мысль.

Еще в троллейбусе Светлана достала из мятой пачки сигарету и, как только оказалась на улице, жадно ее прикурила. За сегодняшнее утро она уже высадила полпачки, и если так дальше пойдет, то после обеда ей понадобится вторая. А мне-то казалось, что я много курю.

Светлана с решительным видом остановила какого-то парня и о чем-то его спросила. Судя по всему, поинтересовалась, который час. Перед этим она взглянула на свои часы, но, видимо, ее не удовлетворило время, которое они показывали. Так ведут себя те, кто опаздывает или не может дождаться заветной минуты. И я приготовилась: кажется, близок момент, когда мне откроется, наконец, цель нашего изнурительного путешествия.

Но она снова уселась на лавочку. И мне захотелось убить. Безразлично, кого — ее или себя.

От этой мысли меня отвлек вид бочки с квасом, и ноги сами понеслись в ее направлении. Через несколько секунд я одновременно занималась тремя вещами: стояла в длиннющей очереди, наблюдала за этой сумасшедшей и потела, удивляясь тому, сколько из человека может выйти влаги.

Когда до заветного краника осталось всего два человека, Светлана вскочила как ужаленная и помчалась по улице в противоположную от бочки сторону.

Мне захотелось плакать.

Если бы в эту минуту меня спросили, какую информацию мне бы хотелось оставить людям перед смертью, я не сомневалась бы ни секунды. Перефразировав известную частушку, я завещала бы на вечные времена: «Не ходите, девки, в частные детективы. Ничего хорошего».

— А уж если вас угораздило, — бубнила я себе под нос, преследуя взбалмошную искательницу приключений, — связать свою жизнь с этой кошмарной профессией, то постарайтесь переехать в Заполярье. А лучше — на Северный полюс.

Но одновременно с раздражением и усталостью с каждой минутой гонки на выживание росло и любопытство: куда же приведет меня в конце концов явно чокнутая искусствоведша?

Сегодняшняя беготня напомнила мне мою детскую забаву. Наверное, уже тогда я играла в частного детектива, хотя называла это по-другому — «прилипалой».

Игру я начинала обычно в каком-нибудь незнакомом приморском городе, куда на каникулы меня вывозили родители. Оставив их загорать на пляже, я отправлялась бродить по улицам в поисках «подозрительного типа». И как только находила человека, который подходил под эту категорию, прилипала к нему намертво. Я могла часами преследовать какого-нибудь ничего не подозревавшего старичка только за то, что его шляпа показалась мне «странной». Следуя за ним по пятам, наблюдала все его действия и пыталась отгадать тайные помыслы.

Иногда слежка затягивалась до глубокой ночи. Бедные родители сбивались с ног, разыскивая меня по всему побережью, в то время как их чадо сидело в «засаде» у какой-нибудь пивной, дожидаясь, когда ее жертва наконец выпьет свою норму и вернется к жене и детям.

Игра по моим правилам могла закончиться только в двух случаях: если человеку удавалось от меня «улизнуть», и тогда я, чертыхаясь и проклиная «хитрющего Джонни», чуть ли не со слезами на глазах возвращалась к родителям. Более благополучным считался финал, при котором «этот хитрец отказывался от своего преступного намерения и ложился на дно». В переводе на нормальный язык это означало, что моя жертва, совершив все запланированные на день визиты, возвращалась домой, и дальнейшее наблюдение за ним лишалось всякого смысла.

И только однажды я пережила страшный «провал», когда «подозрительный» парень, за которым я проходила несколько часов, неожиданно развернулся на сто восемьдесят градусов и обратился ко мне с вопросом:

— Слушай, какого черта ты за мной ходишь? Влюбилась, что ли?

Особенно обидной мне показалась тогда его последняя часть.

Сегодня же «игра» привела меня к обычному «офису», ничем не отличавшемуся от десятков своих двойников. И он, между прочим, был закрыт по случаю выходного дня. О чем и сообщала красивая табличка на двери. Но Светлану это не смутило, и она уверенно нажала кнопку звонка.

Через несколько секунд дверь отворилась, и симпатичный молодой человек с длинными ухоженными волосами до плеч встретил Светлану на пороге веселой улыбкой.

Перед тем как войти внутрь, Светлана оглянулась по сторонам. С детских лет я многому научилась, в том числе — маскировать собственное присутствие.

Поэтому могла быть абсолютно уверена, что она меня не заметила.

Дверь закрылась. Я услышала, как в ее замке повернулся ключ. Теперь в моем распоряжении минимум... Я не стала конкретизировать количество минут, а рысью поскакала к бочке с квасом. Сюда мы дошли минут за пять, обратная дорога заняла у меня не больше минуты.

Не глядя на очередь, я бросила перед опешившей от моей наглости продавщицей десятку, выхватила у нее из рук полную кружку теплого напитка и осушила ее за несколько секунд. Все произошло настолько стремительно, что одуревшая от жары очередь даже не успела выразить недовольства по этому поводу. А я вернула пустую кружку и пролепетала со счастливой улыбкой на мокрых губах:

— Сдачи не надо.

— Ну ты даешь, — промолвила в ответ продавщица, которую мой поступок на некоторое время вывел из сонной одури, вызванной полуденным зноем и монотонной работой. И даже заставил улыбнуться. — С похмела, что ли?

— Ага, — ответила я почему-то.

— Бывает, — покачала головой продавщица и тяжело вздохнула.

Теперь я могла вернуться к делам Светланы и ее загадочному визиту.

Собственно говоря, ничего загадочного во всей этой истории, на мой взгляд, не оказалось. Я была даже разочарована той простотой, с которой удалось обнаружить не только место свиданий, но и сам объект преступной страсти. Парень был достаточно молод и хорош собой, чтобы превосходно подходить на эту роль. И место встреч — самое что ни на есть банальное. В прежние времена для этой цели использовали квартиры друзей-холостяков, теперь используют отделанные по последнему слову евродизайна офисы. И неважно, кому принадлежало помещение, сам ли «любовник» являлся его «клерком» или кто-то из его удачливых друзей давал ему ключи на выходные.

Теперь предстояло придумать, как раздобыть более существенные доказательства «факта физической измены», то есть фото- или видеоматериалы. Что обычно и завершает подобные поручения. Да, работка не из приятных, но я была готова предоставить клиенту все эти материалы в обмен на обговоренную сумму. А там уж пусть сам решает: разводиться, мириться или бить морду сопернику.

В любом случае мне нужно было дождаться окончания воскресного «рандеву», чтобы проследовать теперь уже за вторым партнером по адюльтеру, чтобы определить место его жительства, а также имя, фамилию и место работы. Чтобы клиент имел возможность отыскать его в любую минуту. Схема подобных «операций» отработана давным-давно, и не мне ее менять.

Я перешла на противоположную сторону улицы, села за столик уличного кафе, взяла себе сока и мороженого, чтобы продолжить наблюдение с бóльшим комфортом.

Теперь я могла спокойно проанализировать все увиденное, включая нюансы. А в них-то чаще всего и заключена истина, как ни претенциозно это звучит. Мне сразу же вспомнилось лицо и особенно глаза Светланы на протяжении всего сегодняшнего утра. Может быть, я не очень опытна в психологии семейных отношений, но всегда сумею отличить по внешнему виду влюбленную женщину, ожидающую встречи со своим избранником.

«Как ждет любовник молодой минуты первого свиданья...» Не случайно эти слова стали крылатыми. Они совершенно точно зафиксировали уникальное состояние души человека — «нетерпение сердца». Ничто в Светлане даже отдаленно не напоминало этого состояния.

Если судить по ее внешнему виду, чувство, которое ее обуревало, это, скорее, «испепеляющая страсть». Именно она чаще всего не в ладу с нашей совестью и по всем признакам больше напоминает болезнь. Она в состоянии сосуществовать с любовью к мужу и привязанностью к детям, но всегда противостоит чувству долга.

На эту тему написано множество художественных произведений, и по жанру они ближе всего к трагедии.

В общем, если и в нашем случае налицо «испепеляющая страсть», то Светлане не позавидуешь. Но тогда понятными становятся приступы нежности к мужу, как способ искупить перед ним свою вину, а возможно, и как безуспешные попытки подменить с их помощью неутоленную страсть.

Запивая свои размышления ледяным соком, я настолько углубилась в «философские» проблемы любви, что чуть было не прозевала Светлану. Но, увидев ее, позабыла все свои теоретические выкладки.

На нее страшно было смотреть. С глазами, полными слез, она напоминала доведенного до отчаяния ребенка, делающего все возможное,чтобы не разреветься в голос. В какой-то момент я даже испугалась, что она в этом состоянии может натворить каких-нибудь глупостей. Вплоть до того, чтобы «наложить на себя руки», как писали в тех романах, которые я сейчас вспоминала.

Но один ее чисто женский жест убедил меня в безосновательности подобных опасений: Светлана достала из сумочки зеркальце и с помощью носового платка стала приводить себя в порядок. Самоубийца редко занимается подобными процедурами.

И я отпустила ее с богом. Тем более что мне просто необходимо было увидеть теперь лицо ее партнера. Интуиция подсказывала мне, что по нему я многое смогу понять.

Красавец не заставил себя долго ждать...

Глава 3

Он появился, как Бельмондо в финале крутого боевика. С улыбкой победителя на губах и одетый с иголочки. Безусловно, он был красив, причем той красотой, что вроде бы и не пристала мужчине. Абсолютно правильные черты лица, ухоженная кожа, светлая с рыжеватым оттенком шевелюра, постриженная волосок к волоску.

В таких обычно влюбляются девочки в седьмом классе. Взрослые женщины чаще их избегают, а некоторые относятся с нескрываемым пренебрежением, называя всякими обидными кукольными именами. И в этом есть определенный резон. Мужчина должен выглядеть мужчиной, а не переодетой в мужской костюм конфеткой.

Ален Делон, напуганный подобной перспективой, полжизни проходил небритым.

Даже Сильвестр Сталлоне был бы немного «сладковат», несмотря на бугры мышц и тяжелую челюсть, если бы не добавлял постоянно во взгляд вселенской скорби.

А наш местный «супермен» не комплексовал по этому поводу и не пропускал ни одной витрины, чтобы не полюбоваться на свое отражение.

Я не случайно вспомнила о Сильвестре Сталлоне, поскольку любовник Светланы ко всему прочему был еще и прекрасно сложен. Правда, опять же — слегка чересчур.

Сильный, физически развитый мужчина со спортивной фигурой производит приятное впечатление на всех без исключения. И на меня в том числе. А вот разглядывать фигуры культуристов, которые доводят рельеф своей мускулатуры до патологии и проводят перед зеркалом большую часть свободного времени, — это, я вам скажу, удовольствие на любителя. Более того, мне кажется, внешность для мужчины вообще не имеет решающего значения. Тот же Бельмондо... Внешне — чуть ли не уродец, извините. Во всяком случае, красавцем его назвать трудно, с его-то длинным поломанным носом и оттопыренными ушами. И ведь несмотря ни на что — чертовски привлекателен!

Размышляла я о мужских достоинствах довольно долго. Потому что должна была самой себе объяснить, почему, несмотря на внешне безукоризненные данные, мужчина, за которым сейчас следила, не вызывал у меня никаких положительных эмоций. Я, например, при всем своем богатом воображении не могла представить себя с ним в более или менее интимной обстановке. А обтянутая белыми брюками попочка, именно «попочка», а не «задница», подобающая мужчине, так и вовсе вызывала у меня почти отвращение. Тем более что «любоваться» видом парня со спины мне пришлось довольно долго, поскольку он не пожелал воспользоваться никаким видом городского транспорта, и около часа я вынуждена была тащиться за ним по раскаленному городу. Последней каплей, заставившей меня почти возненавидеть этого человека, стал приторный запах его одеколона, как по своему качеству, так и по количеству, потому что употреблял он его без всякой меры.

Одно обрадовало — оказались мы буквально в двух шагах от моего дома. «Красавчик» подошел к телефонной будке и набрал какой-то номер. Судя по тому, что во время недолгого разговора он посматривал на часы, я сделала вывод, что он назначает кому-то встречу и договаривается о времени свидания.

«Надеюсь, это не женщина, — подумала я, — только сексуального маньяка мне не хватало».

Тем временем «красавчик» с довольным видом направился к ближайшему скверу и уселся на одной из скамеек.

Я поняла, что свидание состоится через несколько минут, и у меня появилась надежда, что я попаду все-таки домой. Чем скорее это произойдет, тем лучше. И не только потому, что за несколько часов на свежем воздухе мой голод разыгрался не на шутку (хотя это тоже достаточно веская причина).

Но главное — скоро должен позвонить Вениамин, чтобы договориться о передаче ключа от квартиры. Если со вчерашнего вечера ничего не изменилось, то через несколько часов ему предстояло отправиться на вокзал.

Я не собиралась посвящать его в предварительные результаты моих наблюдений, так что ключик вполне мог пригодиться. Установить скрытую камеру в квартире значительно легче, чем в офисе, а судя по тому, что Светлана не отменила свидания даже в день отъезда мужа в командировку, она вполне могла привести любовника в квартиру мужа. И это значительно облегчило бы мне задачу.

Я расположилась в максимально удобном для наблюдения месте, откуда хорошо была видна лавочка. А за густыми зарослями кустарника сама я оставалась «невидимкой». В скверике почти не было людей, несмотря на воскресный день. Все нормальные люди старались в такую жару оказаться поближе к воде или уезжали «пастись» на дачные участки.

Я бы тоже с удовольствием оказалась в эти минуты где-нибудь на берегу Волги, часик поплескалась бы в прохладной воде. А потом с комфортом устроилась бы в шезлонге, умиротворенная и немногословная. И не покинула бы его до тех пор, пока чья-то добрая, скорее всего мужская, рука не протянула бы мне огромный шампур с нанизанными на него ароматными кусочками вымоченной в уксусе свинины.

Шашлык — какое аппетитное слово. Особенно если с самого утра у тебя во рту не было ничего, кроме мороженого и кваса. При одной мысли об этом я чуть не захлебнулась собственной слюной. И чтобы хоть немного отвлечься от навязчивой идеи, достала из пачки сигарету.

Но прикурить мне ее не пришлось.

Потому что именно в этот момент на лавочке «красавчика» появился второй человек. Я так и продержала сигарету незажженной, напрочь забыв про нее, пока счастливый любовник Светланы что-то оживленно обсуждал со своим знакомым, которым оказался... Вениамин.

Меня поразил не сам факт их знакомства. В наше время никого не удивишь тем, что любовником жены становится приятель ее мужа. Но их встреча сразу же после «рандеву» навела меня на чудовищные подозрения. В голове вертелись... даже не мысли, а какие-то обрывки, несвязные и слишком мерзкие, чтобы оформиться в законченную мысль. Вспомнился рассказ, кажется, Куприна о том, как молодожен продает невинность своей жены за большие деньги. Этот кошмар я отбросила сразу же, потому что не могла соотнести его с реалиями жизни Вениамина и Светланы. Тем более что в этом случае он не стал бы обращаться к частному детективу.

Более достоверным был ошметок мысли о нанятом любовнике. Вениамин договорился с ним, может быть, даже заплатил ему... «Но зачем? — пыталась я уцепиться за новую версию, чтобы как-то объяснить себе происходящее. — Для чего ему это нужно?»

Встреча продолжалась достаточно долго, чтобы я успела перебрать несколько вариантов.

«Таким образом можно уличить жену в неверности и развестись с ней... Но ведь он так любит Светлану!»

— Да кто тебе это сказал? — опровергла я сама себя. — Он сам? Но ведь он режиссер и наверняка изучал актерское мастерство, поэтому разыграть мексиканскую мелодраму ему ничего не стоило.

«Правильно, но для этого должно быть веское основание. Если, например, в случае развода Вениамину причиталась бы значительная сумма... Но это что-то из западной жизни. Или такое уже возможно и у нас?»

— Да что тебе известно о ней? — подсказывала наиболее циничная часть моей души. — Может быть, у нее папа-миллионер или бабушка в Америке не знает, куда девать доллары...

Но тут даже обрывки мыслей улетучились из моей головы: в этот момент Вениамин неловко и словно по принуждению достал из знакомой мне сумки увесистый на вид конверт и передал «красавчику».

«Вениамин ему платит», — констатировала я, потому что ничего другого это означать не могло. Все остальные идеи были досужими домыслами, а передача конверта — фактом. И от этого факта мне и следовало плясать в дальнейшем.

Мужчины сразу попрощались и разошлись в разные стороны. Почти на автопилоте, еще не пришедшая в себя после потрясения, я отправилась вслед за «красавчиком». На этот раз он предпочел трамвай, и вышел из него только в районе Четвертой Дачной.

Целый район в Тарасове хранит эти странные, давно не соответствующие действительности названия. Давно уже на месте бывших дач громоздятся корпуса заводов и даже жилые дома, а тарасовцы попрежнему добираются до Пятой, Шестой и Девятой Дачных. Причем многие уже не знают о том, что лет тридцать назад там действительно можно было легко собирать грибы, а зимой — кататься на лыжах. Теперь это даже не Новые Черемушки, «новостроек» там не больше, чем в любом другом районе.

Пройдя квартала четыре от остановки, «красавчик» вошел в стандартную жилую пятиэтажку. Я успела заметить, что по пути он захватил корреспонденцию из почтового ящика, а значит, шел к себе домой. Или, по терминологии моего детства, — «лег на дно». Только сегодняшний «хитрец» вряд ли отказался от своих преступных намерений. Хотя преступность его намерений еще нужно было доказать, но интуиция подсказывала мне, что это дело готовит мне сюрпризы именно такой категории. И чем дальше, тем меньше нравились мне его участники.

Я имею в виду мужчин.

Что касается Светланы, то она теперь выглядела в моих глазах уже не правонарушителем, даже в такой «невинной» форме, как супружеская неверность, а скорее жертвой преступного заговора.

Я не стала устраивать «засады» у дома «красавчика», записала его адрес, номер квартиры и наконец-то отправилась домой.

Как бы то ни было, кусок масла на кусок хлеба сегодня заработан честно.

* * *

По дороге я могла думать только о еде. И ни о чем другом.

Войдя в свой подъезд и не услышав привычного

грохота, я заподозрила недоброе. Чтобы в воскресный день никто не воспользовался случаем и не принялся переносить стенку, вырубать долотом дверь... Для этого непременно должен быть очень серьезный повод.

И я поняла, что произошло, как только, не разуваясь и не успев отдышаться, открыла холодильник. Вместо живительной прохлады оттуда пахнуло курятиной «второй свежести» и вылился ручеек теплой водички.

В доме с утра не было света. А при сорокаградусной жаре это — не просто неприятность, а настоящее стихийное бедствие.

Из морозилки, сохранившей низкую температуру только в названии, я достала припасенные на черный день пельмени. Нет, пожалуй множественное число тут неуместно. В пакете находился один пельмень — очень большой и совершенно бесформенный, что вовсе не испортило мне аппетит.

Я забросила эту штуковину в кастрюлю с кипятком и варила минут пятнадцать, исполняя танец радости по поводу того, что в нашем доме плиты газовые, а не электрические. После чего с помощью вилки и большого ножа порезала липкий ком «не то мяса, не то теста» на мелкие кусочки, обильно полила теплым кетчупом и поперчила. По тому, с каким аппетитом я ела, сторонний наблюдатель принял бы сие блюдо за мое фирменное или даже за национальное. Да, нас, россиян, такой мелочью, как отсутствие электричества, не сломишь. И даже не удивишь.

Единственное существо в моем доме, которое никак не может привыкнуть к подобным сюрпризам нашей жизни, — мой компьютер. Не может, хоть ты тресни! И никак ему не объяснишь, хотя вроде бы умная машина, что это не катастрофа, не начало мировой войны, а просто... даже не знаю, как сказать...

просто взяли и отключили электроэнергию. На весь день. Без предупреждения. Из вредности, что ли. И превращается он без нее в груду пластмассы, стекла и разноцветных деталек — разве что детишкам на потеху.

Один мой знакомый, правда, почти приспособился к таким выкрутасам: работает исключительно после двенадцати ночи. Говорит, в это время электричество отключают реже. То есть тоже отключают, но не так часто. А приспособился он после того, как первая глава докторской диссертации за одну секунду превратилась в бессмысленный набор загадочных значков. Так и перешел на ночной образ жизни. Как филин какой-нибудь.

Я же, запив свой «деликатес» чашкой крепчайшего кофе, завалилась в койку с сигаретой в зубах и начала размышлять о том, что надо бы добраться до душа. Шевелиться не хотелось, но я превозмогла себя и залезла в ванну. И вылезла из нее только тогда, когда мои обезвоженные пальчики стали похожи на скорлупу грецкого ореха.

Если бы после всего этого я не заснула как убитая, то считала бы себя сверхчеловеком. Проспала всего часик. А проснулась свежая и румяная, как майская роза. Но по здравом размышлении пришла к выводу, что мой румянец — не что иное, как солнечный ожог, о чем красноречиво свидетельствовал начинавший облупляться нос.

Из всех косметических средств я выбрала сметану. Тем более что она явно доживала последние часы, а может быть, и минуты. Намазавшись этим некогда вкусным и питательным продуктом, я позволила своим мыслям вернуться к Вениамину и его жене.

— Итак... — произнесла я вслух, сидя перед зеркалом. Но говорить с отраженным в нем пугалом о серьезных вещах было невозможно, и я сочла за лучшее продолжить размышления за чашкой кофе.

— Итак, — повторила я, сделав первый глоток...

И тут за стеной завыла электродрель.

У меня абсолютно здоровые зубы, но в этот момент они заболели все разом.

Ничего не оставалось делать, как врубить на полную мощь свой музыкальный центр, чтобы звуки тяжелого рока, память о моей грешной юности, не оставили места для посторонних звуков. Музыка, даже очень громкая и жутко тяжелая, никогда не мешала мне думать. Правда, говорить вслух теперь было бесполезно. Поэтому я перешла на мысленный монолог.

«Подведем итоги. Сегодня я столкнулась с, мягко говоря, странной ситуацией. Муж, пожелавший уличить в неверности свою жену, оказывается, знаком с ее любовником и даже платит деньги за его «услуги»...»

«Стоп, — поправила я себя, — за что Вениамин ему платит, ты пока не знаешь. А ложная посылка может привести к неправильному выводу. Отсюда рукой подать до ложной версии. Остановись, пока не поздно».

«Хорошо, — согласилась я, — сформулируем по-другому. Муж передает любовнику своей жены энную сумму денег сразу же после их близости».

И опять та часть моего мозга, что напоминает вычислительную машину, уличила меня в некорректности формулировки.

«А ты уверена в том, что сегодня они были «близки»? Ты что, там присутствовала? — И, окончательно обнаглев, добавила: — А может быть, «красавчик» вовсе и не любовник Светланы».

«То есть как это не любовник?» — опешила я, вернее — та часть моего мозга, которая еще не успела все как следует сообразить.

Чтобы окончательно не запутаться в том, что какая часть мозга подумала, я взяла себя в руки. Решила перевести свой мыслительный процесс в более спокойное русло, сохранив все же форму диалога. Ведь любое размышление, по сути, всегда диалог с самим собой, что не имеет никакого отношения к раздвоению личности. Начала я с фразы, на которой сама себя остановила:

— То есть как это не любовник?

— А кто тебе сказал, что у Светланы есть любовник?

— Вениамин, то есть он не сказал об этом, но предположил...

— А если он наврал?

— А зачем ему это нужно?

— А зачем ему нужно платить «красавчику» деньги?

— А ты уверена, что это были деньги?

— Нет.

— Так что же это было?

— А я откуда знаю?

— Так, стоп. Если Светлана ходила не к любовнику, то кем приходится ей «красавчик»?

— ...

— Что ты молчишь?

— Думаю.

Так, или примерно так, спорила я сама с собой. Я не буду приводить всех аргументов той и другой стороны, это заняло бы слишком много времени и места. А сразу перейду к тому, на чем «мы» поладили. Я поладила... С самой собой... Короче, вот к каким выводам я пришла.

Ситуация не такая простая, как мне показалось с первого взгляда. Во всяком случае, банальной ее явно не назовешь. В семье что-то происходит, и это только внешне напоминает традиционный адюльтер. На самом деле все гораздо сложнее и не сводится к сексуальным контактам «на стороне».

Теперь я уже сомневалась в правдивости и искренности Вениамина, а он пока был единственным источником информации. Не доверяя ему, нельзя делать никаких выводов. На этом мой диалог с самой собой прервался, я зашла в тупик. И чтобы както сдвинуться с мертвой точки, решила еще раз прослушать запись нашего разговора.

Я выключила музыкальный центр, и очень вовремя, иначе Вениамин мог бы звонить мне до позднего вечера без всякой надежды быть услышанным. И сосед как раз угомонился, так что не было нужды перегружать барабанные перепонки.

Телефон зазвонил в тот момент, когда я перемотала кассету диктофона на начало и нажала на кнопку воспроизведения. «Расскажите немного о себе», — успела услышать я свой голос, но тут же остановила пленку и подняла трубку.

— Татьяна? — спросил Вениамин голосом настолько тихим, что я еле его расслышала.

— Да.

— У меня тут были непредвиденные дела... Вы не могли бы подъехать за ключом на вокзал?

— Хорошо, давайте встретимся на перроне, — предложила я.

— Извините, — шепнул он и, видимо, закрыл трубку ладонью, но тем не менее я услышала фразу, предназначенную явно не мне: — Зайка, у меня тут междугородный разговор, ты не могла бы сделать музыку потише?

После небольшой паузы он опять зашептал:

— На перроне будет не очень удобно... Меня провожает Светлана. Я подойду к шестой кассе ровно в половине шестого.

Я посмотрела на часы. Чтобы не опоздать, мне следовало поторопиться.

— Хорошо, — ответила я и, повесив трубку, пошла смывать сметану.

* * *

Вокзал произвел на меня отталкивающее впечатление. Прежде всего коктейлем из отвратительных запахов. Я проклинала своего клиента за то, что он назначил мне встречу не на свежем воздухе. А когда прошло десять минут после назначенного часа, а его все не было, свирепость моя дошла до опасного для окружающих уровня. Наконец он появился, мокрый и затравленный, оглядываясь по сторонам и шепча слова извинения.

— Ключ, — выдавила я сквозь зубы и, получив желаемое, собралась, развернувшись на сто восемьдесят градусов, продемонстрировать Вениамину свою красивую спину в движении. Но его следующая фраза заставила меня отказаться от этого намерения:

— Она не хотела меня отпускать.

— Ко мне? — уточнила я.

— Нет, в командировку.

— Почему?

Вопрос, конечно, дурацкий, но уж больно неожиданным было сообщение Вениамина. Жена, несколько часов назад вернувшись с любовного свидания, уговаривает мужа отказаться от командировки.

А именно так оно и было. Светлана, ссылаясь на плохое предчувствие, просила его остаться в Тарасове или взять ее с собой. И Вениамину потребовалось немало времени, чтобы ее успокоить. Еще труднее, по его словам, было найти повод, чтобы отлучиться хотя бы на минуту. Пришлось сослаться на внезапное расстройство желудка.

Все это он сообщил мне за полминуты и рысью

вернулся к жене. Мне очень захотелось увидеть их вместе, хотя бы для того, чтобы убедиться в достоверности слов своего клиента. Я заметила их в толпе, как только вышла на перрон.

Светлана стояла, опустив голову, а Вениамин что-то многословно ей объяснял, по-дурацки поглаживая по плечу и время от времени неловко целуя в щеку. Светлана не плакала, но по ее глазам было видно, что она еле сдерживает себя.

— Ну почему ты не можешь взять меня с собой? — почти крикнула она, так что я услышала эти слова, несмотря на разделявшие нас полтора десятка метров и шум вокзала.

«А действительно, почему бы ему не взять ее с собой? — подумала я. — Странно. Если он так любит ее и боится потерять... Тем более что она буквально умоляет его. И так ли уж необходимо ему уезжать? Именно сейчас?»

Чем больше я размышляла на эту тему, тем больше убеждалась в том, что Вениамин намеренно толкает жену на измену. Судя по всему, Светлане тяжело дается ее «двойная жизнь», оставлять ее одну — глупо, если не сказать жестоко. Она сильно нуждается в присутствии мужа, это видно невооруженным глазом.

С каждой минутой я все меньше верила в честность намерений Вениамина и в достоверность его признаний. И вся симпатия, возникшая к нему во время первой встречи, теперь заменилась почти отвращением. «Если мои подозрения верны, — подытожила я свои размышления, — то он — настоящее чудовище».

Ситуация казалась мне настолько гадкой, что хотелось отказаться принимать в ней какое-то участие. Я еле сдержалась, чтобы не вернуть Вениамину ключ, пока он не успел сесть в поезд. И если бы его деньги были у меня с собой, то скорее всего я так бы и сделала.

Но тут другая — страшная — мысль пришла в голову, и она показалась не лишенной оснований. Мрачная тень преднамеренного убийства легла на мое сознание: «За что Вениамин заплатил «красавчику»? При каком событии он не хочет присутствовать? А обращение ко мне — не для алиби ли оно ему понадобилось?»

Статьи о недонесении у нас теперь, слава богу, нет. Но знать о готовящемся убийстве и полностью устраниться — было в данном случае равносильно соучастию в нем. Я уже представила лицемерно-фальшивые театральные слезы Зеленина на похоронах Светланы, но приказала себе остановиться в своих чересчур смелых фантазиях. Мои подозрения базировались на слишком зыбкой почве. С другой стороны — они слишком серьезны, чтобы отмахнуться от них и оставить без последствий.

Глава 4

Дождавшись, когда Вениамин запрыгнул на ходу в свой вагон, я решила проводить Светлану до самого дома. Мы снова ехали с ней в одном троллейбусе, и снова ей было совершенно не до меня. Убедившись, что она благополучно вошла в свой подъезд, я позволила себе вернуться домой.

Теперь еще больше хотелось прослушать запись первого разговора с Вениамином. Как это часто бывает, мне казалось, что там есть что-то чрезвычайно важное, на что я раньше не обратила внимания. Уверенность крепла, но сколько я ни ломала голову по дороге домой, так и не смогла вспомнить, что же это были за слова.

И только когда они прозвучали еще раз, мороз прошел по коже. Иначе никак не не назовешь чувство, которое я испытала в тот момент. Ответ Вениамина на проходной вопрос, был ли он до Светланы женат, а еще больше — его реакция на вопрос заставили мои волосы встать дыбом. Он сказал тогда: «Был, хотя мы не были расписаны... Она погибла». А лицо стало испуганным... И особенно запомнился мне алогичный жест Вениамина — попытка прикурить уже зажженную сигарету.

Когда у кого-то погибает жена, то это его несчастье. Но когда и второй жене грозит та же участь, сие наводит уже на определенные мысли. Именно они и заставили мои пышные волосы расположиться на голове не совсем привычным образом, когда прослушивала диктофонную запись.

Если допустить, что Вениамину по какой-то причине захотелось убить свою жену, то события выстраивались в довольно стройную цепочку, не лишенную логики. И на всякий случай я попробовала наговорить ее на пленку. С недавних пор я пользуюсь этим методом, подсмотренным в каком-то западном детективе. Собственная версия, услышанная потом как бы со стороны, иногда кажется уже не столь убедительной. Или наоборот — убедительной. А необходимость точных формулировок активизирует мышление при диктовке, и именно в тот момент в голову неожиданно приходят интересные идеи.

— Допустим, Вениамин Зеленин по какой-то причине решил отправить на тот свет свою молодую жену... — произнесла я и вынуждена была сделать небольшую паузу. События были настолько противоречивыми, что не хотели формулироваться в законченную версию. Тем более — перед диктофоном.

Перемотав пленку на начало, сделала вторую попытку:

— Подозревая свою жену в неверности, Вениамин Зеленин уезжает в командировку. На просьбу жены отказаться от поездки или взять ее с собой он отвечает решительным отказом... Бред какой-то, — перебила я себя и выключила диктофон.

Раз к созданию мало-мальски правдоподобной версии я была еще не готова, решила, взяв чистый лист бумаги и тонко отточенный карандаш, зафиксировать свое недоумение на бумаге. Старательно выводя каждую букву, я писала строчку за строчкой:

1. Почему Вениамин не захотел взять с собой жену?

2. За что он заплатил «красавчику»?

3. Состоит ли Светлана с «красавчиком» в интимных отношениях?

4. Знает ли о них Вениамин?

5. Если да, то зачем обратился ко мне?

6. Если нет...

Я снова зашла в тупик. Мне явно не хватало информации. Вопросов было слишком много, и ни на один из них у меня не было ответа. Скомкав листочек в маленький плотный шарик, я попыталась попасть им в пепельницу на столе. Иногда мне это удается, но на этот раз шарик, совершив перелет, отскочил от стены и упал на пол.

Мои дела сегодня явно не клеились. И чтобы сдвинуть дело с мертвой точки, я прибегла к гадальным косточкам.

Жестом скупого рыцаря достав из шкатулки заветный замшевый мешочек, я вытряхнула на стол его содержимое.

28+4+19. В справедливости выпавшего указания сомневаться не приходилось. Даже заглядывать в книгу не надо, я прекрасно помнила значение такого сочетания цифр: «Любовные дела в данный момент довольно запутаны». Лучше не скажешь. Но этой бесценной информацией я обладала и без косточек.

В душе начало зарождаться чувство раздражения против моих магических помощников, но я задавила его в самом начале, боясь быть по отношению к ним несправедливой. В конце концов — косточки не всесильны и их «слова» вполне можно счесть за сочувствие, вроде: «Да, сестренка, положение у нас незавидное». И я не стала больше их мучить. Если бы они были в состоянии мне помочь, то не стали бы попусту тратить время и отделываться констатацией фактов.

Необходим был какой-то толчок, и мне не пришло в голову ничего более разумного, чем позвонить Гарику Папазяну.

Каждый раз, обращаясь к нему, я чувствую легкие угрызения совести. Потому что его кавказский темперамент, несомненно, подвергался суровому испытанию, чего Гарик никогда не скрывал. И он все еще не терял надежды, что однажды ситуация переменится и наши отношения вступят в новую, как говорится, заключительную фазу. Честно говоря, я сама не очень понимала, почему эта фаза не наступила часа через два после нашего знакомства. Гарик был мужчина хоть куда, с замечательным характером и безукоризненным чувством юмора. Да и внешностью его бог не обидел. Уж так получилось, что ни через два, ни через сто двадцать два часа мы не залезли с ним в койку, а теперь это было бы даже странно. По-моему, легче переспать с первым попавшимся понравившимся мужиком, чем со старым другом.

Но в минуту уныния мысль о Гарике Папазяне из милиции всегда приходила в голову сыщика Тани Ивановой. Да, никогда еще он не отказал ни в одной моей просьбе, всегда являлся по первому зову, как Золотая Рыбка, хотя по горло был загружен работой, как все оперативники.

— Э-э, нэхорошо пастулаешь, — утрируя свой симпатичный акцент, заявил он мне, как только узнал мой голос. — Савсэм забыла, слушай.

— Прости, дорогой, — извинилась я за все его прошлые и грядущие страдания и пригласила в гости. — Если, конечно, у тебя есть время... — добавила я под конец разговора.

— Зачем абижаишь? — ответил он с укоризной и через пятнадцать минут стоял на пороге моей квартиры с традиционной розой в руках и завернутой в газету бутылкой.

Я не сомневалась, что это был армянский коньяк.

— Ну, что случилось? — спросил меня Гарик почти без акцента после традиционной порции комплиментов и братских поцелуев. Он с ходу определил мое настроение и моментально решил выяснить его причину.

— А, — махнула я рукой, — дела житейские. Давай выпьем для начала.

— Сначала дело, а потом — удовольствие, — возразил мой верный друг.

Это уже был разговор посвященных. «Делом» у нас с ним назывался процесс перемалывания кофе в Гариком же подаренной ручной мельнице. В этом процессе он не признавал никакого электричества, тщетно пытаясь приучить к этому всех своих друзей. Я принесла с кухни его подарок и торжественно передала из рук в руки. Началось священнодействие, которое, впрочем, не мешало нам разговаривать. В результате через пятнадцать минут Гарик был уже в курсе всех моих проблем.

— И только-то? — улыбнулся он. — Пожалуй, мне тоже надо податься в частные детективы. Как бы я хотел, чтобы мои проблемы были такими же «трудными».

В последнее слово он вложил всю свою иронию и сарказм. И, как всегда, этого оказалось достаточно, чтобы и мне самой ситуация уже не казалась такой неразрешимой.

— Тебя не очень затруднит передать мне телефончик? — с комическим выражением лица спросил он, будто речь шла о какой-то шутке или розыгрыше.

Набрав номер, скорчил свирепо-серьезную физиономию.

— До вас невозможно дозвониться, — набросился он на своего телефонного собеседника. Только хорошо знающий Гарика человек воспринимал эту манеру как добрую традицию, заменяющую слова приветствия. — Что значит никуда не отлучался, повыгонять вас всех к чертовой матери. Или к нам в отдел перевести в качестве наказания. Здравствуй, дорогой, — без всякой паузы закончил он свою длинную тираду традиционно ласковым кавказским приветствием. — Мне бы маленькую оперативочку на пару славных человечков. Если не затруднит, всю жизнь тебе буду благодарен, а твоей жене подарю сиамского котенка. Что? Не надо котенка? Почему? Жены нет? Счастливый человек, слушай...

Вся соль последней шутки состояла в том, что сам Гарик никогда не был женат. И, насколько я понимала, не собирался этого делать.

Он продиктовал имена и адреса моих клиентов и повесил трубку.

— У нас есть минут десять, чтобы побезумствовать, — сказал он и развел руками, как бы предлагая мне на выбор любое из богатого ассортимента мыслимых и немыслимых «безумств».

— Десяти минут для такого мужчины явно недостаточно, — подыграла ему я. — Поэтому просто выпьем.

— Я тоже так думаю. А в конце лета поедем в горы недельки на две. И отведем там душу.

Временами я жалею, что у нас с ним ничего не было. Но теперь уже ничего не исправишь.

Последующие десять минут Гарик вполне успешно занимался одновременно тремя делами: варил кофе, пил коньяк и потешал меня анекдотами из жизни «лиц кавказской национальности». Все его байки так или иначе были связаны с любовью этой части населения к длинноногим блондинкам, поэтому за нашим столом уже через несколько минут витал дух здоровой чувственности и веселых двусмысленностей. Несмотря на довольно рискованные шутки, Гарик ни разу не переступил той невидимой грани, за которой начинается пошлость. В результате я дохохоталась до слез, и мне пришлось идти в ванную, чтобы привести в порядок лицо.

Когда я вернулась к гостю, он уже благодарил своего телефонного информатора, а на столе лежал листочек, исписанный его красивым мелким почерком.

— Что бы я без тебя делал? Слушай, если не хочешь котенка, может быть, возьмешь мою сестру в жены? Она немножко полновата, но готовит как бог! Ара, будем ходить к тебе обедать, только обещай, что старшего сына назовешь Гариком.

Повесив трубку, он сбросил шутовскую маску, как происходило всегда, когда разговор касался профессиональных тем.

— Никто из твоих подопечных в тюрьме не сидел, в криминальных группировках не состоял, поэтому вся информация о них поместилась на одной страничке из моего блокнота.

В подтверждение своих слов он помахал этой самой страничкой перед моим носом и с сокрушенным видом стал читать скупую ментовскую оперативку. О Вениамине ничего нового не сообщалось, но о нем я и так знала достаточно много. Больше меня интересовали две другие вершины этого «любов-

12 Зак. 4457

ного треугольника». Светочка оказалась уроженкой Ленинграда и выпускницей Академии искусств. Этим и исчерпывалась информация о ней.

Я уже вновь готова была впасть в уныние, но по хитрому выражению Гариковых глаз поняла, что самую важную информацию он припас напоследок. Так оно и оказалось.

— Теперь — что касается твоего «красавчика»... — Он сделал театральную паузу, подлил в мою рюмку коньяку и только после этого продолжил: — Его зовут Александр Хрусталев. За последние годы он сменил несколько мест работы, но долго нигде не задерживался. Последние полгода числится безработным. Вот, пожалуй, и все...

Он пригубил рюмку и изобразил на лице крайнюю степень наслаждения.

— Все? — недоверчиво спросила я.

— Почти, — с невинным видом ответил Гарик и сделал еще маленький глоток. Свой листочек он не выпускал из рук.

— Папазян, я тебя убью, — почти всерьез предупредила я.

— Не советую. Тогда никто не сможет тебе сообщить, что Александр Хрусталев до девяносто четвертого года работал в цирке.

— Как ты сказал? — не поверила я своим ушам.

— Иванова, он профессиональный артист цирка. Правда, неизвестно, какого жанра. Как ты думаешь, может он быть клоуном? Или дрессировщиком? Если он иллюзионист, то тебе не позавидуешь. Представляешь, что он вытворяет в постели? У одного моего приятеля была девочка из цирка. Ты не поверишь — она оказалась змеей. Клянусь. На афише так и было написано — женщина-змея. Он от нее убежал, наверное, подумал, что она ядовитая...

Я вырвала из его рук листочек, чтобы своими глазами удостовериться в том, что услышала минуту назад. И прочитала, что Александр Хрусталев — выпускник Московского циркового училища.

— Так вот откуда Вениамин знает его — они вместе работали, — заорала я и залпом выпила свою рюмку. — Гарик, я тебя люблю.

— Я догадывался, но не понимал, почему ты это скрываешь.

Он сидел довольный, будто ему удалось раскрыть преступление века. Как профессионал он не мог не понимать, насколько важной для меня может оказаться добытая с его помощью информация. И он тут же стал выдавать «на гора» одну за другой шуточные версии, хотя в каждой из них было рациональное зерно.

Но я прервала извержение этого словесного Везувия. Теперь я предпочитала остаться наедине с этой бесценной информацией и упражняться в дедукции без его помощи. Момент «постижения истины» настолько сладок, что делиться им с кем бы то ни было не хотелось. Поэтому я постаралась свернуть наше застолье как можно быстрее, и через десять минут Гарик произносил у порога слова прощания.

Все-таки я стерва. Иначе как можно объяснить, зачем я поцеловала его на прощание в губы? В каждой женщине есть что-то от кошки, и время от времени нам просто необходимо проверить на цепкость свои коготки. А может быть, виной всему замечательный армянский коньяк. Но так или иначе, мы чуть было не перешли к «заключительной фазе». И у меня еще долго стучало сердце после его ухода.

Чтобы не сосредоточиваться на этих интимных переживаниях, я быстренько собралась и вышла из дома. Путь мой лежал в гостиницу «Арена». Такие гостиницы есть во всех крупных городах бывшего

Советского Союза, включая Москву. И называются они везде одинаково. Но поселиться первому попавшемуся туда не удастся. Потому что предназначены они не для командированных и отдыхающих, а служат пристанищем вечно бездомным и многодетным артистам цирка.

Цирковыми артистами не становятся. Ими рождаются. Эта древняя, как мир, профессия мало изменилась за тысячелетия своего существования и окружена особой, лишь ей присущей атмосферой. Не случайно великие итальянские режиссеры так любят эту параллельную реальность, соединяющую в себе цыганскую вольницу, простоту нравов и высокие амбиции.

С детства я помню и люблю запах цирка. Он совершенно не похож на безрадостный и забитый запах зоопарков и тем более — на вонь коровников и свинарников. Хотя и здесь, и там источник один и тот же. Но, перемешанный с ароматами лошадиного пота, опилок и мороженого, он как бы лишается неприятных компонентов и не может оскорбить даже самый изысканный нос уже по той простой причине, что в каждом нормальном человеке будит детские воспоминания.

Однажды мне попался в руки кусок дорогого английского мыла для настоящих джентльменов. Вместо аромата роз и эссенций он соединял в себе запахи лошадиного пота и дорогой сигары. Наверное, это мыло на любителя, но я буквально влюбилась в него. И не только потому, что им пользовался человек, мне в то время небезразличный. Но еще и потому, что вызывал у меня цирковые ассоциации.

И цирковой народ мне тоже по сердцу. В большинстве своем бессребреники, поломанные во всех возможных и невозможных местах. Но они ни за что на свете не променяют свою опасную, по мнению «нормальных людей», несолидную профессию ни на одну другую, хоть самую высокооплачиваемую и престижную. Кроме того, они, как все бездомные, очень гостеприимны. И бутылка водки и полкило ветчины, которые я захватила с собой, были достаточно веским поводом для непрошеного визита в это удивительное место.

На мое счастье, вахтерши гостиницы, по своему устройству больше напоминающей общежитие, на месте не оказалось. Бывшая наездница и борец за чистоту нравов, она недолюбливает «чужих», а еще больше — смазливых девиц и чинит различные препятствия для их проникновения во внутренние помещения.

Я шла по коридору в сторону кухни, надеясь там отыскать себе собутыльника, в разговоре с которым могла найти ответы на интересующие меня вопросы. И тут мой внутренний голос забурчал что-то об алкоголизме и нимфомании, но я не стала вступать с ним в пререкания и пресекла сеанс раздвоения личности и приступ угрызений совести на корню:

— Я пришла сюда по делу, — произнесла я вслух, чтобы расставить все точки над «i». А заодно напомнить и себе о цели визита.

Что поделаешь, некоторые места заставляют меня позабыть о своей серьезной профессии и толкают на небольшое безрассудство. Цирковая гостиница безусловно принадлежит к таким местам и даже занимает среди них почетное первое место.

— Что это ты, родная, сама с собой разговариваешь? Или от одиночества крыша поехала? — донеслось из темноты коридора.

Голос был уникальный и абсолютно цирковой. Принадлежал он моему старому знакомому. Он был на десяток лет старше меня, но едва доставал мне до пояса. Потому что был лилипутом. В любом месте этих людей зовут уродами, карликами, а бывает и похлеще. И только в цирке они носят это волшебное и красивое имя — лилипут. И занимают полноправное место в цирковой семье, наряду со шпагоглотателями и укротителями тигров.

Эдуард, а именно так звали моего знакомого лилипута, был жуткий пьяница, бабник и скандалист. И мне это ужасно нравилось. Его задиристый характер был известен всем цирковым, и мало кто рисковал с ним связываться. Однажды мне пришлось спасать его из довольно опасной передряги. Он на полном серьезе собирался вступить в рукопашный бой с тремя подвыпившими жлобами двухметрового роста. Тогда мы и познакомились. А он, в свою очередь, ввел меня в цирковую семью, познакомил со многими артистами, жившими в тарасовской гостинице «Арена».

— Привет, Эдуард, — обрадовалась я.

Он не позволял называть себя никакими уменьшительно-ласкательными именами. Правда-правда — одна такая вольность могла стать поводом для настоящего скандала. Еще он не любил слово «высокий», и всех рослых людей, независимо от их половой принадлежности, называл «длинными». В том числе и меня.

— Что же у тебя за дело, если не секрет? — спросил он небрежно, протягивая ладошку для рукопожатия.

— Собираюсь раздавить с тобой пол-литру, — слукавила я. — Давно ли в Тарасове?

— Вторую неделю торчим в вашей дыре, — проворчал Эдуард, хотя известие о бутылке сильно способствовало улучшению его настроения.

Пить с ним было довольно сложно. Потому что отставать от собутыльника он не любил, но сто пятьдесят граммов были для него «смертельной дозой», то есть напивался он мертвецки. А мне он нужен был живым — лучшей компании для моего дела просто не найти. Всю свою жизнь, чуть ли не с колыбели, он провел в цирке и знал все обо всех. Стоило спросить его о каком-нибудь цирковом деятеле, независимо от его ранга, он отвечал всегда одинаково (менялось только имя): «Юрка-то? Да пили мы с ним недавно...» Самое удивительное, что в большинстве случаев это было правдой. И то, что я застала его трезвым, несмотря на поздний час, было большой удачей.

Мы отправились к Эдуарду в номер, в котором ничего не менялось годами: все тот же джентльменский набор атрибутов пьяницы и донжуана, начиная с видавшей виды гитары и заканчивая заклеенной фотографиями голых девиц стеной. Эдуард небрежно развалился на великанской в соотношении с ним кровати и лениво перебирал струны гитары, пока я тонкими ломтиками нарезала ветчину.

— А мы с Гошей вчера немного перебра-а-ли, — пропел он своим кукольным баритончиком и закурил огромную в его руках сигарету.

Эдуард был солистом лилипутского оркестра и выступал на всех аренах мира. Это позволяло ему снисходительно отзываться о Майкле Джексоне и Мике Джаггере. Первого он откровенно презирал, второго считал своим конкурентом. А Гошу Эдуард считал своим лучшим другом. Это была поистине экзотическая пара, учитывая, что Гоша был силовым акробатом и с трудом проходил в самую высокую дверь. Но характером отличался покладистым, к своему крохотному другу относился с трогательной нежностью, всячески его опекал и прощал ему все капризы.

Эдуард, как я поняла, не прочь был поболтать со

мной на любую тему и уже начал развивать одну из своих любимых:

— Говорят, в Тарасове красивые женщины... — начал он со снисходительной улыбкой на лице, но я перебила его, иначе рисковала пропустить момент трезвости и вместо необходимой мне информации получить в лучшем случае набор циничных комплиментов.

— Кстати, о красавчиках... — как бы невзначай вспомнила я.

Эдуард насторожился. Тема красивых мужчин не относилась к числу его любимых. И только пренебрежительный суффикс удержал его от традиционной по этому поводу нецензурной брани.

— Ты наверняка должен его знать... Как бишь его...

Я пощелкала жирными от ветчины пальцами, и «свернула голову» поллитровке. Это произвело на моего приятеля неизгладимое впечатление. Не отрываясь, он следил за моими руками и даже сглотнул слюну от волнения. Прежде чем разлить первую порцию водки, я задержала руку над столом, всем своим видом демонстрируя колоссальное напряжение мозговых извилин.

— Вспомнила! — радостно заявила я в тот момент, когда терпение Эдуарда готово было лопнуть и охлажденный напиток полился в рюмки. — Хрусталев! Александр Хрусталев! Ты с ним встречался?

Получив свой «бокал», если так можно назвать рюмку размером с наперсток, Эдуард стал снисходительным:

— Сашка, что ли? Смазливый мальчик... А ты-то откуда его знаешь?

— Да одна подруга с ним познакомилась недавно.

— Я уж думал, он замочил кого, — хихикнул он. И поднял «бокал» шикарным жестом. — Но он уже не работает в цирке, — продолжил он после того, как водка «улеглась» в его желудке, неторопливо разрывая кусочек ветчины.

— Давно? — пододвигая к нему тарелку, уточнила я.

— Да уж лет пять... — задумчиво произнес он.

Все, что касалось цирка, было для Эдуарда делом серьезным и ответственным. И приблизительность здесь была неуместна.

— Ну, правильно, — уверенно добавил он, — мы как раз из Испании вернулись. Шесть лет назад. — И только после этого отправил в рот ветчину. — А пара была неплохая...

— Пара? — переспросила я.

— Конечно, пара, — как что-то само собой разумеющееся, подтвердил он. — «Александр и Александра» — брат и сестра Хрусталевы. Она погибла...

— О господи... — вырвалось у меня. — Несчастный случай?

— Трудно сказать... Давай помянем ее, — кивнул он на бутылку, и я вновь наполнила рюмки.

После второй рюмки речь Эдуарда стала менее внятной, но мне удалось вытащить из него бесценную информацию.

Нет, не напрасно я посетила цирковую гостиницу.

Покойная жена Вениамина и сестра Хрусталева оказались одним и тем же человеком...

Глава 5

Дома я появилась, что называется, за полночь и не совсем трезвой. Но у меня были веские аргументы в споре с внутренним голосом, во всяком случае вечером.

Утром моей уверенности в собственной безгрешности сильно поубавилось. Более того, некоторые аргументы моего мучителя показались мне не лишенными здравого смысла, а через часик после пробуждения я уже соглашалась с ним по всем пунктам и давала клятвенные зароки в следующий раз быть аккуратней.

Но как не потерять чувства меры, если пьешь с лилипутом, да еще таким заводным. Кстати, слово «лилипут», оказывается, придумал Джонатан Свифт. Кто бы мог подумать? По сравнению с ним (я имею в виду, конечно, Эдуарда) я вообще не пила. В смысле соотношения веса и количества выпитого. А ел он вообще как Гулливер. Можно сказать, что ветчины нам с Гошей не досталось.

Вспомнив о Гоше, я чуть было не покраснела. О нем-то я и забыла. А ведь он появился, когда я была еще совершенно трезвой. Во всяком случае, считала себя таковой.

— Да, Иванова, — сказала я своему отражению, предварительно показав ему не самый в тот момент розовый язычок в мире, — твоя белая горячка не за горами.

А ведь с этим самым Гошей мы, кажется, договорились... о чем же, дай бог памяти... То ли о совместном номере, то ли о совместной жизни, точно не помню. Но то, что мы с ним целовались, — это точно. Кошмар какой-то. Я окончательно сникла под гнетом воспоминаний и поплелась в ванную.

Вечером мне было не до водных процедур, а спать с косметикой на лице — полное безобразие, последствия коего будут ощущаться, как минимум, пару дней. Женщины меня поймут.

— Приличные женщины — вряд ли... — вставил «шпильку» внутренний голос.

Я сделала вид, что его не услышала, и правильно сделала. Иначе от него потом не отвяжешься. Контрастный душ и зубная паста сделали свое дело, и на горизонте моего сознания показался розовый цвет надежды. А после чашки кофе мне даже захотелось курить. Причем сильно, поскольку сигарет в доме не оказалось.

Пришлось идти к ближайшему ларьку, благо еще он находится рядом. Проходя мимо киоска с табличкой «Всегда в продаже холодное свежее пиво», я демонстративно отвернулась, отчего вновь обрела самоуважение.

Пока я ходила за сигаретами, всякая тяга к курению пропала. Пришлось выпить еще чашку кофе, чтобы реанимировать в себе интерес к жизни и земным удовольствиям. В результате всех этих полуритуальных действий я обрела желание и, главное, возможность вернуться к работе.

Подведем итоги. Вчерашний поход в цирковую гостиницу принес настолько ощутимые результаты, что можно было смириться с некоторыми сопутствующими им издержками. Словоохотливый лилипут оказался действительно живым «who is who» российского цирка, и благодаря вчерашнему застолью я обладала теперь всей необходимой мне для дальнейшей работы информацией.

Александр и Александра Хрусталевы были воздушными гимнастами. Их номер пользовался успехом не только у нас в стране, но и за рубежом, и его охотно включали в самые престижные программы. И не столько благодаря какой-то исключительной технике исполнения, сколько из-за уникальной внешности брата и сестры.

Двойняшки, одетые в одинаковые, цвета «металлик», костюмы, с одинаковыми прическами, с выкрашенными в серебряный цвет волосами, они выглядели, как посланцы из будущего в советских фантастических фильмах.

А музыка «Pink Floyd» и красивый цветной свет,

подобранные для них молодым талантливым режиссером, сделали их буквально неотразимыми.

Нетрудно догадаться, что этим режиссером был Вениамин Зеленин. Именно он поставил Хрусталевым этот эффектный номер и именно в этой работе над ним он сошелся с молоденькой очаровательной гимнасткой. В цирке это случается нередко, но обычная связь переросла в серьезный роман, и Сашенька переехала к своему возлюбленному «с вещами». А потом неожиданно, на самом пике известности, брат и сестра ушли из цирка, а через полгода цирковое братство потрясла страшная весть о безвременной и глупой кончине девушки в результате несчастного случая.

Об этом периоде их жизни Эдуард знал только понаслышке, поскольку покинувшие арену артисты переставали для него существовать. По его мнению, трагедия произошла не тогда, когда она ушла из жизни, а в тот день, когда решила бросить профессию.

— Для меня она уже была мертвой, — с пьяной категоричностью повторил Эдуард несколько раз за вечер. — Но я не понимаю Веню, он же наш, цирковой до мозга костей. Как он мог допустить, чтобы она ушла! Не по-ни-ма-ю!

Я тоже многого не понимала в этом деле. И собиралась прояснить ситуацию с помощью логики и магии. Начать решила со второго.

Кинув кости на поверхность журнального столика и увидев редкое сочетание, я на всякий случай справилась по книге. И вынуждена была констатировать, что память меня не подвела. 30 + 15 + 9. «Кто часто будет пить, тот часто будет бит». Да что они, сговорились, что ли, с внутренним голосом? Или я действительно в последнее время переусердствовала с «зеленым змием»? Так или иначе, оставалось рассчитывать только на собственные силы. И я попыталась сосредоточиться.

Услышав вчера о родственных связях Зеленина и Хрусталева, я испытала чувство, что решение у меня в кармане. После здравого утреннего размышления я поняла, что большей частью вчерашнего оптимизма я была обязана горячительным напиткам. И это открытие не сделало меня счастливой. То, что покойная жена Зеленина была родной сестрой Хрусталева, не только не проясняло ситуацию, но скорее еще более запутывало ее.

Неожиданная мысль, простая и логичная, совершенно выбила меня из колеи. Может, отношения Светланы с Хрусталевым носят чисто «родственный» характер? Почему бы ей не встретиться с братом бывшей жены ее мужа... Нет, это звучит чересчур заковыристо. А вот Вениамин вполне мог сохранить с ним приятельские, если не родственные, отношения.

Такое встречается на каждом шагу. Одна моя подруга, разведясь с мужем лет пять тому назад и выйдя замуж вторично, сохранила чудесные отношения с бывшей свекровью и до сих пор называет ее «мамой».

А хороша бы я была, если бы вчера не удержалась и сообщила Вениамину о своих «открытиях»... То-то бы он удивился! А ведь меня так и подмывало с ним поделиться. Вот, мол, какая я шустрая: за один день все раскрыла. Дурища!

Поупражнявшись в самобичевании еще минут десять, я почувствовала зверский аппетит.

— Любовь приходит и ухо-о-дит, а кушать хо-очется всегда, — дурным голосом пропела я и отправилась на кухню готовить завтрак.

«В конце концов, ничего страшного не произошло, — успокаивала я себя, пока жарила яичницу с луком. — Ну, приняла родственника за любовника — с кем не бывает?»

Но моя интуиция не торопилась отказываться от прежних подозрений и вопреки здравому смыслу вновь и вновь вызывала в памяти стоп-кадры вчерашнего дня: Вениамин, тревожно оглядывающийся в момент передачи денег... Светлана перед дверью офиса... Я готова была голову положить на рельсы, как говорят некоторые президенты, что она шла на «тайное свидание». Ну не так ведут себя люди, собираясь встретиться с приятелем мужа. Хоть ты тресни!

«Да и что, собственно, меняет тот факт, что Александр — брат покойницы? — удивлялась я через десять минут. — Познакомился он со Светланой по-родственному, а отношения у них сложились по-другому. Всякое в жизни случается...»

Я даже не заметила, как проглотила яичницу. Надо же! А ведь она была из четырех яиц.

* * *

Час спустя я находилась в знакомом мне дворике у дома Зелениных. В кармане у меня лежал ключ от их квартиры, и мне нужно было дождаться удобного момента, чтобы проникнуть туда и разместить в спальне маленькую черно-белую видеокамеру для наблюдения.

Я старалась не думать пока о всех сложностях и противоречиях внутри этого милого любовного треугольника, хотя допускала, что истинный любовник Светланы — некто четвертый, которого я еще и в глаза не видела, и даже не предполагала, кем он может оказаться на самом деле. Я давно избавилась от всех возможных стереотипов в этой области. В наше время «любовником» Светланы вполне может оказаться какой-нибудь несовершеннолетний юнец или вообще ее лучшая подруга. Однажды мне пришлось иметь дело с голубой «супружеской» парой, с тех пор я могу допустить любой «расклад» любовного пасьянса и готова к любым неожиданностям.

Перед тем как выйти из дома, я набрала номер телефона Светланы и убедилась, что она пребывает в самом лучезарном настроении и не собирается покидать квартиры. О первом можно было судить по интонации ее голоса, а о втором — по шуму пылесоса. Судя по всему, Светлана готовилась к приему гостей. Как иначе объяснить генеральную уборку через несколько часов после отъезда мужа? Я, во всяком случае, применяю пылесос только по особым случаям, чаще обходясь обыкновенным веничком и влажной тряпкой.

Придется поломать голову, как выманить ее из квартиры. На память приходила масса способов — от самых примитивных до изощренно-авантюрных, о которых мне приходилось читать в детективных романах. Но в жизни чаще всего срабатывают именно простые способы. К тому же устраивать что-нибудь наподобие учений НАТО на территории отдельно взятого российского дворика — мероприятие довольно хлопотное.

Хотя российский криминал, в отличие от правоохранительных органов, порой использует прямо-таки фантастические методы «надувания» соотечественников. Например, один гениальный, по-другому не назовешь, аферист долгие годы зарабатывал на жизнь потрясающим способом. По его заказу приятель-наборщик в типографии раз в месяц печатал небольшим тиражом газету «Труд», которая ничем не отличалась от настоящей, только номера лотерейных билетов, в том числе и выигрышных, были в ней фиктивными. Ночью на стареньких «Жигулях», не привлекая к себе внимания, они расклеивали свои таблицы по всему городу. А рядом с ними урны ставили... «для использованных билетов». Доверчивые граждане, убедившись в очередной раз, что азартные игры с государством не приводят к обогащению, со спокойной душой опускали свои билетики в вышеупомянутые урны. Друзьям оставалось проехаться позже по всем пунктам, собрать выброшенные билеты и проверить их уже по настоящей таблице. Что называется, без шума и пыли. Сам Остап Бендер не придумал бы лучше.

Наверное, они продолжали бы свой «бизнес» до наших дней, если бы не один настырный дядечка, который приволок в сберкассу кусок забора вместе с таблицей, судя по которой он становился счастливым обладателем автомобиля «Волга».

В моем случае самым разумным было бы дождаться, когда Светлана отправится в магазин. По собственному опыту знаю, что обычно перед приходом гостей в доме не оказывается вина или закуски в необходимом количестве. А в отличие, например, от американцев, мы в гостях любим и привыкли поесть.

Только я начала гадать, чего именно не окажется у Светланы, как возле дома появился Александр Хрусталев собственной персоной. Он по-прежнему был неотразим, чисто выбрит и одет с иголочки. И снова оставлял после себя отвратительно стойкий парфюмерный «след».

Как же я тут пожалела, что не успела поставить свою аппаратуру вчера. А ведь могла бы, если бы не торчала на вокзале и не наблюдала битых полчаса за супругами Зелениными в момент их трогательного прощания. И уже сегодня у меня в руках мог бы оказаться видеоматериал, подтверждающий или опровергающий мои подозрения документально. Этакий милый видеоролик под названием «Что делает жена, когда мужа дома нет».

Ладно, придется довольствоваться тем, что имею. А имела я, ни много ни мало, ключи от той самой квартиры, куда проследовал в отсутствие мужа «друг семьи».

Не знаю, что стал бы делать кто другой на моем месте, а я не могла не воспользоваться такой уникальной возможностью. И сразу же приняла решение: любой ценой нужно увидеть все своими глазами. Риск? Глупости! В конце концов — не с наемными же убийцами я имею дело и даже не с преступниками в традиционном смысле этого слова. Такая работа — вполне обыденное дело для средней руки «папарацци», этих любителей супружеских альковов и душевых кабин. Ну не нравится лично мне подобного рода деятельность, а что делать? Зато информацию получу самую достоверную. Следует только точно рассчитать, в какой момент мое проникновение в квартиру окажется наиболее результативным. Не появиться бы там раньше времени и не опоздать.

Я шмыгнула в подъезд и убедилась, что Хрусталев воспользовался лифтом, этаким старомодным медленным сооружением с двойными дверями чуть ли не красного дерева. Когда-то рядом с ним внизу наверняка дежурил лифтер.

Козочкой взбежав по ступенькам и чуть не обогнав неторопливо громыхающую кабину, я едва не испортила все дело. Но вовремя притормозила, поэтому к моменту выхода из лифта Хрусталева находилась как раз между четвертым и пятым этажами. И могла не только слышать, но и благодаря широким лестничным проемам видеть, с каким выражением лица встретит гостя «безутешная супруга».

При этом пришлось затаить дыхание, неожиданно шумное после резвого восхождения на «эверест» — потолки в доме раза в полтора, наверное, выше моих, а лестницы намного длиннее и круче.

«Вот что значит нарушение спортивного режима», — проворчал внутренний голос.

«Уймись, шайтан», — мысленно ответила я, поскольку Хрусталев уже нажал кнопку звонка, и за дверью в квартире послышался мелодичный перезвон.

В ту же секунду, как будто ждала у порога, в дверях появилась Светлана.

— Ты? — спросила она настолько выразительно, что сразу стало понятно — гостей она не ждала. Во всяком случае, если и ждала, то не Хрусталева. И Александр тоже это понял.

— Не ждала? — улыбнулся он. Я не видела его лица, но в этом не было нужды. Он почти прохохотал свой вопрос.

— Честно говоря — нет, — совсем негостеприимно ответила Светлана. — Что случилось?

— Соскучился, — довольно наглым и грубоватым для пылкого возлюбленного голосом ответил Александр и, не дождавшись приглашения, протиснулся в глубь квартиры.

Вздохнув, Светлана захлопнула дверь.

«Чем дальше — тем загадочнее, — подумала я. — Почему-то это совсем не напоминает «love story». Уж не поручил ли Зеленин бывшему родственнику наведывать беспутную женушку в свое отсутствие? Может быть, за это он ему и заплатил? А я-то его за «хахаля» приняла... Да нет, зачем тогда Светлане встречаться с ним в офисе? Окончательно ты, подруга, запуталась...»

И это действительно было так — запуталась я. И ничего не понимала. Если Светлане этот тип неприятен так же, как и мне, какого лешего было ходить к нему на свидание? А если у них «роман», то почему она на него зверем смотрит? Конечно, они могли вчера поссориться, и Александр пришел мириться. Светочка для виду подуется полчасика, а потом... Как говорят, милые бранятся — только тешатся. Может, все так?

«Да что я, в психоаналитики, что ли, нанялась? — прервала я свои размышления. — У них свои методы — у нас свои. Да и задачи тоже».

Таким образом разрубив клубок противоречий и загадок, я посмотрела на часы и засекла время, дав моей «подшефной» парочке полчаса. Максимум — сорок пять минут. Этого, по моему мнению, должно хватить, чтобы «милые» успели побраниться и... помириться.

Торчать в пропахшем кошками подъезде мне не улыбалось, и я решила прогуляться и попить чего-нибудь холодненького. «Ага, пивка с рыбкой», — вновь напомнил о себе внутренний голос, таким образом отомстив за «шайтана». Не обращая на него внимания, я отправилась на улицу. Практически напротив дома находилось уличное кафе. Очень кстати. Попивая безвкусный, но, к счастью, очень холодный напиток неизвестного происхождения и странного бледно-желтого цвета, я одним глазом посматривала на подъезд. Жара продолжала царствовать в городе, поэтому следующим прохладительным стала пачка мороженого «Супер крем-брюле».

Прошло сорок минут. Но то ли от жары, то ли еще по какой причине мой внутренний хронометр отказывался верить показаниям часов — интуиция уговаривала повременить еще десяток минут. Я не стала оспаривать мнение подсознания и заказала еще стаканчик ледяного напитка.

И только когда минутная стрелка пошла на второй круг, встала из-за столика.

Подойдя к двери зеленинской квартиры, я убедилась, что музыка, которую я услышала еще на третьем этаже, доносилась именно отсюда. Вот это неожиданность!

«А может, она сумасшедшая? — неожиданно пришла в голову смелая идея. — Может, и не нужно было пытаться понять ее логику? Искусствоведы — они ведь со странностями. Просто у нее с головой не все в порядке. На почве любви к искусству...»

Прокручивая в голове возможные сценарии поведения Светланы после более чем прохладной встречи с Хрусталевым, я никак не могла предположить, что они станут слушать музыку, да еще такую. Вообще-то я не настолько разбираюсь в музыке, чтобы с ходу определить, что за группа издавала весь этот грохот, но иначе как «балдежной» назвать ее не могу. Друзья моего детства называли такую музыку «психоделическим роком» и слушали ее в темноте с закрытыми глазами, включая аппаратуру на полную мощь.

Чем бы там ни занимались мои подопечные, у меня появилась уникальная возможность: под такой аккомпанемент можно было спокойно открыть дверь ключом и войти в квартиру, совершенно не рискуя быть услышанной. Волна звуков чуть не сшибла меня с ног, лишь только входная дверь приоткрылась. Аппаратура у Зеленина была отменная, а с соседями здесь явно не считались.

Первое, на что я сразу обратила внимание, — в воздухе стоял странный прогорклый запах. При том, что квартира уже успела пропитаться одеколоном Хрусталева.

— Просто не человек, а скунс какой-то, — произнесла я вслух, но не услышала собственного голоса. Думаю, что выстрел из пистолета — и тот затерялся бы в этой «музыкальной шкатулке».

Ни в коридоре, ни в гостиной никого не было. Рядом с музыкальным центром звук достигал апогея и вплотную подходил к болевому барьеру. Музыка заполняла все вокруг и не давала сосредоточиться. Казалось, продираешься сквозь плотную вибрирующую субстанцию, заставляющую все клеточки твоего организма звучать в унисон с барабанами и саксофонами. Теперь я поняла, как танцуют под музыку глухие, — они чувствуют ее всем телом. Но у меня в отличие от них прекрасный слух, и я в этом совершенно не нуждаюсь.

В коридоре было еще три двери, за одной из которых происходило, видимо, что-то невероятное. Под такой грохот это должна быть уже не любовь, а «сексуальная битва». А раз так, то вряд ли ее участники обратят внимание на такую мелочь, как слегка приоткрывшаяся дверь и объектив видеокамеры. К тому же меня настолько утомили «странности» в отношениях моих «героев», что уже не пугало возможное столкновение с ними нос к носу.

Боюсь, что подсознательно я даже этого хотела. Во всяком случае, с удовольствием представила себе физиономию «красавчика» в момент «приятной неожиданности».

— А что вы тут делаете? — беззвучно произнесли бы его красивые губы. И он напомнил бы мне говорящую рыбу.

— На тебя, козла, пришла полюбоваться, — так же по-рыбьему ответила бы я ему.

Но он бы наверняка моих слов не разобрал. А жаль...

В самом деле, что может предпринять в такой ситуации человек? Прежде всего — выключить музыку. А я тем временем преспокойно удалюсь восвояси.

Все это промелькнуло в моей голове за какие-то доли секунды. Каким бы бесшабашным ни стало мое настроение — такая встреча мне была ни к чему. И чтобы ее избежать, следовало поторопиться.

Понятно, что бесполезно даже пытаться расслышать какие-либо звуки за одной из дверей, поэтому можно приоткрыть наугад первую попавшуюся...

Глава 6

Я чуть не выронила из рук видеокамеру, потому что ожидала увидеть совершенно другую «картинку». Есть выражение — наблюдение за наблюдающим. Я оказалась примерно в таком положении: Хрусталев снимал Светлану на камеру того же типа, как моя, а она самозабвенно и исступленно танцевала перед ним совершенно обнаженная.

От неожиданности я забыла включить свою и минуты полторы просто наблюдала за происходящим. Поразил меня не столько сам факт этого танца — мало ли как тешат себя люди, — сколько выражение лица Светланы. Описать его невозможно. В нем соединились радость и боль, наслаждение и мука. С закрытыми глазами и полураскрытым ртом, она напоминала одержимую. Ее изломанные, даже уродливые движения почти без преувеличения можно было назвать конвульсиями.

Обнаженный до пояса Хрусталев передвигался по комнате с кошачьей грацией, меняя ракурс съемки, залезал на кресло, ложился на пол, но, на мое счастье, ни разу не развернулся в мою сторону.

Выйдя из столбняка и вспомнив, зачем, собственно, меня занесло в эту музыкальную психушку, я включила камеру и уже через ее глазок заметила на столике у кровати использованный шприц. Болезненная экзальтация Светланы сразу же получила объяснение — она явно находилась под воздействием наркотика и, может быть, не ведала, что творила.

Несмотря на всю, на первый взгляд, экзотичность

увиденной сцены, большого разнообразия в происходящем не было. К тому же в любую секунду я сама могла попасть в объектив хрусталевской камеры, а лавры кинозвезды мне были ни к чему. Поэтому, отсняв небольшой эпизод, я тихонечко ретировалась.

Но прежде, чем покинуть квартиру, заскочила на кухню, ведь именно оттуда доносился смрад, который привлек мое внимание в самом начале. На газовой плите дымилась раскаленная докрасна турка, а в воздухе стоял такой чад, что у меня на глазах выступили слезы. Перекрыв газ, я открыла форточку и только тогда направилась к выходу.

Выбежав из подъезда, я решила, «не отходя от кассы», просмотреть отснятый материал, благо камера позволяет сделать это без видеомагнитофона.

Поудобнее усевшись на лавочке, я закурила сигарету и приготовилась испытать «чувство глубокого удовлетворения» от проделанной работы.

Каково же было мое удивление, когда вместо танцующей Светланы я увидела... эпизод своей старой рабочей съемки. Второй раз за последние пятнадцать минут на меня напал столбняк. Что это? И как такое могло случиться? Мысли заметались в поисках ответа. Прежде всего надо восстановить последовательность моих утренних действий. Так... Я приготовила для сегодняшней операции новую кассету, положила ее на писменный стол рядом с видеокамерой. Значит, когда заряжала ее, взяла другую. Это — первая ошибка.

Что ж, в девяти случаях из десяти ничего страшного произойти не могло. Самое неприятное, что случилось бы, — стерся бы небольшой кусочек предыдущей записи. Так туда ему и дорога! Но весь ужас ситуации в том, что есть десятый случай: видеокассеты можно «застраховать» от нечаянного стирания — отломить маленькую пластмассовую пластинку в специальном окошечке. Тогда стереть или записать что-либо новое на кассету невозможно. Обычно я свои записи не «страхую». Но по закону подлости сегодня мне попалась под руку та единственная кассета, с которой я провела эту незатейливую процедуру, так как снятое на нее могло мне еще понадобиться.

Следующая моя ошибка в том, что, глядя в видоискатель, я, оглушенная музыкой и собственным нахальством, лицезрением необычного танца Светланы и вообще рискованностью ситуации, не заметила, что запись на камеру не ведется. Это же надо! Пробраться в квартиру в момент «преступления», заснять компромат, уйти незамеченной... и все только для того, чтобы сейчас тупо вертеть в руках кассету с посторонней съемкой. В более дурацком положении я не оказывалась никогда в жизни! А ведь проделать то же самое еще раз наверняка не получится. Я же не сумасшедшая и понимаю, насколько безумной была моя затея изначально. То, что она удалась, результат везения и случая. И особого состояния организма, известного исключительно артистам и частным детективам, которое и те и другие называют заграничным словом «кураж». Ни за какие коврижки я не вернулась бы снова в эту проклятую квартиру.

Больше всего на свете мне сейчас хотелось позвонить Вениамину и отказаться от работы.

Но Зеленина не было в городе.

В такие минуты девяносто процентов женщин плачут. Остальные десять — рыдают. Я же курила одну сигарету за другой и упражнялась в непечатной лексике. Душа моя содрогалась от невидимых миру слез, и даже внутренний голос, понимая всю безысходность моего состояния, деликатно помалкивал, хотя наверняка у него имелось что сказать по этому поводу.

Я была настолько выбита из колеи, что на какое-то время лишилась способности мыслить, и голова моя оставалась пустой, как первомайский шарик. Пребывая в самом паршивом настроении, я зашвырнула камеру и кассету в сумку и отправилась в сторону собственного дома, продолжая проклинать себя на чем свет стоит. Но тут сквозь авторугательства к моему сознанию пробилась одна идея. Как любит говорить моя подруга, «умная мысля приходит опосля». Моя «мысля» действительно оказалась совсем неглупой, зато пришла очень вовремя. Раз мне самой не удалось запечатлеть на видео вакхические танцы Светланы, нужно достать «оригинал», то есть кассету Александра Хрусталева. Его запись, кстати, значительно полнее и наверняка включает не только хореографические сцены.

Эта мысль буквально вернула меня к жизни. В качестве живого человека я тут же почувствовала во рту «аромат» переполненной окурками пепельницы и с ужасом обнаружила, что переплюнула в смысле количества выкуренных сигарет в единицу времени не только саму себя, но даже Светлану. Самое время было перекусить, но теперь я боялась отойти от подъезда и упустить Хрусталева. Потому что тогда я могла бы считать запись окончательно потерянной. Нужно узнать, куда отправится с ней Александр, чтобы потом придумать способ изъять ее из тайника. А у Хрусталева такой тайник определенно имеется. В том или ином виде.

Ободренная открывшейся перспективой, я снова сбегала в кафе напротив и вернулась к дому с двумя порциями мороженого. Лавочка, на которой я сидела до сих пор, была слишком заметным местом, пришлось перебраться в дальний угол сквера, откуда подъезд просматривался не хуже. К тому же оказалось, там значительно прохладнее.

Столько мороженого я не ела с детства. Причем

то ли мороженое попалось такое вкусное, то ли голод давал о себе знать, но я глотала его кусками и буквально не могла наесться.

«Ты, случаем, не беременна?» — почувствовав перемену в моем настроении, прорезался внутренний голос.

«Типун тебе на язык», — ответила я ему. Но на всякий случай прислушалась к ощущениям, совершила в голове несложные математические подсчеты и успокоилась. Я замечательно отношусь к материнству, но частный детектив, прерывающий погоню за преступником, чтобы покормить грудью ребенка, — это, согласитесь, нонсенс.

Единственным недостатком моего нового местопребывания было обилие мусора вокруг. Благодаря своей неприметности оно, по всей видимости, являлось традиционным местом «возлияний». Судя по количеству пивных и винных пробок под ногами и граненому стакану на веточке, жизнь здесь не замирала ни днем, ни ночью. В соответствии со вкусами завсегдатаев закутка лавочка была покрыта наскальной живописью XX века, или, как теперь принято говорить, — «граффити». Причем использовалось самое примитивное направление сего жанра. «Светка — сука», — гласила одна из наиболее приличных надписей. «Уж не о моем ли искусствоведе писаны эти строки?» — подумала я, когда от скуки в четвертый раз перечитывала лавочку от корки до корки.

К концу второго часа безрезультатного ожидания настроение мое снова стало опускаться ниже уровня моря, и в голову полезли мысли одна унылее другой. А что, если они решили не выходить из квартиры вообще? Холодильник, скорее всего, забит продуктами. А за дозой наркотика не бегают, как за очередной бутылкой в гастроном. Александр наверняка заблаговременно позаботился об этом.

«А что ты будешь делать, если до ночи никто не выйдет? Ночевать здесь останешься?» — спросил внутренний голос, а может быть, спросила себя я сама. Отвечать не хотелось.

«Скучать точно не придется. С минуты на минуту кто-нибудь придет. Пивка с собой принесет, а если повезет, и винца. Любишь «Анапу»? — вот это уж точно внутренний голос. Сама я так над собой не издеваюсь.

Но возразить ему нечего, хотя до вечера еще далеко...

Я уже начинала подумывать, не сгонять ли за каким-нибудь пирожком, когда из подъезда появился Александр Хрусталев собственной персоной. Он выглядел так, словно только что вышел от массажиста или из салона красоты. Безукоризненная прическа уложена волосок к волоску, белые брюки тщательно отутюжены. Через плечо у него висела сумка, которая с первой же секунды привлекла мое внимание. Я надеялась, что заветная кассета лежала в ней. Он, разумеется, мог оставить ее у Светланы, но это чисто теоретически. Там ее мог обнаружить муж. Да и зачем вообще снимать, если не затем, чтобы вечерком насладиться зрелищем у себя дома?

Я предполагала, что именно туда Хрусталев и направлялся, и уже приготовилась было следом за ним заскочить в трамвай, но он, вопреки моим ожиданиям, прошел мимо остановки. А шел он к так называемым «рядам» — своеобразному торговому центру оптовой торговли в Тарасове, где можно приобрести все, что угодно, начиная от сигарет и кончая стиральным порошком. А там мой «объект» начал целенаправленно набивать сумку разными вкусными мелочами. Получалось, он вышел именно за ними, и я с унылой физиономией наблюдала, как он тщательно выбирает шоколад и фрукты.

«Выходит, они решили продолжить свой праздник, — подумала я, — и мне предстоит вернуться на пресловутую лавочку в опротивевший за полдня дворик». И решила запастись «сухим пайком», потому что от мороженого меня уже тошнило, а есть хотелось ничуть не меньше. Стараясь не упускать из виду Александра, я успела прикупить бутылку минералки, пару копченых куриных окорочков, сигареты, кое-какие фрукты и аппетитный вафельный торт. В результате моя сумка заметно потяжелела и приобрела приятную округлость. Не удержавшись, я сразу впилась зубами в один из окорочков и поймала на себе несколько удивленных взглядов.

Назло внутреннему голосу я купила бутылку пива и с удовольствием ожидала комментариев. Но на этот раз он от них воздержался.

Теперь я могла просидеть в засаде хоть всю ночь без всякого ущерба для желудка.

Но Хрусталев после очередной покупки спутал все планы и пошел в противоположную от дома Зелениных сторону. Я только вздохнула по этому поводу и помянула любимую профессию не самым добрым словом.

Так вот мы с «красавчиком» шли-шли и пришли на остановку автобуса, известного мне по поездкам в город-спутник Тарасова Покровск, который по сути является частью Тарасова, но только то, что находится он на другом берегу Волги, позволяет ему носить гордое самостоятельное имя. Соединяются они друг с другом длиннющим мостом, по которому мне, судя по всему, предстояло теперь прокатиться.

Я терялась в догадках, за каким лешим Хрусталева после посещения Светланы потянуло в такую даль, но выбора у меня не было, и я просочилась следом за ним в старенький, видавший виды автобус. А потом, расположившись на заднем сиденье, откуда хорошо просматривался весь салон, всю дорогу строила различные, в том числе и совершенно немыслимые, объяснения выбранного моим подопечным маршрута. Между прочим, учитывая увиденное сегодня в квартире Зелениных, я смело могла абсолютно не стеснять своей фантазии. От этого человека можно было ожидать чего угодно.

А мой «объект», хотя мне больше хотелось называть «красавчика» уничижительным словом «субъект», как ни в чем не бывало сидел на одном из передних сидений и читал какую-то желтую газету — как в смысле цвета бумаги, на которой она была напечатана, так, по всей видимости, и содержания. А в конце пути даже принялся разгадывать в ней кроссворд, что почему-то вывело меня из себя.

Вообще, в последние дни я что-то стала нервная. Слишком просто стало меня разозлить. Раньше я за собой такого не замечала. А посему, поставив себе диагноз «переутомление», решила после окончания этого дела обязательно съездить куда-нибудь на пару недель. Себя показать и людей посмотреть. Лучше всего, если это будет поездка к моему любимому Черному морю.

Автобус остановился на конечной остановке. Это был покровский междугородный вокзал. Судя по тому, что Хрусталев решительно направился к кассам, путешествие наше на этом не заканчивалось. Но пытаться взять билет на тот же автобус, что и Александр, было слишком рискованно. Целых два дня — вчера и сегодня — я старалась не попадаться ему на глаза. Но я не такая серая мышка, чтобы долго оставаться в тени. И пару раз я уже поймала на себе его взгляд. Еще немного, и у него могут появиться по моему поводу некоторые подозрения. Поэтому, подслушав название населенного пункта, до которого он взял билет, я отправилась бродить по привокзальной площади в поисках попутной машины.

Здесь, как на всяком вокзале в наше время, несколько человек, молодых и не очень, на «Жигулях» различных моделей день и ночь дежурили в поисках клиента. И они наперебой стали предлагать мне свои услуги, как только поняли мои намерения. Выбрав наиболее приличного и не слишком корыстного водителя, я отвела его в сторонку.

— Дороговато, конечно, но что поделаешь, — прикинулась я бедной сиротой, чтобы с дурацкой многозначительностью продолжить: — В моем положении я не выношу общественного транспорта, а мне очень нужно быть сегодня в Константиновке одновременно с рейсовым автобусом. Меня там будет встречать свекровь, а мы даже не знакомы, и я боюсь с ней разминуться...

Еще несколько минут я лопотала какую-ту ерунду, в результате чего не только перестала интересовать водителя как женщина, но и вызвала у него серьезные опасения в отношении моего душевного здоровья. То есть он уже считал меня полной идиоткой, чего я и добивалась. Маска юродивого — одно из самых древних приспособлений детективов и секретных агентов. Еще во времена Ивана Грозного по Святой Руси слонялось множество псевдоюродивых, состоявших на тайной службе у великого параноика.

До отправления автобуса оставалось еще полчаса, и я в соответствии со своим новым имиджем разложила на ступеньках вокзала газетку и приступила к полднику. Для полного дурдома не хватало только яичек в платочке. А мой водитель недвусмысленно ухмылялся, показывая меня своим менее удачливым коллегам. Они хохотали и хлопали его по плечу.

По дороге в неведомую Константиновку я сделала вид, что мне стало совсем плохо, и, закрыв глаза, занялась «подбиванием бабок». Ситуация оставалась не менее загадочной, но кое-какие детали начинали проясняться. Во всяком случае, мне уже было понятно, что Хрусталев является не только любовником Светланы, но и ее поставщиком наркотиков. Зеленин ни словом не обмолвился об этом пороке своей жены, из чего я сделала вывод, что он о нем не знает.

Ничего странного: обычно люди крайне ненаблюдательны. Например, мои соседи узнали, что их дочь беременна, только после того, как «Скорая» увезла ее в роддом. Именно близкие чаще всего последними узнают о том, что их сын, или муж, или... — законченный наркоман. И это уже не удивляет специалистов.

Поэтому теперь мне не казались странными и отношения любви-ненависти между Светланой и Хрусталевым. Наркотики объясняли все. В состоянии наркотического опьянения она испытывала страстное влечение к нему, а в период «отходняка» — мучительные угрызения совести.

Поразмышляв таким образом еще немного, я пришла к окончательному выводу, что история эта действительно достаточно банальная, особенно для нашего времени, когда чуть ли не каждый третий — наркоман, не говоря уже о количестве алкоголиков.

«Вот именно», — хохотнул внутренний голос. Оказывается, он тоже увязался со мной в Константиновку.

* * *

Данный населенный пункт, как я узнала еще на вокзале, оказался обычным селом, хотя и довольно крупным. Во всяком случае, там был двухэтажный Дом культуры с непременным памятником Ленину у входа и вечерним рестораном на первом этаже. А самой большой достопримечательностью Константиновки оказался детский дом. Но о нем я узнала только тогда, когда Хрусталев остановился перед «парадным подъездом». А еще точнее, в тот момент, когда женщина в грязном белом халате, выслушав его, кивнула головой и скрылась за толстой скрипучей дверью.

Прочитав с помощью «зума» видеокамеры табличку на дверях покосившегося двухэтажного особняка, я не поверила своим глазам. Что было нужно Хрусталеву в этом богоугодном заведении? В голову полезла версия, что в этом полумедицинском учреждении у Хрусталева работает знакомая медсестра, которая помогает ему с наркотиками. Но это могло быть актуальным лет пятнадцать назад. В наши дни наркотики — не проблема. Особенно если у тебя есть деньги. А судя по тому, с какой легкостью Хрусталев оставил на рынке несколько сотен, деньги у него были.

Я с удобством расположилась в развалинах какого-то дома прямо напротив и могла прекрасно видеть оттуда все происходящее. Компанию мне составляли несколько кур, разыскивающих у меня под ногами что-нибудь съедобное и квохчущих тягучими старушечьими голосами.

Минуты тянулись, как часы, и чтобы как-то убить время, можно было заняться пресловутой «застрахованной» кассетой. Отмотав метры записи, которые мне еще пригодятся, я буквально за пару минут разделалась с идиотской защитой, сняла несколько пробных кадров и убедилась, что видеокамера абсолютно готова к работе. На всякий случай не стала прятать ее далеко, а потом придумала себе развлечение: максимально приблизив изображение, стала рассматривать Хрусталева, как насекомое под микроскопом.

Я уже привыкла к постоянно присутствующей на его лице самодовольной улыбке, поэтому явилась для меня полной неожиданностью гримаса боли, которую я обнаружила сейчас.

Мне захотелось запечатлеть это на пленку, и я включила камеру. Хрусталев явно сильно волновался и с нетерпением оглядывался на дверь. Едва закурив сигарету, он тут же затушил ее резким движением. И это заставило меня перевести объектив на дверь детского дома и уже не отрываться от нее до появления... ребенка. Хотя внешний вид маленького существа совершенно не соответствовал этому ласковому и радостному слову.

Его вела за руку, вернее, тащила за собой та самая женщина в белом халате. А маленький уродец кричал и вырывался. Если бы не камера, может быть, я приняла бы его издали за обычного капризного мальчика лет четырех. Но прекрасная оптика не оставляла сомнений в его врожденной патологии. Я недостаточно эрудирована в медицине, чтобы назвать диагноз, но это был даже не олигофрен. Его внешность — как ни чудовищно это звучит по отношению к ребенку — вызывала физическое отвращение.

Я не преувеличиваю. Можно было бы описать несчастное создание во всех подробностях, но не думаю, что это кому-то доставит удовольствие. Я бы, наверное, выключила камеру, если бы в тот момент могла контролировать свои действия. Но то, что происходило перед моими глазами, настолько потрясло меня, что я потеряла эту способность. Благодаря этому все происходящее в последующие пятнадцать минут осталось у меня на пленке.

Хрусталев попытался придать своему лицу веселое ласковое выражение, и ему это почти удалось. Он протянул руки навстречу ребенку и что-то сказал ему. Женщина, пытаясь успокоить мальчика, со злостью дернула его за руку.

— Да заткнешься ты, наконец? — прочла я по ее

губам. И эти слова отозвались на лице Хрусталева новой гримасой боли.

Он что-то сказал женщине, показывая на дверь. Она в ответ пожала плечами и неохотно удалилась, передав ребенка Хрусталеву с рук на руки.

Поискав глазами более укромный уголок, но не найдя такового, он взял ребенка к себе на колени, усевшись прямо на грязном крыльце облезлого особняка. А потом начал доставать из сумки все новые и новые сладости и фрукты. И через пару минут все это было разбросано ничего не понимающим и плачущим уродцем в разные стороны.

Хрусталев попытался погладить его по голове, но тут же испуганно отдернул руку. Ребенок широко раскрыл рот и, мне показалось, попытался укусить своего «гостя».

Наблюдать все это было невыносимо. Опустив камеру, я перевела дыхание и только тут заметила, что она до сих пор работает. Нажав на «стоп», я забросила ее в сумку, достала, чтобы немного прийти в себя, из сумки бутылку теплого пива и с отвращением выпила ее за несколько секунд.

Вскоре из дверей детского дома вновь вышла воспитательница или медсестра, бог знает, как они тут называются. Хрусталев, не обмолвившись с ней и словом, встал с места и пошел, что называется, куда глаза глядят. Женщина проводила его насмешливым взглядом и принялась деловито собирать с земли деликатесы. Собрав все, вплоть до раздавленной шоколадки, она подхватила под мышку ребенка и уволокла его внутрь.

Неожиданно мне пришла в голову любопытная затея, и я незамедлительно приступила к ее выполнению.

Подождав для убедительности несколько минут, я позвонила в двери детского дома. На мое счастье, открыла все та же женщина. Торопливо проглотив какой-тот кусок, она молча уставилась на меня.

— От вас только что ушел посетитель, — вежливо напомнила я. — Приходил проведать мальчика...

— Ну? — то ли подтвердила, то ли поинтересовалась причиной моего появления тетка.

— Он купил вам небольшой тортик, но так волновался, что забыл его отдать. И попросил меня...

Я застенчиво улыбнулась и достала из сумки купленный мною на рынке вафельный торт. Сменив гнев на милость, воспитательница без лишних слов протянула руку за тортом.

— Я ничего не перепутала? — не торопясь отдавать ей коробку, уточнила я. — Вы знаете, о ком я говорю?

— Ничего ты не перепутала, — недовольно заворчала она. — Только что ушел красавчик, к Сашке Хрусталеву приходил.

Я постаралась не показать виду, насколько меня поразило совпадение имени и фамилии.

— Ну, тогда все правильно, — облегченно вздохнула я и отдала ей обещанный торт.

— Можно подумать, к нам толпами ходят... — напоследок хмыкнула воспитательница и, не прощаясь, захлопнула за собой дверь.

Глава 7

«Вот оно что... — мысленно ахнула я, когда осталась одна. — Выходит, это его сын. Никогда бы не подумала, что у этого плейбоя такая трагедия за душой. А производит впечатление вполне респектабельного и довольного судьбой человека. Мало того, что в расцвете лет умерла его сестра. Так еще и это...»

Как говорят англичане, у каждого имеется свой

скелет в шкафу. Я тоже абсолютно благополучных людей не встречала. Но такой беды не пожелаешь и врагу.

Закурив сигарету, я присела на бревно, чтобы собраться с мыслями. Автобус в Тарасов, насколько мне было известно, отходил только через час, а на стоянке мне делать нечего. Найти машину до Тарасова я здесь не надеялась, поэтому собиралась прийти к автобусу буквально за минуту до отправления.

В тени было не очень жарко, тем более что в деревне тридцать градусов переносятся значительно легче, чем в городе. Свежий ветерок и отсутствие выхлопных газов позволяют забыть здесь об этой проблеме.

«Итак, что мы имеем на сегодняшний день?» — мысленно задала я себе традиционный вопрос. И приготовилась подвести итоги двух первых дней работы. Но, видимо, сделать это мне было не суждено, потому что на крыльце появилась седенькая старушка в застиранном халате и недолго думая, чисто по деревенской традиции поздоровавшись, присела рядом со мной.

— Издалека будешь? — ласково спросила она.

— Из Тарасова.

— А чего к нам?

— За компанию. Через час уеду.

— Ну, правильно, чего тебе тут...

Несколько минут мы не говорили ни слова. Потом уже я нарушила тишину:

— А вы здесь давно работаете?

— Третий десяток, однако, пошел, — посчитав в уме, сама удивилась старушка.

— Трудно с больными-то?

— Привыкла, да и желающих у нас работать что-то не видно.

— И много у вас таких, как Саша Хрусталев?

— Ну, этот еще не самый тяжелый, — неожиданно улыбнулась она. — У нас некоторые вообще не встают.

— А сколько ему лет?

— Сашке-то? Дай подумать... Восьмой годок, надо полагать. В девяносто четвертом он к нам попал.

— А выглядит годика на четыре.

— Да он, милая, может, и до старости таким останется.

— Он что-нибудь понимает?

— А как же. Все понимает. Наши знаешь какие умные... Только говорить не могут. А так — все понимают.

Хотелось задать ей еще несколько вопросов, но тут буквально на полуслове старушка задремала, как могут засыпать только старые и очень усталые люди. Я не стала ее будить и отправилась к речке, куда, судя по всему, торопились некрасивые, но здоровые деревенские мальчишки с удочками.

* * *

Судьбе было угодно распорядиться таким образом, что в автобусе мы с Хрусталевым оказались на одном сиденье. Просто других свободных мест не было. Но я абсолютно ничем не рисковала, потому что к этому времени он уже был настолько пьян, что плохо понимал, где находится. Где он успел так набраться, я не знала, но вполне понимала его желание забыться.

Грабить пьяных — последнее дело. Но если этот пьяный — твой противник, то ты не должен быть особенно щепетилен в выборе средств. А по нынешнему раскладу Светлана и Хрусталев были моими противниками. В той самой игре, за которую мне платили деньги. И не воспользоваться таким удобным случаем я просто не имела права. Не дожидаться же, когда он протрезвеет, и только после этого обокрасть, но уже с определенным риском и немалыми трудностями. В конце концов, воровать — вообще нехорошо.

В результате, когда я вышла из автобуса, у меня в сумке лежало уже две видеокассеты. Убедившись, что Хрусталев «на автопилоте» вошел в свой трамвай, я оставила его в покое и вернулась домой.

Первым делом я смыла с себя все дорожные запахи, включая хрусталевский. После чего сварила огромную чашку тройного кофе по-турецки, при одном виде которой нормальный турок тут же завопил бы благим матом и принялся отговаривать меня от самоубийства. Но что для турка смерть, для меня — удовольствие. И, ополовинив кофе, я, благоухающая и бодрая, залезла в любимое кресло с ногами, приготовившись посмотреть ворованную кассету.

Перемотав пленку на начало, я нажала кнопку воспроизведения. И подумала, что украла не ту кассету. Во всяком случае, никаких танцев я поначалу не увидела. На экране была пустая комната, и пару минут ничего не менялось. Это напомнило мне просмотр кассет, снятых скрытой камерой, когда приходится проматывать сотни метров неподвижных кадров, и я насторожилась.

Потом кадр дернулся, что свидетельствовало о том, что камеру выключили, и уже следующий кадр объяснил мне если не все, то очень многое. На кассете были засняты именно те сцены, за которыми я отправилась сегодня в квартиру Зелениных. Снова звучала громкая музыка, и Светлана была явно «под балдой». Она беспрерывно хохотала и была взвинчена и вульгарна. Насколько я успела ее узнать, в трезвом виде это было ей несвойственно.

Хрусталев явно играл «на публику», то есть вел себя совершенно неестественно и старался выглядеть не хуже героев порнофильмов. Кроме того, он все время оглядывался на камеру, проверяя, попадают ли они в кадр. Но меня удивило даже не это, а то, что он делал все, чтобы в кадр попало лицо Светланы. Ему было важно не ее тело и не собственно эротическая сцена, а то, что в постели с ним именно она.

В какой-то момент Светлана предложила продолжить игры на полу, и Хрусталев был этим явно обескуражен. Настойчиво, почти грубо он потребовал, чтобы она вернулась назад. Светлана пьяно капризничала и требовала объяснений:

— Ну почему? Я не хочу больше на кровати, иди сюда...

Хрусталев схватил ее в охапку и бросил на кровать. Он поставил ее лицом к камере и стал ласкать наиболее изощренно, заставляя партнершу окончательно потерять голову. Светлана не догадывалась о съемке, значит, Александр устроил все это тайком от нее. Есть любители посмотреть на себя со стороны, но жена Зеленина к ним явно не относилась.

Временами мне казалось, что она вообще не понимает, кто находится рядом с ней. А однажды даже назвала Хрусталева Веней. Я подумала, что мне это показалось, но, просмотрев эпизод еще раз, я уже не сомневалась: Светлана была не в себе и не отдавала отчета в своих действиях.

Хрусталев же был чрезвычайно суетлив и вызвал у меня в памяти знаменитую надпись в одесском публичном доме. Говорят, там висел огромный плакат, на котором было всего четыре слова: «Не суетись под клиентом». Так вот, Хрусталев именно суетился. Он как будто задался целью показать свою бурную сексуальную фантазию или репетировал видеоиллюстрации к «Камасутре».

Иногда его фантазии, с моей точки зрения, были слегка паталогичны. Беспрерывно меняя позы, он не занимался сексом, а реализовывал замысел. А в чем он состоял — я не понимала. Если в том, чтобы снять компромат, то это ему удалось. Особенно если потом это грамотно смонтировать. Но никаких признаков монтажа на пленке не было. Это была совершенно «рабочая» пленка.

Запись закончилась так же неожиданно, как и началась. И я не сразу поняла, кто выключил камеру. И только посмотрев этот эпизод вторично, убедилась, что это сделал Хрусталев. Продолжая ласкать Светлану, он наощупь достал из-под кровати пульт дистанционного управления и направил его в сторону камеры. После этого изображение исчезло с экрана. Видимо, таким же образом он и включил заранее настроенную камеру в начале полового акта.

Я остановила пленку и пошла на кухню за новой порцией кофе.

Только сумасшедший мог бы назвать увиденное «любовной сценой». Хрусталев не только не был похож на «пылко влюбленного», но вел себя необъяснимо странно. Он как будто выполнял чье-то поручение. Не хотела бы я оказаться в постели с таким партнером.

Новая чашка была нормальной, то есть кофейной, и не шокировала бы даже самого привередливого турка. А остатки моих дневных покупок оказались совсем недурной добавкой к любимому напитку.

Но аппетит у меня скоро испортился. Буквально в ту же минуту, когда я снова включила видеомагнитофон. Следующий эпизод не нуждался в «постановочных эффектах». Мне даже показалось, что попал он на пленку случайно. Это был коротенький — меньше минуты — эпизод, но он поразил меня больше, чем все предыдущее. У Светланы была истерика, иначе не назовешь. Она буквально рвала на себе волосы и повторяла одну и ту же фразу:

— Что я наделала, что я наделала...

Действие происходило в том же интерьере. Светлана была почти одета, хотя было видно, что одевалась она второпях и кое-как. Она и теперь продолжала время от времени выходить из кадра, собирая детали туалета или пытаясь закурить. Хрусталев неожиданно тоже оказался в кадре и неловко попытался обнять свою подругу.

— Как же я тебя ненавижу, — сквозь зубы, еле сдерживая слезы, шепотом прокричала, если так можно выразиться, Светлана.

— Ну, что ты, — ласковым голосом успокаивал ее Хрусталев, — просто мы не сдержались, ты же знаешь, как я отношусь к тебе.

Но сразу же после этого вытворил такое, что может присниться только в страшном сне. Произнеся последнее слово, он неожиданно обернулся через плечо и хитро подмигнул прямо в объектив видеокамеры.

— Ах ты тварь, — вырвалось у меня.

Может быть, потому, что я тоже женщина и могу представить себя в аналогичной ситуации, реакция моя была столь бурной. Но я действительно ненавидела его в эту минуту. И позабыла и о его погибшей сестре, и о больном ребенке.

Человек, способный на такое, не заслуживает никакого сострадания.

Через несколько секунд он снова выключил запись, а сразу после паузы пошел тот самый танец, что я безуспешно пыталась заснять сегодня днем. Я смотрела на него под впечатлением предыдущего эпизода, и он потряс меня своей безысходностью. Это была настоящая агония, танец на пиру во время чумы, предсмертная судорога насмерть оскорбленной женщины.

Я заставила себя досмотреть запись до конца и

даже несколько минут после ее окончания не выключала магнитофон, хотя на экране уже мельтешили разноцветные точки и вместо музыки слышалось противное шипение. Но я поняла это только тогда, когда пленка закончилась и сработала автоматика.

Теперь у меня уже не было сомнений — ни о какой любви между Светланой и Хрусталевым не могло быть и речи. И прежде чем передать эту пленку заказчику, я должна и хочу выяснить, в чем же тут дело.

Формально я не обязана этим заниматься. И любой частный детектив может это подтвердить. Факт прелюбодеяния установлен и даже зафиксирован на видеокассете. Я честно заработала свой гонорар. Но в моей работе меня привлекает не только и даже не столько высокая оплата, сколько любовь к раскрытию таинственных происшествий и запутанных случаев.

В каком-то смысле моя работа сродни работе ученого. И раскрытое преступление в этом смысле можно сравнить с открытием. Точно так же оно не дает спать по ночам, пока все точки над «i» не расставлены и все тайное не становится явным. В конечном итоге слова «расследование» и «исследование» отличаются только приставкой и почти совпадают по смыслу. А ни один уважающий себя ученый не бросит своего исследования, не закончив серии экспериментов.

Итак, необходимо еще раз проанализировать всю имеющуюся у меня информацию и наметить план действий.

Пронзительный в вечерней тишине звонок телефона вернул меня к реальности.

— Ты где пропадаешь? Два часа тебе названиваю, — услышала я голос Папазяна. Судя по полному отсутствию акцента, повод для звонка у него был серьезный, поэтому блистать остроумием в ответ совершенно не хотелось.

— Что случилось? — тревожно спросила я, предчувствуя недоброе.

— Твоя подопечная пыталась досрочно попасть на кладбище.

— Что?

— Попытка самоубийства в состоянии наркотического опьянения.

— Откуда тебе это известно? Впрочем, не важно. Она жива?

— Да, но состояние очень тяжелое. Тут интересуются, с кем она накачалась, я решил ничего не сообщать, пока не посоветуюсь с тобой. Хотя догадываюсь, что это был циркач. Я прав?

— Ты прав, Гарик, ты умница. Но умоляю — пока никому ни слова.

— Обижаешь, э-э, — грустно ответил Гарик и повесил трубку.

— Только этого мне не хватало, — сокрушенно произнесла я и рухнула в кресло.

Нельзя сказать, что новость явилась для меня полной неожиданностью. Какое-то неприятное предчувствие возникало уже во время просмотра видеозаписи. Но кто бы мог подумать, что это произойдет именно сегодня?

Ну почему Зеленин не взял ее с собой? Зачем ему было оставлять ее одну в городе, вернее, наедине с этим подонком? Даже если допустить, что Вениамин не догадывался об их связи, он же должен был понимать, что провоцирует ее на какой-то отчаянный шаг.

Все было очень загадочно. А то, что Зеленин еще и платит за что-то Хрусталеву, вообще не умещалось в голове.

В результате Светлана чуть было не ушла из жизни.

«Интересно, кто сообщил о происшествии в милицию? — размышляла я. — Хрусталев был на это не способен ни физически, ни...»

Я посмотрела на часы.

Судя по всему, несчастье произошло в то самое время, когда я купалась в речке перед отправлением автобуса из Константиновки, а Хрусталев надирался в местном сельпо. Но он явно причастен к этому событию! А то, что его в тот момент не было в городе, только подкрепляло мою уверенность.

«А ведь он не стал бы поднимать шума, даже если бы там присутствовал», — неожиданно поняла я. Никаких аргументов для подтверждения этого тезиса у меня не было, но тем и хороша моя работа, что никому ничего не надо доказывать. Даже если тот или иной вывод является просто предчувствием.

Можно было перезвонить Папазяну и узнать подробности, но я не стала этого делать. У меня в кармане лежал ключ от квартиры Зелениных, и я решила посмотреть на место действия своими глазами.

Через двадцать минут я припарковала свою «девятку» в двух шагах от Светланиного дома. В подъезде меня не видела ни одна живая душа, милиции здесь тоже пока (или уже?) делать нечего, поэтому при желании я могла оставаться в пустой квартире хоть до утра. Я даже рискнула зажечь в комнатах свет, поскольку вряд ли кто в наше время способен переполошиться по такому поводу.

Все было настолько явно, будто несчастье произошло несколько минут назад. Никто ничего не трогал в квартире с того момента, как Светлану увезла карета «Скорой помощи».

На полу там и здесь виднелись бурые пятна, свидетельствовавшие о способе, которым Светлана попыталась свести счеты с жизнью.

Это была бритва.

Ванная напоминала кадр из фильма ужасов. Никто не удосужился даже спустить воду. Не говоря уже о том, что весь пол был залит кровью.

Мне можно было даже не особенно стараться не оставлять следов. Потому что скорее всего никакого визита сюда криминалистов не будет. Если, конечно, Светлана останется в живых.

Я набрала номер телефона клиники, куда, по моим предположениям, ее увезли, и не ошиблась. Дежурная медсестра сообщила, что состояние больной «средней тяжести», что непосредственной угрозы жизни уже нет и что в настоящий момент пострадавшая спит. Она именно так и сказала — «пострадавшая».

И неожиданно это слово открылось мне в новом, неведомом до сих пор значении. Пострадать ей, судя по всему, пришлось немало. Я вспоминала ее поведение во время первой нашей совместной «прогулки», и теперь мне казалось, что решение уйти из жизни созрело у нее именно тогда, на берегу Волги.

Через пятнадцать минут я хорошо представляла себя, что произошло в этой квартире несколько часов назад.

Светлана навела порядок, помыла посуду, с бритвой в руках залезла в ванну и открыла горячую воду. До сих пор полы были влажными, а кое-где стояли еще небольшие лужицы.

«Вот тебе, — подумала я, — и ответ на вопрос, кто сообщил в милицию». Видимо, вода протекла в квартиру на четвертом этаже. Обеспокоенные этим соседи позвонили в дверь, но им никто не открыл. Тогда они позвонили в милицию. Наверняка льющаяся с потолка вода и неожиданная после недавнего грохота музыки тишина навели их на подозрения, что не все ладно.

Вернувшись к входной двери, я не обнаружила никаких следов взлома, хотя обычно в таких случаях милиция не церемонится. Может, у соседей был запасной ключ? Вряд ли сама Светлана открыла им дверь.

Но так или иначе, Светлана жива, и мне не придется сообщать ее мужу о ее последних перед попыткой самоубийства минутах жизни. Подумав об этом, я облегченно вздохнула. Терпеть не могу сообщать о смерти родным и близким, тем более в подобных обстоятельствах.

Если бы Светлана умерла, чем бы я могла успокоить Вениамина? Сообщением, что его жена перед смертью в голом виде танцевала перед видеокамерой? Не самое достойное занятие пред вратами вечности. И не самое лучшее утешение для вдовца.

Как ни странно, я не нашла в квартире никаких шприцов и ничего другого, что так или иначе было бы связано с наркотиками. Скорее всего ничего такого в квартире не было, и Светлана никогда прежде дома не кололась. Или Хрусталев принес все необходимое сам и забрал с собой после «праздника», или Светлана выбросила все на помойку. Этот второй вариант я тоже не исключала. Тем более что на обратном пути из Константиновки ничего подобного в сумке «красавчика» не было. В этом я была уверена.

Квартира на этот раз произвела на меня очень приятное впечатление. Я переходила из комнаты в комнату и поймала себя на мысли, что примеряю ее на себя. А такое случается со мной только тогда, когда квартира мне действительно нравится. И отделка комнаты, и старая, со вкусом подобранная мебель, и большое количество книг повсюду заставляли предположить, что люди, создававшие этот интерьер, собирались прожить здесь долгую счастливую жизнь.

На стене в спальне висел большой и, по-моему, очень удачный портрет Светланы, который я не заметила в первый раз, а теперь разглядела как следует. На нем она была изображена в симпатичном желтом сарафане с букетом одуванчиков в руках. Ветерок слегка растрепал ее шикарные волосы и поднял в воздух целое облако пушинок. Казалось, еще немного — и одна из них вылетит за пределы рамы, и ты сможешь поймать ее рукой. А Светлана смотрела с портрета с таким выражением, словно приглашала зрителя принять участие в неведомой забавной игре. Не будучи искусствоведом, не берусь судить о художественных достоинствах полотна. Но одно могу сказать наверняка: кто бы ни писал этот портрет, делал он это с любовью к своей модели.

Были на стенах и другие картины, а на книжном шкафу стояла целая коллекция старинных подсвечников.

Это была совершенно благополучная квартира, в которую никак не вписывались ни наркотические вакханалии, ни тем более самоубийство.

Я не стала разыскивать что-нибудь наподобие дневника Светланы. Во-первых, не очень надеялась на такую удачу, а во-вторых потому, что при таком обилии книг в книжных шкафах поиски потребовали бы слишком много времени. Ночевать я здесь, конечно, не собиралась. И как раз собралась уже идти домой, когда раздался телефонный звонок. Вздрогнув от неожиданности, я подошла к аппарату. Это был дорогой современный телефон с памятью, определителем номера и автоответчиком, который сработал после нескольких гудков. Я услышала незнакомый голос, но сразу же поняла, кому он принадлежал.

Это был Хрусталев. Видимо, он уже протрезвел и спешил поделиться новостью. Говорил он грубо и нагло:

— Я знаю, что ты дома. Можешь, конечно, не брать трубку, но могу тебе сказать, что у тебя крупные неприятности — пропала наша кассета.

Помолчав с полминуты, он снова заговорил:

— Может быть, все-таки возьмешь трубку?.. Нет? Ну и х... с тобой.

Вот такое ласковое сообщение оставил он своей «возлюбленной». На всякий случай я забрала с собой и эту кассету, тем более что никаких других записей на ней не было.

Через пару минут я уже сидела в своей машине и размышляла, куда бы отправиться в столь поздний час. Домой ехать не хотелось, все мои друзья или уже спали, или находились «при исполнении», поэтому я решила просто покататься по ночному городу, поставив на магнитофон красивую музыку. Это мое традиционное развлечение, я люблю колесить по пустынным улицам чуть ли не до утра. А иногда и рассвет встречаю в машине. Но в этом случае я уезжаю за город, куда-нибудь на гору, чтобы не пропустить торжественного момента — появления первого солнечного луча. Таким образом я приобщаюсь к вечности.

Покатавшись немного по центральным улицам, я решила совместить приятное с полезным и еще раз побывать у дома Хрусталева. Этот человек не давал мне покоя, вся его жизнь представлялась мне каким-то зловещим кошмаром и интриговала своими тайнами.

«Неужели Зеленин заплатил своему бывшему родственнику за то, что чуть было не произошло сегодня вечером?» Снова и снова я возвращалась к этой мысли. И с новыми подробностями она казалась мне все чудовищнее.

Первая жена Зеленина погибла в результате несчастного случая. Хорошо бы узнать, что это был за случай такой. Может быть, в милиции сохранились какие-нибудь материалы? Надо будет «озадачить» Гарика.

Хрусталев не понравился мне с первой минуты, а

Зеленин, напротив, произвел очень приятное впечатление. Не подвела ли меня на этот раз интуиция? Не он ли в этой истории окажется главным злодеем? И не кроется ли за маской грустного клоуна жуткая рожа Синей Бороды?

Размышляя таким образом, я въехала во двор хрусталевского дома и остановилась у его подъезда. Выключив магнитофон, осмотрелась кругом. Маленький загаженный дворик был совершенно пуст, только тощая кошка шарахнулась в кусты при моем появлении.

Я смотрела на темные окна дома и пыталась представить себе, чем Хрусталев занимается в это время. Неужели спит? Не успела я так подумать, как поняла, что единственный в столь позднее время свет горит на его кухне. А через мгновенье увидела и его самого: Хрусталев вышел с горящей сигаретой на балкон, дверь на который выходила почему-то из кухни. И при слабом свете уличного фонаря выглядел он как всегда безукоризненно.

«Что заставляет его не спать в эту ночь? Воспоминания о сыне или мысли о Светлане?» — пыталась понять я, пока он не вернулся в квартиру и не потушил свет.

Глава 8

Первое, что я решила сделать проснувшись, это кинуть гадальные кости. А то я окончательно запуталась во всех хитросплетениях взаимоотношений моих «героев» и уже не соображала, кто есть кто. В смысле, кто из них злодей, а кто страдалец. Светлана между тем лежала в больнице, и мне не за кем было следить. К тому же я не совсем понимала — выполнила я задание или нет. Более того, затруднилась бы ответить, что именно из известных мне фактов я хотела бы сообщить Зеленину, появись он в эту минуту в моей квартире, а что подлежало умолчанию. «Полный пинцет», как выражаются ведущие «Русского радио».

И я достала косточки, нежно погладила их, прежде чем кинуть на стол, а затем — в кои-то веки! — поступила по всем правилам: точно сформулировала вопрос, ответ на который хотела бы получить.

— Что ожидает меня в ближайшем будущем? — произнесла я голосом заклинателя змей и совершила ритуал бросания костей с особой торжественностью.

Сочетание выпало зловещее: 30 + 15 + 4. В переводе на общедоступный язык это означает: «Ждите скорого обмана. Верьте не тому, что вам говорят, а тому, что видите».

«Успокоили, нечего сказать, — подумала я. — Ко всем моим сложностям еще и обман».

Как следует обдумав эти слова, все же пришла к выводу, что информация в них содержится довольно важная. Обман безусловно будет, поскольку он имел место уже теперь. С утра я проснулась в твердом убеждении, что Зеленин обвел меня вокруг пальца. Поэтому могла ожидать от него любой гадости в будущем.

Но еще более важной мне показалась вторая часть предсказания. «Верьте не тому, что вам говорят, а тому, что видите». Иначе говоря — лучше один раз увидеть, чем сто раз услышать. То есть косточки, если я правильно их поняла, советовали не доверять ничьим словам, а полагаться прежде всего на мои «визуальные впечатления».

Увидела я за эти дни немало, но, к сожалению, мало что поняла. Может быть, мне недоставало какого-то ключа, чтобы правильно оценить увиденное?

И я рискнула задать косточкам второй вопрос, на этот раз он звучал как просьба:

— Не могли бы вы дать мне ключ к разгадке этого ребуса?

Косточки долго кружились на полированной поверхности журнального столика, прежде чем показать мне любопытное сочетание: 30 + 16 + 7. То есть: «Никто не делается злодеем без расчета и ожидаемой выгоды».

Я не стала злоупотреблять терпением моих помощников и задавать им третий вопрос. К тому же я не хотела показаться им непонятливой или тем паче жестоким эксплуататором, желающим переложить на их хрупкие грани свою работу.

Кстати, последнее высказывание можно было считать прямой рекомендацией. Кто-то из моих подопечных творит злодеяния, добиваясь конкретной цели. Иначе говоря: определи, кому это выгодно, и ты сможешь ответить на любой вопрос. Другое дело, что я не знала, кого из двоих косточки считают злодеем — Зеленина или Хрусталева. Но ни одно сочетание чисел не означает конкретного имени или фамилии. И задавать костям подобные вопросы не имеет никакого смысла.

В очередной раз мне не хватало информации, и в поисках таковой я готова была отправиться хоть к черту на рога. Это выражаясь фигурально. На самом деле выбор у меня был небогатый: или попытаться пообщаться со Светланой под личиной, например, сотрудника милиции, или поглубже проникнуть в жизнь бывшего гимнаста, а ныне наркомана и совратителя.

В любом случае дело принимало неожиданный оборот, поскольку вышеперечисленное вроде бы не имело отношения к тому поручению, что я получила от Вениамина. Хотя, если вдуматься...

Я решила еще раз прослушать пленку с записью нашего разговора: он поставил передо мной задачу... не поймать жену на факте прелюбодеяния, а выяснить, что с ней происходит. Однако странное задание для частного детектива. Чаще с подобными просьбами обращаются к психиатру. Но тем не менее теперь я имела даже формальный повод продолжать мои изыскания, хотя как «свободный художник» в таковом и не нуждалась.

Но для того, чтобы расследование принесло результаты, нужно иметь хоть какую-то, пусть даже рабочую версию. А у меня таковой все еще не было. Так и мыкаться наугад, что ли?

Во всякой игре, даже в детской в казаков-разбойников, необходимо определить, кто же в конце концов «разбойник». А у меня под подозрением были пока все, то есть никто конкретно. И это мне страшно мешало.

По старой привычке я принялась размышлять вслух. Это иногда очень помогает.

— Кого из двоих мужчин у меня есть более веское основание зачислить в «злодеи»? Весь ужас в том, что и того и другого. Но если кругом одни злодеи, то мне, как говорится, нечего ловить. Попробую набросать хоть какую-то версию, а там уже будет видно...

Итак, допустим, что самый большой негодяй в этой истории Вениамин Зеленин. Что мы имеем в этом случае? Я могу отправиться к нему домой и перерыть все его вещи в поисках неведомых улик. А в чем, собственно говоря, я его могу уличить? В том, что он нанял своего бывшего родственника с целью... Я всерьез задумалась. С какой же целью он его мог нанять?

Несколько минут я сосредоточенно глядела в окно.

— Да черт его знает, — пришлось честно признаться себе в своей полной неспособности в данный момент ответить на этот вопрос.

В поведении Зеленина, безусловно, было много странного. Прежде всего его отказ взять с собой в командировку жену и передача Хрусталеву некоторой суммы... Да и безвременно погибшая первая жена тоже заставляла задуматься. А если даже на секунду допустить, что он нанял Хрусталева, чтобы убить собственную жену, вопросов возникало еще больше. И самый главный из них — зачем это ему нужно.

Эта ситуация напомнила мне французский детектив, в котором одна влюбленная пара весь фильм пытается убить своих супругов, чтобы таким образом обрести возможность узаконить свои отношения и вступить в новый брак. В конце фильма на вопрос потрясенного полицейского, почему бы им вместо этого просто-напросто не развестись со своими опостылевшими супругами, они признались, что такой выход как-то не пришел им в голову. Не только во Франции, у нас тоже идиотов хватает.

Кстати, насчет идиотов. Нет, нет, нет. Начинать расследование с версии о психической неполноценности подозреваемого — последнее дело. Тогда на любое «почему» готов ответ: потому что он ненормальный. Такое объяснение чаще всего свидетельствует, что расследование зашло в тупик.

— Ну, хорошо. Допустим, Зеленин ни в чем не виноват. И вообще — замечательный человек, — отмахнулась я от неразрешимой пока загадки, поскольку не люблю признаваться в неспособности разъяснить какую-либо тайну. Это расслабляет. А сыщик должен ощущать в себе достаточно сил для раскрытия любого дела.

— В таком случае, — полным оптимизма голосом продолжила я, — главным и единственным кандидатом в «злодеи» является Александр Хрусталев. Нам известно, что он совратил, применив наркотические средства, молодую женщину, что чуть было не привело к ее гибели. У нас есть реальные факты и видеодокументы, подтверждающие его вину.

Тут я призналась себе, что со стороны наверняка выгляжу сейчас как красноречивый итальянский прокурор, этакий любимец публики, обвинительные речи которого рассчитаны на аплодисменты.

Но меня это не смутило. Я прикурила сигарету и продолжила свою «обвинительную речь»:

— Нам остается только выяснить, чего добивался этот человек, решившись на подобное правонарушение.

Мне не хватало только мантии и парика!

— Большого чувства к пострадавшей, которое частично могло бы объяснить, если не оправдать, поведение нашего... кхе, кхе... «героя» (поклон в сторону заметно приунывшего адвоката), он не испытывал, о чем красноречиво свидетельствуют видеодокументы. Прошу передать их уважаемому суду.

Вы скажете, что он страдал. (Многозначительная пауза.)

Безусловно. Обвиняемый пережил несколько тяжелых ударов судьбы. Безвременную кончину горячо любимой сестры и рождение больного ребенка. Увы, это так...

«Кстати, — на секунду прервав игру, подумала я, — а его-то жена куда делась? Ведь не сам же он родил мальчика? Как же я раньше об этом не подумала? А может быть, ребенок вообще не его?»

В добытых Папазяном сведениях про сие ни словом не упоминалось. Хотя существуют еще браки, зарегистрированные лишь на небесах, и они не входят в компетенцию милиции, во всяком случае до тех пор, пока кто-то из супругов не поссорится с законом. Чтобы окончательно не запутаться, я не стала зацикливаться на данном вопросе и, оставив его на «потом», вернулась к прерванной речи.

— Все эти несчастья ни в коей мере не оправдывают его злодеяний. Возненавидев из-за них весь человеческий род, он решил отомстить ему в лице одного из наиболее прекрасных и беззащитных его представителей. Я имею в виду пострадавшую, которая, к сожалению, прикована сейчас к больничной койке и не может предстать перед уважаемым судом...

Мне уже порядком надоела «игра в прокурора», и давно пора было ее прекратить. Но мне словно вожжа под хвост попала, извините за непарламентское выражение, и я еще несколько минут сотрясала воздух скорбными возгласами и риторическими вопросами. Но, между прочим, в результате этой идиотской забавы худо-бедно сформулировала причину хрусталевских поступков.

Месть роду человеческому. Чем не аргумент? Совсем в духе фильмов Дамиано Дамиани или Бертолуччи.

За неимением лучшего, я решила использовать его в качестве рабочей версии. Что позволяло приступить к вполне определенным следственным действиям, к которым мне так не терпелось уже перейти.

Я вообще более склонна к действию, нежели к размышлению, из меня вряд ли получился бы кабинетный ученый. Иной раз я ловлю себя на том, что с большим удовольствием отрежу семь раз, чем стану заниматься бесконечными замерами.

И чтобы никакая новая мысль снова не отвлекла меня от дела, наскоро перекусив, я выскочила из квартиры.

Назначив Хрусталева главным злодеем, сыщик Таня Иванова обрела наконец-то объект наблюдения. К нему-то и лежал ее путь.

* * *

Днем уже знакомый мне двор выглядел еще более неприглядно, чем ночью.

Развороченная, вперемежку с песком земля свидетельствовала о недавних ремонтных работах. Ящики с мусором кишели кошками и опустившимися голубями, а компания плутоватых мальчишек поглядывала на мою машину с таким видом, словно собиралась открутить колесо.

В наше время стоящая в углу двора машина вряд ли способна привлечь чье-то внимание, а недавно тонированные стекла надежно уберегали меня от любопытных взглядов. Наученная горьким голодным опытом, по дороге сюда я запаслась небольшим запасом провизии и прохладительных напитков, вполне достаточным, чтобы провести в засаде целый день, не испытывая особых неудобств. Заодно пополнила запас сигарет в бардачке, так что табачного зелья мне тоже хватит.

Удобная это штука — сотовый телефон. В какой-то момент мне показалось, что Хрусталева нет дома, и я решила сделать «контрольный звонок» в его квартиру. Узнать номер его телефона было делом двух минут. По иронии судьбы он отличался от моего всего двумя цифрами, что показалось мне забавным. Я набрала знакомое сочетание, и через пару секунд раздался хриплый сердитый голос:

— Слушаю...

Я злорадно ухмыльнулась, мол, можешь слушать до второго пришествия, разговаривать с тобой я не собираюсь.

Сообразив это, Хрусталев, мягко говоря, чертыхнулся и повесил трубку.

Значит, он не покидал квартиры со вчерашнего

вечера и скорее всего ничего не знает о судьбе Светланы.

Что ж, надо воспользоваться ситуацией, потому что долго сидеть в машине, попивать лимонад и слушать музыку способны только малолетние плейбои, да и то в компании с прыщавыми девицами. Теперь задача выманить «красавчика» из квартиры, а заодно немного потрепать ему нервы.

— С вами говорят из третьей горбольницы, — как можно более «протокольным» голосом сообщила я, повторно набрав хрусталевский номер. — К нам поступила ваша знакомая — Зеленина Светлана Борисовна, семьдесят четвертого года рождения. Вы не могли бы подъехать на часик, сообщить нам кое-какие сведения?

Последовала пауза слишком долгая, чтобы ничего не означать.

— А... что с ней? — наконец разродился он ответом.

— Самоубийство, — вздохнула я.

— То есть... Вы хотите сказать...

Он никак не мог сформулировать вопроса, а я не торопилась прийти ему на помощь.

— Она жива? — Хрусталев наконец подобрал нужное слово.

— Положение очень тяжелое, — ответила я уже совершенно гробовым голосом, — поторопитесь.

— А откуда... — успел произнести он, прежде чем я повесила трубку.

Наверняка он хотел узнать, откуда в больнице известен номер его телефона. И именно об этом будет думать всю дорогу. Если бы у меня не было других планов, я с удовольствием посмотрела бы на то, с каким видом он произнесет:

— Моя фамилия Хрусталев, меня просили приехать к Зелениной...

Если в это время у Светланы будет находиться кто-нибудь из милиции — тем лучше.

Но у меня были другие планы. Они созрели в моей голове, пока я парилась под звуки «Pink Floyd» перед его подъездом. И с каждой минутой они казались мне все заманчивей.

Я еле дождалась, когда он наконец появился во дворе и быстрым шагом направился к остановке трамвая. Для надежности я «проводила» его до остановки, убедилась, что он вошел в вагон, и только после этого вернулась во двор.

«Дорога до больницы и обратно займет у него не меньше полутора часов, — подсчитывала я, пока доставала из багажника все необходимое. — И у Светланы он пробудет не меньше часа. Значит, в моем распоряжении как минимум два с половиной часа».

Этого времени вполне достаточно, чтобы провести самый тщательный обыск в трехкомнатной квартире. Хрусталев же ютился в однокомнатной «хрущобе», хотя кухня в ней оказалась довольно просторной.

Мне не составило большого труда открыть оба замка входной двери, хотя с одним из них пришлось повозиться. Что ж, не зря же в моем арсенале имелась одна из лучших в стране отмычек, родная сестра которой занимала почетное место в музее криминалистики в Москве. Это поистине выдающееся произведение технической мысли, опередившее свое время минимум на пятьдесят лет. Думаю, пройдет не меньше времени, пока инженеры придумают замок, который нельзя будет открыть с ее помощью.

Тем не менее, оказавшись в тесном хрусталевском коридоре, я вздохнула с облегчением и посмотрела на часы. В запасе оставалось два часа двадцать минут. Сначала показалось, что больше часа мне на обыск не понадобится, но уже через несколько минут поняла, что просчиталась.

Во-первых, меня поразило, что Хрусталев, имея в своем распоряжении целую квартиру, использовал кухню в качестве жилой комнаты. В этом не возникало никаких сомнений. Здесь у него стояло кресло-кровать, вместо кухонного стола — некое подобие письменного и даже платьевой шкаф. Оставалось удивляться, как при таком количестве мебели нашлось место еще и для плиты, правда небольшой, двухконфорочной.

Эта крохотная жилая комната, в определенном смысле не лишенная уюта, была просто-таки стерильной в смысле чистоты. Я не знаю ни одной женщины, у которой стремление к порядку настолько перешло бы в манию, а тут, пожалуй, был тот самый случай.

Вся посуда производила впечатление только что купленной, кастрюли и сковородки блестели, как на рекламной открытке, а плита сохранила первозданную белизну. Но всем этим, безусловно, пользовались.

Я специально заглянула в холодильник. Там стояли такие же стерильные по виду предметы, но наполненные супом, молоком и гречневой кашей. Там же находилась початая бутылка коньяку и коробка шоколадных конфет.

На стенах никаких плакатов и фотографий. Подобный аскетизм в доме артиста, хотя и бывшего, совершенно нетрадиционен. Зато на подоконнике, превращенном в трюмо, стоял целый набор парфюмерии и косметики. И это единственное, что напоминало здесь о прежней профессии хозяина квартиры.

Я повидала на своем веку не одно логово наркоманов и кое-что в этом понимаю. Поэтому хотелось с уверенностью воскликнуть на этой кухне: либо хозяин не наркоман, либо это не его квартира. Но сомневаться в принадлежности жилища Хрусталеву не приходилось, он был здесь прописан. Значит, справедливым является первое утверждение. Тем более что и внешне «красавчик» совершенно не производит впечатление человека, основательно подсевшего на иглу.

Что же в таком случае означали его «наркотусовки» со Светланой? И почему он жил на кухне, имея в своем распоряжении нормальную, пусть и однокомнатную квартиру?

«Надеюсь, на последний вопрос я получу ответ через несколько минут», — подумала я и вышла в коридор, чтобы через мгновенье переступить порог...

Открыв дверь комнаты, я вздрогнула от неожиданности. Первым было впечатление, что я вошла в холодильник. А с кровати на меня в упор смотрела обнаженная девица, едва прикрытая простынкой. Видимо, я слишком много времени провела в моргах, поэтому именно это веселое местечко в тот же миг пришло мне на память.

Только через несколько минут остолбенелого стояния на пороге я начала понимать, что она не живая. Только не в том смысле, что она была мертвая.

Она никогда и не была живой.

Это вообще был не человек.

Тот, кто побывал в музее восковых фигур, легко представит мое замешательство. Потому что восковую куклу при неярком освещении запросто можно спутать с живым человеком. А в комнате были приспущены шторы и царил полумрак.

Это была именно кукла, но изготовленная с таким

мастерством, что вполне бы могла экспонироваться в знаменитом заведении мадам Тюссо. И не посрамить его.

Но я еще не сказала самого главного — тело у нее было женское, а голова...

Мне стало совсем не по себе, когда я это сообразила. Голова у нее была хрусталевская.

— Что за нелепая фантазия? — произнесла я громким голосом, словно пытаясь отогнать наваждение.

И в ту же секунду поняла, что это не странный монтаж. У куклы был живой прообраз. Имевший такое тело и именно такое лицо. Потому что это было не лицо Александра Хрусталева, а лицо Александры Хрусталевой. Судя по восковой копии, брат с сестрой действительно почти не отличались друг от друга.

Преодолев почти суеверный страх и приблизившись к кукле вплотную, я разглядела, что она выглядела значительно моложе теперешнего Хрусталева. И в ее лице не было ничего мужского.

Сестра «красавчика» действительно была красавицей, без всякого преувеличения. И то, что в ее братце воспринималось как излишняя смазливость и даже слащавость, в девушке было уместным и очаровательным.

Светлана тоже была красива, но явно уступала первой жене Вениамина.

Оправившись от первого потрясения, я вновь обрела способность ориентироваться в пространстве и огляделась по сторонам.

По стенам висели те самые плакаты и фотографии, отсутствие которых на кухне так удивило меня. И на каждом из них в том или ином виде присутствовала Александра Хрусталева, сестра-двойняшка и бывшая партнерша хозяина квартиры.

Через некоторое время я убедилась, что единственную в квартире комнату он превратил в музей своей сестры, уступив «покойнице» жилую комнату, а сам в качестве жилого помещения удовольствовался кухней. И уже в этом была если не патология, то какая-то ненормальность. А то, в каком виде был выставлен главный экспонат музея, заставляло усомниться, что сюда допускались посторонние.

Я далеко не ханжа, но мне бы не хотелось, чтобы после моей смерти кто-то увековечил меня в подобном «неглиже с отвагой». Макет красавицы Александры запечатлел ее в позе, способной вызвать скорее желание, нежели благоговение к покойной. И вполне мог бы занять достойное место на выставке эротического искусства или украсить собой витрину фешенебельного публичного дома.

Под стеклом в специальных шкафах «экспонировались» весьма интимные предметы туалета покойной, в том числе целая коллекция трусиков всех цветов и фасонов.

Привыкнув к полумраку, я обнаружила на стене приборный щит с небольшим рубильником, напоминающим фаллос, и, недолго думая, привела его в рабочее вертикальное состояние. Комната мгновенно преобразилась в нечто среднее между пещерой Али-Бабы и будуаром Манон Леско.

Тщательно выверенный цветной свет, выдержанный в теплых, чтобы не сказать горячих, тонах, создавал удушающе пряную, перенасыщенную эротикой атмосферу. Вместе со светом возникла музыка, которая, в отличие от грохота в квартире Светланы, была едва слышна и служила всего лишь фоном к основному содержанию фонограммы. А оно было чисто порнографическим, если это понятие можно использовать по отношению к аудиопродукции.

Источника звука я не видела, но благодаря стереоэффекту и высокому качеству записи и воспроизведения создавалось полное ощущение, что источник этот находится в кровати. А при богатом воображении можно было подумать, что звуки издает сама восковая кукла, благодаря освещению уже совершенно неотличимая от живого человека.

С каждой минутой аудиострасти накалялись, и трогательный лепет перешел в страстные вздохи, стоны, а вскоре и в откровенное комментирование тех действий, что производили действующие лица «эротической радиопьесы». А они не стеснялись в выражениях. Даже на меня это произвело довольно сильное впечатление. Несмотря на прохладу в комнате, мне стало жарко и сильно захотелось курить.

По понятным причинам я не могла себе этого позволить и предпочла отключить фонограмму вместе со светом, тем более что к тому времени она уже перешла в настоящую оргию, интенсивность звучания увеличилась в несколько раз и приблизилась к уровню, знакомому мне по первому визиту в зеленинскую квартиру.

Хотя по этому поводу я могла не беспокоиться. Наверняка ни один звук не проходил сквозь толстый слой звукоизоляции, покрывавшей стены, пол и потолок. Думаю, и окна были устроены таким образом, что не пропускали звуков. Они были задрапированы каким-то мягким материалом, едва пропускавшим свет с улицы.

Взглянув на часы, я с ужасом поняла, что прошло больше тридцати минут с тех пор, как я появилась в квартире. Правда, увидела я немало, чтобы окончательно потерять голову или пересмотреть все свои версии и известные факты. Пожалуй, можно уже попробовать создать новую версию с учетом новой, мягко говоря, странной информации.

Нормальной «неэротической» люстры в комнате не было, поэтому для дальнейшего осмотра пришлось бы довольствоваться полумраком, а при необходимости включать фонарь. Но достаточно было открыть первый из альбомов с фотографиями, чтобы необходимость в этом отпала. Все было понятно и без долгих размышлений.

Основным содержанием альбомов были фотографии совершенно определенного характера — обнаженная гимнастка демонстрировала поразительные возможности своего тела. А когда на одной из фотографий я узнала ее партнера, все сомнения окончательно исчезли.

Звездная пара, брат и сестра Александр и Александра Хрусталевы, ко всему прочему, были еще и любовниками.

Глава 9

В общей сложности я провела в «музее» около двух часов. Выйдя оттуда, с жадностью вдохнула глоток свежего воздуха. И не только потому, что пропахла хрусталевским одеколоном. Вся атмосфера его квартиры, насквозь пропитанная эротическими грезами хозяина, оставляла после себя желание помыть руки, а лучше — принять душ.

Первое, что я сделала, возвратившись в машину, это залпом выпила бутылку минералки и выкурила две сигареты подряд.

С минуты на минуту должен был появиться Александр, но мне совершенно не хотелось его видеть, и я поторопилась покинуть мерзкий дворик. Теперь в моем распоряжении оказалось столько сногсшибательной информации, что мне просто необходимо было на несколько часов запереться в своей квартире и привести всю эту бездну впечатлений в относительный порядок.

Внутренний голос, притихший от потрясения, великодушно посоветовал мне что-нибудь выпить. И я по дороге домой купила маленькую бутылочку марочного грузинского коньяка.

Двойная порция кофе с коньяком немного успокоила мою нервную систему и позволила трезво и обстоятельно взвесить все факты и прийти к неожиданным выводам. Имеющиеся у меня факты позволили додумать, а частично и дофантазировать всю историю несчастной любви между братом и сестрой.

С пеленок они не расставались ни на минуту. Привязанные друг к другу душевно и физически, привыкшие с детских лет делить сначала коляску, а потом и кроватку, в один далеко не прекрасный для них день они познали сладость кровосмесительного греха, и с этого часа жизнь их поделилась на две половины. Первая из них — публичная, в которой они, молодые и талантливые артисты цирка, вызывали всеобщее восхищение. А вторая — потаенная, и в нее роковая страсть не допускала даже самых близких друзей.

Осознание греховности этой любви наверняка приносило им немало страданий. Можно представить себе бесконечную череду попыток переключиться на другие объекты. И мучительное и сладостное возвращение на круги своя.

Определенная доза самолюбования и склонность к нарциссизму свойственны в той или иной степени каждому артисту, и Хрусталевы не были в этом смысле исключением. Видео в те времена было еще в новинку, а при нищенской цирковой зарплате — совершенно недоступной роскошью. Но сотни фотографий и километры магнитофонной пленки в какой-то

14 Зак. 4457

мере компенсировали Александру и Александре невозможность открыто демонстрировать их любовь.

Видеокамера появилась у Хрусталева значительно позже, и как он ее использовал, мы уже знаем.

Судя по всему, сестра пребывала в постоянном состоянии внутреннего разлада, и в какой-то момент начала употреблять наркотики. Некоторые фотографии красноречиво свидетельствовали об этом. Но даже такое сильное средство не помогало ей уйти от ощущения греховности любви к брату, и она вновь и вновь пыталась уговорить его отказаться от нее.

Когда в жизни Александры появился молодой талантливый Зеленин, она ухватилась за этот роман, как за соломинку, в надежде сублимировать с его помощью свою преступную страсть и начать новую — нормальную — жизнь, которую не надо прятать от людей. Но брат не отпускал ее, не желая делиться своей любовью с кем бы то ни было. Они продолжали встречаться тайком, и их существование постепенно превращалось в настоящий ад.

Зеленин вряд ли догадывался об этой стороне жизни своей прекрасной возлюбленной. И вечный страх, что он узнает, догадается, привел Александру Хрусталеву к безвременной кончине.

Не знаю, может быть, на самом деле произошел несчастный случай, но подсознательно она могла желать такого выхода из безнадежной ситуации. Психологи утверждают, что объекты преступлений чаще всего сами провоцируют насилие. Для этого явления даже есть специальный термин — «психология жертвы». Думаю, что и большинство несчастных случаев — следствие подсознательного стремления людей разрубить какой-то мучительный клубок противоречий, иного выхода из которого они найти не в состоянии.

Сопоставив все эти факты, я пришла к выводу, поразившему меня своей очевидностью. Ребенок, проживающий в деревенском детском доме, — действительно сын Хрусталева. И родила ему его собственная сестра. Именно поэтому он унаследовал от родителей их фамилию, общее для них имя и тот роковой набор хромосом, который приводит к врожденной патологии и вырождению.

Выстроив эту версию, я вновь отправилась на кухню — за новой порцией кофе и коньяка. Сигарету я вообще не выпускала изо рта. Мысли мои работали стремительно, фантазия активизировалась. Я чувствовала себя, как ученый на пороге великого открытия. И взяла маленькую «музыкальную паузу», чтобы немного остыть и прийти в себя.

Вернувшись в свое любимое кресло с чашкой кофе в руках, я сделала большой глоток и поставила чашку на полированную поверхность журнального столика.

Все тайное на глазах становилось явным, причем в стремительном темпе. У меня еще была масса вопросов, но я уже обрела уверенность, что не пройдет и суток, как я получу на них исчерпывающие ответы. Тот самый «ключ», который я просила сегодня утром у магических косточек, был у меня в руках. И за эту ниточку я надеялась размотать весь клубок.

Вся ситуация представлялась мне совершенно в ином свете.

— Спокойно, Танечка, не торопись, — уговаривала я себя. — Теперь злодей от тебя никуда не денется. Прежде чем что-либо предпринять, пораскинь мозгами как следует.

Но мне не сиделось на месте, и адреналин в крови перешагнул за опасную грань. Сейчас предстояло связать новую информацию с теми событиями, свидетельницей которых я явилась в последние дни. А это, пожалуй, самое сложное. Оттого, что прошлое мне уже было известню, сегодняшние перипетии пока не стали понятнее.

«Какое все это имеет отношение к Зеленину и его новой жене? — задала я себе конкретный вопрос. — Наверняка непосредственное. Все эти люди оказались вовлечены в какую-то безумную интригу, которая в определенной степени относится к прошлому и к настоящему. Вернее, сегодняшние события являются лишь продолжением истории семилетней давности. И тебе, Танечка, предстоит выяснить, в какой именно».

— Думай, Танечка, думай, — голосом коварного волшебника произнесла я вслух. — Тебе за это денежки платят. Не посрами фамилии.

Бред какой-то. При чем тут фамилия? И я заподозрила, что произнесла это с подачи внутреннего голоса. Только его сейчас не хватало.

«Чего надо?» — грозно поинтересовалась я у него.

«Шутю я», — прикинулся он безобидной овечкой и заткнулся, видимо, понимая, что мне теперь не до него.

— Итак, вернемся к нашим дрессированным хищникам, — опять вслух скаламбурила я на тему вечных барашков и попыталась представить ситуацию глазами Зеленина.

Семь с небольшим лет тому назад он познакомился с братом и сестрой Хрусталевыми и без ума влюбился в сестру. Не подозревая об их действительных отношениях, он пребывал в состоянии эйфории и наслаждался радостями разделенной любви. Через некоторое время молоденькая гимнастка сообщает ему, что готовится стать матерью.

Скрупулезно просчитав месяцы, я убедилась, что

ребенок должен был родиться именно в это время. Значит, Зеленин считал его своим? Наверняка так, по-другому просто не могло быть. Не сообщила же она ему правды... Ведь и после рождения мальчика Александра жила с ним в одной квартире. А такое невозможно себе представить, если бы Зеленин не считал ребенка своим.

Наверняка она рассчитывала, что случившееся останется ее тайной. И собиралась пронести ее через всю жизнь. Сколько мужчин воспитывают чужих детей, не догадываясь об этом? По статистике — очень много. Недаром некоторые народы считают родство по матери более важным как наиболее доказуемое.

«Дело житейское», — говорил Карлсон, сидя у себя на крыше.

Но ребенок родился уродом, что меняло ситуацию коренным образом.

Наверняка молодая женщина в тот момент пережила самую настоящую трагедию. Она не могла думать ни о чем другом, кроме того, что это справедливая расплата за всю ее предыдущую греховную жизнь, и в голове чаще и чаще мелькала мысль о самоубийстве.

Но скорее всего самоубийства не было, а на самом деле произошел какой-то несчастный случай. Хотя если человек попадает под машину, поди разберись — сделал он это случайно или преднамеренно.

А может, была передозировка? До сих пор я не разузнала все как следует. Надо было справиться через моих друзей в милиции. Но на сегодняшний день это далеко не главное.

Сейчас гораздо больше меня интересовала реакция мнимого отца ребенка. Нетрудно представить, что пережил в тот момент Вениамин. Интуиция подсказывала мне, что вину за происшедшее он переложил на себя. Может быть, именно поэтому он долго не женился? Обвиняя себя в рождении больного ребенка и гибели жены? Ведь не всегда легко определить, кто из родителей несет зловредный ген, ответственный за уродство их общего ребенка.

Оставшийся без сестры и любовницы Хрусталев тайну, разумеется, знал. Что же он предпринял? Скорее всего — сохранил ее. И устранился.

Каким же образом он вновь появился в жизни Зеленина? И чего добивается от Светланы?

Его отношения с новой женой Зеленина были какой-то пародией на отношения с собственной сестрой. Я подумала об этом еще в «музее». Та же фиксация половых актов с поправкой на время и новые технические возможности, те же наркотики. И самое главное: его новая любовница — снова жена Зеленина. Как будто он задался целью испортить жизнь этому человеку, став для него своеобразным злым гением.

«Стоп, — сказала я себе. — Про злого гения ты, конечно, загнула... А вот про то, что задался целью испортить жизнь...»

Может быть, это и на самом деле являлось его единственной целью? Похоже на правду. Испытывая пещерную ненависть к человеку, отнявшему у него сестру (а скорее всего именно так Хрусталев воспринимал события семилетней давности), он вполне мог с маниакальной целеустремленностью портить жизнь «виновнику всех своих бед». И даже посвятить мести остаток своей жизни, которая без сестры потеряла для него всякую привлекательность.

Логика его поведения в таком случае укладывается в элементарную схему: «Ты отнял мою возлюбленную — я отниму твою. Из-за тебя погибла моя сестра — я сделаю так, что погибнет твоя жена».

Око за око, зуб за зуб. Старая, как мир, логика.

И «красавчик» чуть было не добился своей цели. Светлана чудом осталась в живых. И это подтверждало верность моих умозаключений.

Для ее воплощения годятся любые способы. И совращение, и шантаж, и насилие.

Теперь мне уже не казались странными отношения Светланы с Хрусталевым. С новой точки зрения они были вполне естественны и логичны. С точным распределением ролей злодея и жертвы.

Оставалось выяснить некоторые детали, и прежде всего — найти ответ на вопрос, мучивший меня с первого дня: за что Зеленин платит Хрусталеву? Допив остывший кофе, я соорудила на лице серьезную мину и приготовилась к мозговому штурму этого загадочного бастиона. Но в полной мере насладиться процессом уединенной дедукции мне не удалось — зазвонил телефон.

Я не хотела брать трубку, но схватила ее, лишь только услышала по автоответчику голос.

Это был Вениамин Зеленин, вернувшийся из командировки и не заставший дома жены.

— Я была на кухне, — невинно соврала я, хотя в этом не было нужды.

— Хорошо, что застал вас, тут у меня какой-то кошмар, — запинаясь, сообщил Вениамин.

Я вспомнила, что вся его квартира залита кровью, и поняла его состояние.

— Только не волнуйтесь, — поспешила успокоить я Зеленина, — ничего фатального не произошло. Светлана жива, хотя находится в больнице.

— Что с ней?

— Нам срочно нужно с вами увидеться.

— Что со Светланой? В какой она больнице?

— Я могу отвезти вас туда, — предложила я. — И по дороге все объясню. Хорошо?

— Мне подъехать к вам?

— Не стоит. Ждите меня у подъезда.

— Ее хотели убить?

— Да нет же... Я выезжаю.

Нам предстоял абсолютно нетелефонный разговор. Кроме того, мне не терпелось выяснить у него кое-какие детали, прежде чем давать объяснения.

* * *

По дороге к Зеленину я размышляла на совершенно недетективную тему. Я подсчитывала, сколько времени он провел в командировке. Судя по всему, он уже закончил свою работу и вернулся домой окончательно. А ведь ездил, насколько мне было известно, на постановку программы.

Я понимала, что цирк — это не театр и, тем более, не кинематограф, где работа режиссера продолжается месяцы, если не годы. Но чтобы провернуть все дело за один день — нужно быть очень крутым профессионалом. Или я просто ничего не понимаю. Поэтому первый мой вопрос был именно на эту тему.

— Я прилетел на самолете, — частично успокоил меня Зеленин при встрече, хотя два дня, по-моему, тоже не срок для такой работы. Объединить кучу никак не связанных между собой номеров, поставить свет, подобрать фонограмму... Впрочем, я, кажется, отвлеклась.

Вырулив из двора и проехав несколько десятков метров по одной из центральных улиц, мы умудрились попасть в пробку. И пока не выбрались из нее, говорить о чем-то серьезном было невозможно. Лишь приложив всю свою сообразительность и водительский опыт и наконец-то выбравшись из образовавшегося затора, я уже через пятнадцать минут получила свободу передвижения. Но вымоталась так, словно провела за рулем несколько часов.

— Если не возражаете, я остановлюсь, и мы выкурим по сигарете, — предложила я.

Вениамин с сомнением посмотрел на часы, но возражать не стал. Я припарковала машину на тихой безлюдной улице в тени большого двенадцатиэтажного дома. Едва мы успели прикурить, я опередила все его вопросы и спросила в лоб:

— За что вы платите Хрусталеву?

От неожиданности он, казалось, потерял дар речи.

— Но откуда в-вам это известно? — наконец выговорил он, заикаясь. — Об этом не знает ни одна живая душа.

Слава богу, он не стал отрицать самого факта передачи денег, и я намотала себе это на ус. Значит, он действительно платит Александру, хотя до последней минуты полной уверенности в этом у меня не было.

— Профессиональная тайна, — отпарировала я неуместный в данный момент вопрос. — Так все-таки, за что?

На Зеленина было страшно смотреть. Он побледнел и спрятал глаза. Видимо, самым большим его желанием сейчас было покинуть салон моего автомобиля и исчезнуть в неизвестном направлении. Его рука, следуя подсознательному желанию, крепко вцепилась в ручку дверцы.

— Поверьте мне, это очень важно, — настойчиво потребовала я ответа. — Мне кажется, именно с этим связано нынешнее положение Светланы.

Тут я, конечно, блефанула, но мне необходимо было вытащить из него данную информацию, чтобы сдвинуть дело с мертвой точки. К тому же, взяв инициативу разговора в свои руки, я была избавлена от необходимости отчитываться перед ним о проделанной работе. Рассказывать придется такие вещи, что мне требовалось подготовиться. И еще хотелось отсрочить этот момент, насколько возможно.

Затравленно посмотрев на меня, Зеленин спросил:

— Светлане действительно ничто не угрожает?

— Менее, чем когда-нибудь, — искренне ответила я. — Скорее всего она сейчас спит.

Движением головы Вениамин отогнал последние сомнения и неловко улыбнулся:

— Это длинная история, и боюсь, без бутылки мне ее не осилить.

Предложение было неожиданное, но весьма уместное. После пары рюмок я надеялась услышать от непьющего Зеленина всю правду.

И мы отправились с ним в одно уютное заведение, основным достоинством которого было то, что, кроме меня, туда никто не ходил. Во всяком случае, до сих пор я там никого не встречала. И не понимаю, каким образом его хозяйка при такой посещаемости заведения так долго не вылетает в трубу.

Заспанная, но очень вежливая официантка усадила нас за столик и принесла по просьбе Вениамина бутылку коньяку и шоколад. Прежде чем приступить к рассказу, он залпом выпил две полные рюмки одну за другой и закурил, кажется, пятую за последние полчаса сигарету.

— Не знаю, что вам известно о моей жизни, но, судя по последнему вопросу, многое. Поэтому если что-то вам покажется неинтересным, останавливайте меня, — сказал он, наливая третью рюмку, но пить ее не стал и продолжил: — Все началось восемь лет назад. Я тогда считался молодым режиссером и буквально бредил цирком. Я много ездил и ставил по всей стране. Как программы, так и отдельные номера...

Он на минуту задумался, словно что-то вспоминая, взял в руки рюмку, но тут же поставил ее на место.

— Я тогда только что получил квартиру... Не эту, теперешнюю квартиру я купил недавно... Другую... Впрочем, это не важно. Так вот. Я считал себя самым счастливым человеком на свете, потому что у меня была любимая работа и своя собственная квартира. Однажды меня познакомили с молодой парой и попросили сделать с ними номер. Это были Александр и Александра Хрусталевы. Тот человек, которому, как вы знаете, я... плачу, и моя будущая жена.

Все это мне было прекрасно известно, но я не перебивала Зеленина, боясь тем самым упустить какую-нибудь важную информацию. Торопиться мне было некуда, и коньяк был совсем не плохой.

— Шурочка была красавицей и безмерно любила цирк, — снова улыбнулся Вениамин. — Через месяц она переехала ко мне, а через девять, как и положено, у нас родился сын.

«Вот что значит магия чисел, — подумала я. — Если бы ребенок родился на пару месяцев раньше, у Зеленина могли бы зародиться какие-то подозрения. А тут девять месяцев. Как в аптеке. А на самом деле это означало только одно: с первого же дня их «бурного романа» она продолжала изменять ему с собственным братом».

— Мы чуть не сошли с ума от счастья и назвали мальчика Александром, как и мать.

«Господи, ну нельзя же быть до такой степени наивным! — мысленно возмутилась я. — Кроме матери, ты никаких Александров поблизости не заметил? А напрасно».

— Но нашему счастью не суждено было продлиться. Уже через месяц стало понятно, что ребенок неизлечимо болен. Врачи поставили ему страшный диагноз, но, говоря нормальным языком, он... — на глаза Зеленину навернулись слезы, и он махнул рукой. — Вы не представляете, какое свалилось на нас горе. Мы так ждали рождения мальчика... На него страшно было смотреть. Он плакал двадцать четыре часа в сутки, и слышать это не хватало сил. Я чуть было не наложил на себя руки, сознавая свою вину перед Шурочкой.

— Да вы-то в чем были виноваты? — поразилась я его неожиданному признанию.

— Я еще никому об этом не рассказывал, да чего уж теперь... — Вениамин снова взял в руку рюмку и на этот раз выпил ее залпом. — В молодости, еще до театрального института, я подцепил серьезное венерическое заболевание. Меня уверяли, что никаких последствий быть не должно. Если бы я знал, что может случиться такое... разве разрешил бы Шурочке рожать...

Мне захотелось тут же все ему рассказать, но я решила выслушать его версию до конца, чтобы иметь полное представление обо всех обстоятельствах дела. Тем более что, как я уже догадывалась, на этой его уверенности в собственной вине ловко сыграли брат с сестрой.

Вениамин прикурил очередную сигарету и продолжил:

— Шурочку словно подменили. Она совершенно не могла спать, даже пыталась употреблять наркотики... Вы представляете?

Он говорил об этом с трогательной улыбкой на лице, словно о ребенке, который по глупости назвал родителей нецензурным словом, понятия не имея о его значении.

— Я совершенно случайно наткнулся на них. Чтобы не расстраивать меня, она прятала их под подушкой... Это Шурочка-то, спортсменка...

«Значит, не наркотики стали причиной ее смерти, — сообразила я. — В этом случае наверняка бы открылось, что его «бедная Шурочка» — наркоманка со стажем».

— Я сам предложил ей отдать ребенка в приют. Это было невыносимо. Тем более что врачи не оставили нам никакой надежды... Вы совсем не пьете.

В ответ на его замечание я взяла свою рюмку и сделала небольшой глоток. Зеленин выпил со мной за компанию и неожиданно опьянел. Он говорил об этой женщине с таким умилением... Я даже пожалела, что не прихватила парочку фотографий из «семейного альбома» Александры и Александра. Думаю, это моментально отрезвило бы его. В прямом и переносном смысле. По всей видимости, рассказывать о своей чудо-гимнастке он мог часами, но мне нужна была конкретная информация.

— Как она погибла? — спросила я, дождавшись небольшой паузы в его повествовании.

— Несчастный случай. Автомобильная катастрофа. Она возвращалась от брата и поймала машину. Водитель не справился с управлением, и... Кажется, он был нетрезв...

Вениамин сидел со слезами на глазах и, казалось, забыл, что его теперешняя жена лежит в больнице и он до сих пор не знает, с каким диагнозом. Мысленно вернувшись на семь лет назад, он полностью погрузился в события того времени.

— Так за что же все-таки вы платите ее брату? —

напомнила я, поскольку до этой темы он до сих пор не добрался.

— Да-да, — он попытался собраться с мыслями, хотя в результате приема дозы алкоголя, очевидно, непривычно большой для него, это далось ему не без труда. — Я же просил останавливать меня... Но вы должны понять...

— Я понимаю. Мне кажется, вам лучше выпить крепкого кофе, — предложила я, увидев, что Зеленин снова потянулся за коньяком.

— Да-да, разумеется, сейчас я закажу...

— Не стоит. Поедем ко мне.

Я вышла из-за стола и направилась к двери. Он послушно последовал за мной.

Глава 10

По дороге моего спутника основательно развезло, и только после двух больших чашек моего фирменного кофе Вениамин начал понемногу приходить в себя. Только теперь я сообразила, что непьющим он был не всю жизнь. И скорее всего стал трезвенником именно потому, что в свое время отдал дань если не алкоголизму, то, как минимум, крутому пьянству.

Его признание подтвердило мои слова:

— Я ведь уже несколько лет капли в рот не беру, особенно после встречи со Светланой. Сам не понимаю, что на меня нашло.

— Ничего страшного. Вы уже в норме.

— Как-то по-дурацки все получилось...

— Мы остановились на том, за что с вас берет деньги Хрусталев.

Я специально конкретизировала вопрос, чтобы направить словесный поток Вениамина в нужное русло. От него не укрылся этот нюанс, что свидетельствовало о радикальном отрезвлении. Потому что еще полчаса назад он был, что называется, «готов».

— Можно я закурю? — спросил он меня, видимо, позабыв, что, войдя в мою квартиру, сразу выкурил две сигареты подряд, и их окурки до сих пор лежали в пепельнице у него перед носом. В трезвом виде он становился чрезвычайно деликатным.

— Разумеется, можно, — милостиво разрешила я.

Вениамин закурил и, глубоко затянувшись, продолжил свой рассказ.

— Я очень тяжело переживал те события. Месяца два... — он жестом алкоголика щелкнул себя по шее. — Но это, в конечном итоге, и помогло мне выжить.

«Нет, до окончательной трезвости ему как до луны», — подумала я, услышав сие до неприличия драматичное выражение и особенно «патетическую» интонацию, с которой оно было произнесено.

— Тогда я дал обет никогда в жизни не заводить семью. И шесть лет соблюдал его. Но... — Зеленин выразительно развел руками. — Вы видели Светлану... Когда я встретил ее, показалось, что господь послал мне ангела в утешение. И я забыл про свой обет.

«Еще немного, — мысленно вздохнула я, — и он перейдет на стихи».

— Больше всего на свете я боюсь, что она узнает про мой первый брак. Иногда я просыпаюсь среди ночи в холодном поту, представив, что ей стало известно о Шурочке и особенно о ребенке. Именно поэтому в нашем доме не бывает никого из наших прежних знакомых. И поэтому я запретил Светлане появляться в цирке... Я боюсь потерять ее.

«Так вот почему ты не взял ее с собой в командировку, — чуть было не вырвалось у меня. — А я-то голову ломала».

По изменившемуся выражению его лица я поняла, что он готовится перейти к самой неприятной для него части повествования. И не ошиблась.

— Хрусталев появился у меня сразу же после свадьбы, хотя мы не встречались несколько лет. Я подумал, что это простое совпадение, и поначалу не придал его визиту значения. Просто попросил пока не бывать у меня, ничего не объясняя. И он поначалу сделал вид, что понимает меня. Попросил немного денег и тут же ушел. Но через неделю пришел снова. На этот раз Светлана была дома, и он, казалось, наслаждался моим страхом, все время заводя разговор о прошлом. Я отослал Светлану в магазин и еще раз по-хорошему попытался договориться с ним. Александр снова согласился, но опять попросил у меня денег. После смерти сестры он так и не вернулся в цирк и не нашел себя в другой профессии. Он во всем обвиняет меня... И в этом есть доля правды.

— Значит, Хрусталев шантажирует вас? — не выдержав, возмутилась я. — И сколько же он с вас берет за свое молчание, если не секрет?

— В последнее время довольно много... — уныло сказал Вениамин и с тоской посмотрел мне в глаза, сразу став похожим на больную собаку. Я видела перед собой глубоко несчастного, запутавшегося человека, которого много лет подряд так гнусно обводили вокруг пальца.

Теперь мне было известно все. За небольшим исключением.

— Как же вы представили Хрусталева Светлане? — спросила я.

— Никак, — недоуменно пожал плечами Вениамин. — В этом не было никакой нужды. Она видела его один раз в жизни и, надеюсь, никогда больше не увидит. Это все, что вы хотели узнать?

— Можно сказать, да, — неохотно ответила я, понимая, куда он клонит.

— В таком случае расскажите, что здесь произошло в мое отсутствие. Я должен все знать, прежде чем увижусь с женой.

Настал мой черед прятать глаза. Ну разве могла я вот так с бухты-барахты взять и выложить Вениамину всю правду... Человек много лет жил в выдуманном им мире, и лишить его теперь этой сказки у меня не поднималась рука, не поворачивался язык. Расскажу, что выяснила, и кто знает, не захочет ли он после этого повторить поступок своей жены?

В поисках выхода из сложившейся ситуации я посмотрела по сторонам, и мой взгляд упал на табло электронных часов. Сочетание светящихся зеленых цифр свидетельствовало о том, что ни о каком визите в больницу сегодня уже не может быть и речи. Я не поверила собственным глазам. Но, поглядев еще и на наручные часы, убедилась, что действительно очень поздно. За всей суетой я и не заметила, как наступил вечер. И решилась если не на «святую ложь», то по меньшей мере на «ложь во спасение».

— После вашего отъезда... вы же помните, в каком она была состоянии... Светлана практически не выходила из дома, — не очень уверенно произнесла я, но, сообразив, что это в общем-то правда, заговорила уверенней: — Поэтому затрудняюсь сообщить что-то принципиально новое. А вчера к ней вызвали «Скорую помощь» — она перерезала себе вены.

— Я так и знал, — устало и как-то обреченно проговорил Вениамин, — я чувствовал, что-то должно произойти...

— Теперь вас к ней не пустят. Но я узнавала, ей

уже ничто не угрожает. И завтра утром вы сможете в этом убедиться. А сейчас вам нужно отдохнуть и прийти в себя. Извините, уже поздно...

Я недвусмысленно выпроваживала его, потому что у меня на эту ночь были свои планы. Вениамин посмотрел на часы и нехотя направился к выходу. Я прекрасно понимала его состояние и невеселую перспективу провести ночь в залитой кровью жены квартире. Но ничем не могла ему помочь.

— Если позволите, последний вопрос... — остановила я своего гостя на пороге. — Впрочем, не стоит. До свидания.

Я хотела уточнить некоторые финансовые подробности его взаимоотношений с Хрусталевым, а заодно узнать, много ли денег он дает своей жене, но решила не бередить лишний раз его душевные раны, поскольку мне и так все было достаточно ясно. Еще утром я удивлялась тому, на какие деньги живет «красавчик». Модные тряпки, дорогая парфюмерия... Он нигде не работал, но по его виду было заметно, что нужды бывший гимнаст ни в чем не испытывает. Теперь мне был известен источник его доходов.

Очевидно, что львиная доля зеленинских гонораров переходила в карман Хрусталева. Как ловко парень устроился! Покупая наркотики на деньги мужа, он снабжал ими его жену. Кроме того, оставалась приличная сумма на собственные расходы.

Еще днем я не понимала, что толкнуло Светлану совершить попытку самоубийства именно вчера, сразу после визита к ней Хрусталева. Да, ее жизнь благодаря ему превратилась в сплошной кошмар. Но должна была быть какая-то капля, переполнившая чашу ее терпения. Должно было произойти что-то такое, что заставило ее взяться за бритву. Что же?

Скорее всего Хрусталев потребовал вернуть ему деньги. Те суммы, которыми он снабжал ее все это время. А при сегодняшней цене на наркотики можно предположить, что долг Светланы достиг астрономической цифры. А в случае неуплаты... На этот случай «красавчик» наверняка припас угрозу разоблачения и «видеодокументы».

Итак, Хрусталев шантажировал и мужа, и жену, играя на их чувствах и страхах. Однако в изобретательности ему не откажешь.

Мое положение оказалось странным и двусмысленным. Все зная и понимая, я не осмеливалась передать эту информацию Вениамину. Но и оставлять ситуацию, как есть, тоже нельзя. Хрусталев явно не остановится и вполне сможет довести Светлану до новой попытки самоубийства. Что не удалось вчера — удастся через месяц. Или найдет другой, еще более изощренный способ мести.

Сделать подарок ментам и передать им пленки и всю имеющуюся у меня информацию? Тогда Зелениным придется не просто узнать друг о друге массу нового и отнюдь не приятного, но и поделиться этими знаниями со многими посторонними людьми. Известно, что зачастую даже жертвы изнасилования не хотят обращаться в органы, только чтобы не участвовать в унизительных процедурах и не делать свою беду достоянием гласности. А тут я имела дело со столь интимными фактами, что одна мысль об их публичном обсуждении вызывала у меня внутренний протест.

«Взорвать бы эту гадину вместе с его музеем, — подумала я, отправляясь на кухню, чтобы освободить от окурков пепельницу. — Сам по-человечески не живет и другим не дает жить спокойно».

Проветрив квартиру, я совсем было собралась лечь

спать. Но в этот момент у меня появилась неожиданная идея. Чтобы не передумать, нужно сразу же приступить к ее реализации! Я еще плохо представляла все ее детали и тем более последствия, но других идей у меня не было.

Короче говоря, я снова ехала в цирковую гостиницу.

На этот раз мне повезло еще больше — Эдуард ругался на проходной с вахтершей. Видимо, это занятие ему давно надоело, и он доругивался от нечего делать, потому что, увидев меня, моментально позабыл о вахтерше и, не обращая внимания на ее гневные взгляды, поволок меня к себе.

— Ты куда пропала? — хитро прищурившись, спросил он. — Гоша тут ночей не спит, грустные песни поет. А ты о нем и думать забыла? Поматросила, понимаешь, и бросила?

Он чуть было не вогнал меня в краску, напомнив о моих недавних шалостях. И чтобы не заостряться на этой теме, я сразу же взяла быка за рога.

— Кстати, он еще не спит?

— Говорю тебе, совсем сна лишился. Это вам, бабам, что с гуся вода, а мы — народ серьезный. Не даем поцелуя без любви.

— Я серьезно. Где он?

— В шахматы с Гурамом играет, — сморщил потешную рожицу Эдуард. — Нашел с кем играть.

Гурам был иллюзионистом, и Эдуард намекал на ловкость его рук и склонность людей этой профессии к мошенничеству.

— Зови.

— А что у нас в рюкзаках? — с надеждой спросил Эдуард, и глазки его забегали в два раза быстрее обычного.

— На этот раз ничего. У меня важное дело.

— Тем более надо было взять чего-нибудь.

— За мной не пропадет, — пообещала я, но особого восторга на лице старого алкоголика и скандалиста мое обещание не вызвало.

— Мне выйти? — кокетливо прогнусавил лилипут, когда привел своего громадного друга.

Видимо, в шутках и намеках Эдуарда была доля правды, потому что Гоша при этих словах смутился и показал ему кулак размером с голову вундеркинда.

— Мальчики, у меня к вам серьезный разговор. Очень серьезный, — напомнила я. — Я пришла к вам посоветоваться...

И рассказала им все без утайки.

* * *

— Я его с дерьмом съем, — было первой реакцией лилипута по окончании моего рассказа. — Поехали.

— За такие вещи надо... — произнес немногословный Гоша и покачал головой. — Пойду оденусь.

Через несколько минут мы ехали по ночному Тарасову в сторону Четвертой Дачной.

Я надеялась именно на такую реакцию моих цирковых друзей. Они ведут совершенно безалаберный образ жизни, слишком много пьют, но при этом сохранили удивительную порядочность и не прощают подлости. За что я их люблю и уважаю. И поэтому именно к ним поехала за советом и помощью.

Оба моих спутника оделись в строгие темные костюмы, и если бы не глубокая ночь, мы бы представляли собой весьма любопытное зрелище. Эффектная блондинка в компании карлика и великана. Было в этом что-то от свиты Воланда.

Мы несколько минут безуспешно давили на кнопку звонка, прежде чем Хрусталев, в халате и впервые со спутанными волосами, открыл нам дверь. Но было заметно, что, несмотря на поздний час, он не спал. А судя по едва слышной музыке из квартиры — мы вытащили его из «музея», и одному богу известно, чем он там занимался.

Увидев нашу троицу, он совершенно обалдел и, потеряв дар речи, бормотал что-то невнятное.

— Здравствуй, Шурик, — проверещал Эдуард и, разбежавшись, ударил его головой в живот. Удар, видимо, был отработанный, потому что у Хрусталева подогнулись коленки, и он наверняка бы упал на спину, если бы Гоша не подхватил его своими огромными ручищами и не внес в квартиру.

Все это произошло почти бесшумно и не потревожило мирного сна хрусталевских соседей. Гоша брезгливо швырнул хозяина квартиры на музейную кровать, и Хрусталев с размаху ткнулся лицом в живот своему идолу.

— Не вздумай подымать шум, говнюк, — предупредил его Эдуард и плотно прикрыл за собой дверь.

Гоша взял единственное музейное кресло и, поставив перед дверью, опустил в него свое тяжелое тело, перекрыв тем самым вход и выход. Эдуард, скрестив руки, встал у стены, а я пристроилась на подоконнике — другой мебели для сидения в комнате не было, делить же с Хрусталевыми их супружеское ложе у меня не было никакого желания.

— Что вам от меня нужно? — предчувствуя недоброе, завопил Хрусталев срывающимся голосом.

— Не торопись, сынок, — густым басом ответил ему Эдуард. — Всему свое время.

Лицо Хрусталева блестело, то ли от пота, то ли от крема, но это производило мерзкое впечатление. Особенно в сочетании с выражением лица. На нем были страх и ненависть. Ненависть зверя, загнанного в угол. От былой его самоуверенности не осталось и следа.

— Да пошли вы, — крикнул он и попытался прорваться к двери.

Легким движением руки Гоша вернул его на место, но в результате из губы Хрусталева потекла тоненькая струйка крови, а на глаза навернулись слезы.

— Что я вам сделал? — прерывающимся от подступающего рыдания голосом спросил он.

— Ты, оказывается, сволочь... — задумчиво проговорил Гоша. — А я тебя человеком считал. Мы все знаем.

— Что вы знаете? Я ничего не понимаю.

— Сейчас поймешь, — с ненавистью пообещал Эдуард и двинулся к нему.

— Не надо, Эдуард, с этим мы еще успеем, — остановил его Гоша, и лилипут неожиданно успокоился. — Говори, Таня.

— Хорошо бы выключить эту... — Я показала рукой в сторону кровати, имея в виду фонограмму, потому что говорить под аккомпанемент страстных стонов мне почему-то не хотелось.

— Слышал, что тебе сказали? — снова разозлился Эдуард.

Хрусталев повернул какую-то невидимую ручку на стене, и звук исчез. Оглянувшись на Гошу, он прикрыл обнаженные «прелести» своей куклы, накинув на них съехавшую на пол простыню.

— По некоторым причинам, — начала я, обращаясь к «красавчику» строго, едва сдерживая раздражение и отвращение, — мне не хотелось бы передавать это дело в руки правоохранительных органов, хотя ваши действия подпадают под несколько статей Уголовного кодекса. И вы, безусловно, заслуживаете тюрьмы. Я бы с удовольствием упекла вас туда на несколько лет, но, повторяю, не хочу давать этому делу официальный ход.

— Да кто ты такая...

Хрусталев назвал меня очень грязным словом, и повторять я его не хочу, тем более что он тут же получил за это от Гоши такого тумака, что некоторое время пребывал в нокауте.

Чтобы привести бывшего гимнаста в чувство, Эдуарду пришлось сходить за холодной водой.

После того как он немного очухался, я продолжила свою «душеспасительную» беседу, и парень оказался не дурак. В том смысле, что очень быстро понял: деваться ему некуда, и хочешь не хочешь, нужно навсегда забыть его идею-фикс — привести в исполнение план мести Зеленину. Правда, сначала он немного посопротивлялся для виду и даже попытался прикинуться несправедливо оклеветанным. Но, догадавшись, что я располагаю документальными подтверждениями всех его деяний и знаю все его секреты, быстренько пошел на попятную. А когда я будто невзначай взяла в руки «семейный альбом» и сделала вид, что собираюсь его полистать, вовсе расклеился и разревелся, как пацан.

Я заставила его написать официальное признание во всех совершенных им преступлениях, причем с использованием таких жестких формулировок, как «доведение до самоубийства» и «шантаж». Так что одной этой бумаги было бы достаточно, чтобы засадить его на всю оставшуюся жизнь. А учитывая его внешность и наклонности, судьба его в тюрьме ждала незавидная.

После того как с «официальной частью» было покончено, я попросила своих друзей ненадолго оставить меня наедине с Хрусталевым. Им эта идея явно не понравилась, но спорить со мной они не стали и удалились. Но лишь на том условии, что все это время будут сидеть на кухне и явятся при первом тревожном звуке. А подписанный Хрусталевым документ «на всякий пожарный» забрали с собой.

— Это еще зачем? — скривившись, спросил хозяин квартиры, как только дверь за моими «телохранителями» захлопнулась.

— Если позволишь, несколько вопросов «не для протокола», — пояснила я.

— А если я не захочу отвечать? — с улыбкой спросил он. В отсутствие Гоши к нему вернулась часть его былой наглости.

— Не хочешь — не отвечай. Но может быть, это твоя единственная возможность облегчить душу.

— Ты, кажется, предлагаешь мне исповедаться? — ухмыльнулся он.

— А если бы даже и так... Неужели никогда не возникало такого желания? — ответила я вопросом на вопросом, и на этот раз он воспринял его без иронии.

— Может быть, и хотелось. Только не перед тобой.

— Чего ты все-таки добивался? Неужели тебе стало бы легче, если бы Светлана умерла?

Мне показалось, что впервые Хрусталев посмотрел на меня с интересом.

— У тебя есть сигареты? — подумав, спросил он. — Мои на кухне.

Я дала ему закурить и закурила сама.

— Вообще-то я здесь не курю... — он с сожалением оглядел «музей», словно прощаясь с ним, махнул рукой и достал из одного из ящиков блюдечко, которое заменило нам пепельницу. Помолчал. А потом неожиданно предложил:

— Если хочешь, я расскажу тебе все сначала.

— С какого начала? — не сразу поняла я.

— С самого.

— Попробуй.

— А не пожалеешь? Это страшная сказка.

— Не думаю.

— Ну, как знаешь. Мое дело — предупредить...

И он поведал мне историю своей страсти.

* * *

Не могу назвать его рассказ таким уж страшным. Чаще он вызывал у меня отвращение. Но местами поднимался до настоящей трагедии. Именно страсть владела «героями», и все их действия были продиктованы ею.

Наш разговор продолжался почти до утра, и мои друзья несколько раз с тревожными лицами заглядывали в комнату, чтобы убедиться, что мне ничего не угрожает. Начиная с какого-то момента их глаза приобрели некий яркий блеск, и я поняла, что они добрались до хрусталевского коньяка. Но я не осуждала их. Сидеть всю ночь на чужой кухне без дела — занятие не самое веселое. А уйти без меня они не могли.

Когда мы садились в машину, на небе уже загоралась заря, а когда подъезжали к моему дому — было уже совсем светло. По пути я купила в работающем круглосуточно ларьке две бутылки водки, и не только потому, что хотелось отблагодарить этих замечательных парней. Мне и самой был необходим допинг, чтобы смыть с души тот противный липкий осадок, что остался после хрусталевского рассказа.

За столом мы говорили о чем угодно, только не о событиях прошедшей ночи. Эдуард смешил нас до слез и пел свои лучшие песни. Потом я уложила их на свою кровать, а себе постелила в соседней комнате на диванчике. И несмотря на бессонную ночь и приличную порцию алкоголя, долго не могла заснуть, вертелась с боку на бок. А заснув, проспала до самого обеда.

Мои цирковые друзья не стали меня будить и ушли за пару часов до моего пробуждения, оставив трогательную и смешную записку.

Вот, собственно, и вся история.

Мне не хотелось бы пересказывать то, что услышала от Хрусталева, потому что ничего принципиально нового из его исповеди я не узнала. О многом догадалась и без него, а какие-то вещи просто не хочу вспоминать.

Хотя нет, кое-что все-таки я узнала именно от него. И это кажется мне важным.

Впервые увидев Светлану, Хрусталев сразу же решил ее погубить. Он приложил все усилия, чтобы произвести на нее впечатление, и, надо сказать, в этом преуспел.

Нет, она не полюбила его. Хотя его внешность не оставила ее равнодушной. Можно сказать, что до определенного момента она любовалась им, как совершенным произведением искусства, не более. Когда же он попытался перевести их отношения «в другую плоскость», то вежливо, но твердо заявила ему, что изменять мужу не собирается.

Но именно это не позволило ей рассказать о своем новом знакомом мужу — боялась, что он усомнится в ее верности и начнет ревновать. А потом стало уже поздно.

Некоторое время Хрусталев прикидывался смирившимся с ролью тайного воздыхателя и друга, но на самом деле только ждал удобного случая. И таковой скоро представился.

В то время он приторговывал наркотиками, и это было единственным источником его доходов. И однажды Светлана имела неосторожность согласиться попробовать пресловутого зелья. Глупая девчонка. Она даже не подозревала, с каким коварным врагом имеет дело.

Кроме того, Хрусталев обманул ее: вместо обещанного слабенького наркотика он ввел лошадиную дозу героина, после чего практически изнасиловал ее, воспользовавшись тем, что Светлана не могла адекватно воспринимать происходящее. Тогда он объяснил случившееся тем, что не смог сдержать своих чувств, и свалил все на действие наркотиков. Хотя себе вколол обычную глюкозу.

Он признался мне, что никогда в жизни не пробовал наркотики, и страшно переживал, когда к этой гадости пристрастилась его сестра.

Светлана простила его и во всем винила лишь себя. Потом были еще встречи — под тем или иным предлогом, мольбы и угрозы.

Однажды у Светланы с мужем произошла крупная ссора, которая настолько потрясла ее, что она сама попросила у Хрусталева наркотик, чтобы забыться или отомстить.

Дальше — больше. Он не торопился и ждал, когда наркотики станут ей необходимы, как воздух. И дождался.

Сначала Хрусталев охотно дарил, а потом одалживал Светлане дозу. И постепенно ее долг достиг невероятной величины, а отказаться от наркотиков она была уже не в состоянии.

Когда я впервые увидела Светлану, она приходила к нему за обещанной дозой, но он, поиздевавшись над ней, выгнал ни с чем. Он уже тогда все точно рассчитал. И нанес удар на следующий день.

Он пришел к ней домой, хотя это было ему строго-настрого запрещено. Но пришел не с пустыми руками — принес столь необходимый Светлане препарат. И она не смогла устоять и даже танцевала перед ним в голом виде в качестве расплаты за «товар». А перед уходом он дал ей три дня, чтобы расплатиться с ним полностью.

Дальнейшее известно.

* * *

Через несколько дней Хрусталев из Тарасова исчез. Я до сих пор не знаю, куда он уехал. Но у меня такое ощущение, что в нашем городе он не появится никогда.

С Зелениным я повстречалась на следующий день и после тщательной подготовки рассказала ему все. О его первой жене, об ее отношениях с братом и о том, чьего ребенка он считает своим. Сообщила и то, что его теперешняя жена тоже наркоманка. Но об этом он уже знал, поскольку побывал у нее в больнице. Об отношениях Светланы с Хрусталевым рассказывать я не стала.

Огромный камень свалился с плеч. Вениамин узнал, что не виноват в болезни «своего» ребенка. И тут же радостно сообщил, что теперь обязательно разрешит Светлане родить. После того, естественно, как она выздоровеет и с его помощью переборет пристрастие к наркотикам, которое длилось, к счастью, не слишком долго.

Кстати, оказалось, что та роковая ссора произошла именно по этому поводу. Светлана очень хотела иметь ребенка, а Вениамин не просто ее отговаривал, а категорически запретил даже думать об этом.

Через несколько дней я побывала в больнице. Светлана чувствовала себя сносно, и я рискнула рассказать ей ту часть истории, которая предназначалась ей. О том, что такое Хрусталев и какие цели были у него с самого начала. О том, что он никогда больше не появится в ее жизни и ничего от нее не потребует. Ведь в ту ночь, когда мы с циркачами побывали у него, он подписал еще один документ, в котором говорится, что у него нет материальных претензий к Светлане. Я захотела иметь его на всякий случай, хотя, по сути, он дублировал его признание.

Таким образом, я честно отработала свои деньги,

хотя и утаила от клиента тот факт, ради которого он меня нанимал. Но совесть меня не мучает. Пусть радуется, что я избавила его от шантажиста, хоть об этом в моем задании на упоминалось.

За одно это он должен был меня озолотить, потому что недавно, встретившись со мной на улице, все-таки назвал мне сумму, которую передал бывшему шурину за время их «деловых отношений».

Я, по сравнению с Хрусталевым, обошлась Вениамину бесплатно. А ведь при этом, в отличие от «красавчика», работала на него. И еще как!

Кстати, во время той нашей встречи я посоветовала Зеленину рассказать жене всю свою жизнь, ничего не утаивая. Он сначала испугался, но скорее по привычке. И обещал подумать.

Если он воспользуется моим советом, то, думаю, и Светлана расскажет ему свою печальную историю.

И если после этого они сохранят любовь друг к другу (на что я надеюсь), то вот тогда станут действительно настоящими мужем и женой.

И проживут долгую счастливую жизнь.

СОДЕРЖАНИЕ

Литературно-художественное издание

Серова Марина Сергеевна
ВЗРЫВНОЕ ЛЕТО

Ответственный редактор *О. Рубис*
Редактор *И. Шведова*
Художественный редактор *А. Стариков*
Технический редактор *Н. Носова*
Компьютерная верстка *С. Кладов*
Корректор *Л. Фильцер*

В оформлении использованы фотоматериалы
А. Артемчука, Н. Лымаря

Налоговая льгота — общероссийский классификатор
продукции ОК-005-93, том 2; 953000 — книги, брошюры

Подписано в печать с готовых диапозитивов 11.03.2001.
Формат 84 × 108 1/32. Гарнитура «Таймс».
Печать офсетная. Усл. печ. л. 23,52.
Тираж 15 000 экз. Заказ 4457.

ЗАО «Издательство «ЭКСМО-Пресс». Изд. лиц. № 065377 от 22.08.97.
125190, Москва, Ленинградский проспект, д. 80, корп. 16, подъезд 3.
Интернет/Home page — www.eksmo.ru
Электронная почта (E-mail) — info@ eksmo.ru

Книга — почтой: **Книжный клуб «ЭКСМО»**
101000, Москва, а/я 333. E-mail: bookclub@ eksmo.ru

Оптовая торговля:
109472, Москва, ул. Академика Скрябина, д. 21, этаж 2
Тел./факс: (095) 378-84-74, 378-82-61, 745-89-16
E-mail: reception@eksmo-sale.ru

ООО «Медиа группа «ЛОГОС». 103051, Москва, Цветной бульвар, 30, стр. 2
Единая справочная служба: (095) 974-21-31
E-mail: mgl@logosgroup.ru
contact@logosgroup.ru

Мелкооптовая торговля:
117192, Москва, Мичуринский пр-т, д. 12/1
Тел./факс: (095) 932-74-71

ООО «Унитрон индастри». Книжная ярмарка в СК «Олимпийский».
г. Москва, Олимпийский пр-т, д. 16, метро «Проспект Мира».
Тел.: 785-10-30. E-mail: bookclub@cityline.ru

Дистрибьютор в США и Канаде — Дом книги «Санкт-Петербург»
Тел.: (718) 368-41-28. **Internet: www.st-p.com**

Сеть магазинов «Книжный Клуб СНАРК» представляет
самый широкий ассортимент книг издательства «ЭКСМО».
Информация в Санкт-Петербурге по тел. 050.

Всегда в ассортименте новинки издательства «ЭКСМО-Пресс»:
ТД «Библио-Глобус», ТД «Москва», ТД «Молодая гвардия»,
«Московский дом книги», «Дом книги на ВДНХ»

ТОО «Дом книги в Медведково». Тел.: 476-16-90
Москва, Заревый пр-д, д. 12 (рядом с м. «Медведково»)

ООО «Фирма «Кнминком». Тел.: 177-19-86
Москва, Волгоградский пр-т, д. 78/1 (рядом с м. «Кузьминки»)

ГУП ОЦ МДК «Дом книги в Коптево». Тел.: 450-08-84
Москва, ул. Зои и Александра Космодемьянских, д. 31/1

Отпечатано с готовых диапозитивов
в полиграфической фирме «КРАСНЫЙ ПРОЛЕТАРИЙ»
103473, Москва, Краснопролетарская, 16